Microsoft Press

L'Essentiel

Microsoft® Excel

Version 2002

Nous informons nos lecteurs que les captures d'écran et la rédaction de cet ouvrage ont été réalisés à partir de Microsoft Office XP en version béta; malgré tous nos soins, il est donc possible que des modifications interviennent au moment de la finalisation du produit, et que vous constatiez des différences entre les captures d'écran de ce livre et ce que vous observez sur votre écran avec le logiciel final. Nous vous prions de nous excuser pour cette gêne éventuelle, et vous remercions de votre confiance.

Publié par Microsoft Press,
un département de Microsoft France.
18 avenue du Québec
91957 LES ULIS Cedex

Tél. 0 825 827 829

http://microsoft.com/france/mspress/

Mise en page : Point Commun
Traduction et adaptation : James Guerin
Suivi éditorial : Dominique Vautier
Couverture : Punk
ISBN : 2-84082-802-2

Sommaire

1 Débuter avec Excel 2002 — 1

Démarrer Excel 2002 2
La fenêtre Excel 4
Travailler dans la fenêtre Excel 5
Créer un nouveau classeur 6
Ouvrir un classeur 9
Naviguer dans un classeur 13
Travailler avec les menus et les barres d'outils .. 16
Travailler avec le volet Office 19
Travailler avec des boîtes de dialogue et des assistants 20
Déceler et corriger les problèmes 22
Obtenir de l'aide 24
Enregistrer un classeur 26
Imprimer une feuille de calcul 29
Fermer un classeur et quitter Excel 32

2 Notions élémentaires sur les classeurs — 35

Entrer des données dans les cellules 35
Sélectionner des cellules 37
Saisir des étiquettes dans une feuille de calcul .. 38
Saisir des valeurs dans une feuille de calcul 41
Saisir rapidement des valeurs avec la Recopie incrémentée 43
Modifier le contenu d'une cellule 45
Effacer le contenu d'une cellule 47

Annuler ou restaurer une action 48
Travailler avec la commande Coller 50
Stocker le contenu d'une cellule 51
Copier le contenu d'une cellule 53
Déplacer le contenu d'une cellule 57
Insérer et supprimer une cellule 60
Corriger un texte à l'aide de la Correction automatique 62
Vérifier l'orthographe 66

3 Travailler avec des formules et des fonctions 69

Créer une formule simple 70
Modifier une formule 73
Les références relatives de cellules 75
Utiliser des références absolues 76
Référencer des cellules avec des étiquettes 78
Nommer les cellules et les plages 80
Simplifier une formule avec des plages 83
Afficher des calculs avec le Calcul automatique 85
Calculer des totaux avec la Somme automatique 86
Effectuer des calculs avec des fonctions 87
Créer des fonctions 90
Évaluer des formules 91

4 Modifier des classeurs et des feuilles de calcul 93

Sélectionner et nommer une feuille de calcul 94
Insérer et supprimer une feuille de calcul 95
Déplacer et copier une feuille de calcul 97
Sélectionner une colonne ou une ligne 100
Insérer une colonne ou une ligne 101
Supprimer une colonne ou une ligne 103

Masquer une colonne ou une ligne 104
Ajuster la largeur d'une colonne et la hauteur d'une ligne 106
Figer une colonne ou une ligne 109
Afficher l'aperçu des sauts de page 111
Mettre la page en forme 113
Ajouter un en-tête ou un pied de page 114
Personnaliser l'impression d'une feuille de calcul 116
Définir une zone d'impression 120

5 Mettre en forme les feuilles de calcul 123

Mettre en forme du texte et des nombres 124
Définir une mise en forme conditionnelle 127
Copier des formats de cellules 129
Changer de police 130
Modifier l'alignement des données 133
Contrôler l'enchaînement du texte 136
Changer les couleurs 138
Ajouter aux cellules des couleurs et des motifs 140
Ajouter des bordures aux cellules 142
Mettre les données en forme avec la Mise en forme automatique 145
Modifier un format automatique 146
Créer et appliquer un style 147
Modifier un style 150
Changer de langue 153

6 Insérer des images et d'autres objets 155

Insérer des images 156
Insérer des clips multimédias 160
Agrémenter un texte avec WordArt 163
Modifier un texte WordArt 165
Appliquer des effets de texte WordArt 169

Insérer un organigramme 172
Modifier un organigramme 174
Créer et lire un commentaire de cellule 177
Modifier et supprimer un
commentaire de cellule 179
Modifier des images 181

7 Dessiner et modifier des objets 185

Tracer des lignes et des flèches 186
Tracer des formes automatiques 189
Insérer des formes automatiques
provenant de la bibliothèque d'images 192
Dessiner une forme libre 195
Modifier une forme libre 198
Déplacer et redimensionner un objet 202
Faire pivoter ou retourner un objet 205
Choisir des couleurs pour un objet 209
Ombrer un objet 212
Créer un objet 3D 215
Aligner et répartir des objets 218
Ordonner et grouper des objets 221
Modifier les paramètres d'affichage d'un objet 224

8 Réaliser des graphiques 225

La terminologie des graphiques 226
Bien choisir son graphique 227
Créer un graphique 229
Travailler un graphique 232
Sélectionner un graphique 234
Changer de type de graphique 235
Déplacer et redimensionner un graphique 237
Extraire un secteur de graphique 238
Ajouter et supprimer des séries de données 241
Améliorer des séries de données 245
Améliorer un graphique 247

Dessiner sur un graphique 251
Mettre en forme les éléments d'un graphique 254

9 **Analyser les données d'une feuille de calcul** **257**

La terminologie des listes 258
Créer une liste 259
Qu'est-ce qu'une grille de données ? 260
Saisir des enregistrements avec une grille de données 261
Gérer des enregistrements avec une grille de données 262
Trier les données d'une liste 265
Afficher une liste partielle avec un Filtre automatique 267
Créer des requêtes complexes 269
Saisir des données dans une liste 270
Appliquer une procédure de validation des données à une feuille 272
Analyser des données dans un tableau .... croisé dynamique 274
Actualiser un tableau croisé dynamique 277
Modifier un tableau ou un graphique croisé dynamique 279
Représenter en graphique un tableau croisé dynamique 281
Vérifier une feuille de calcul 285

10 **Travailler plus efficacement avec Excel 2002** **287**

Personnaliser votre environnement de travail 288
Afficher plusieurs classeurs 291
Modifier l'affichage d'une feuille de calcul 293
Créer une barre d'outils 294
Personnaliser une barre d'outils 297

Ajouter des menus et des commandes 300
Créer des plans et des groupes 302
Gagner du temps grâce aux modèles 304
Créer un modèle 305
Travailler avec des modèles 307
Repérer les modifications 310
Protéger vos données 312

11 Optimiser les performances des feuilles de calcul 315

Créer des scénarios 316
Tester différentes valeurs dans une table de données 319
Effectuer des simulations avec la commande Valeur cible 321
Comprendre les automatisations des macros .. 323
Enregistrer une macro 324
Exécuter une macro 326
Comprendre le code d'une macro 327
Déboguer une macro en mode Pas à pas 328
Modifier une macro 330
Les macros complémentaires d'Excel 331

12 Travailler en groupe 333

Partager des classeurs 334
Partager des informations entre des documents 336
Exporter et importer des données 339
Lier et incorporer des fichiers 341
Lier des données 345
Consolider des données 349
Récupérer des données par des requêtes 351
Récupérer des données d'un autre programme 356

13 Relier Excel à Internet **359**

Créer une page Web 360
Ouvrir un classeur comme une page Web 363
Afficher un aperçu de page Web 364
Insérer un lien vers Internet 365
Récupérer des données sur le Web 368
Copier un tableau Web dans une feuille
de calcul 372
Discuter sur le Web 373
Planifier une conférence en ligne 377
Envoyer des classeurs par
courrier électronique 379
Accéder aux informations Office sur le Web 382

Index **385**

Débuter avec Excel 2002

1

Si vous consacrez trop de temps à réécrire des rapports financiers, tracer des diagrammes ou chercher partout votre calculatrice, Microsoft Excel 2002 fera votre bonheur. Cet ouvrage présente les fonctionnalités les plus appréciées d'Excel, qui permettent d'accroître tout de suite votre efficacité.

Excel est un *tableur*, un logiciel conçu pour enregistrer, analyser et présenter les informations quantitatives. Vous suivez et analysez vos ventes, organisez vos finances, élaborez vos budgets et réalisez toutes sortes de tâches en un clin d'œil.

Le fichier que vous créez et enregistrez sous Excel se nomme *classeur*. Il est constitué d'un ensemble de feuilles de calcul, comparables aux pages d'un livre comptable. Excel vous aide également à exécuter toutes sortes de calculs et bien d'autres tâches, et à créer une multitude de documents et de tableaux, par exemple :

- états des dépenses et ventes mensuelles ;
- graphiques des ventes annuelles ;
- inventaires de produits ;
- échéanciers pour l'achat de matériels.

Démarrer Excel 2002

Pour utiliser Excel, commencez par démarrer le programme en cliquant tout simplement sur le bouton Démarrer dans la barre des tâches.

ASTUCE

Démarrer Excel à partir de la barre Office. *Si la barre Office est affichée sur votre écran, cliquez sur le bouton Nouveau document Office.*

Démarrer Excel à partir du menu Démarrer

1. Cliquez sur le bouton Démarrer dans la barre des tâches.
2. Pointez sur Programmes.
3. Cliquez sur Microsoft Excel.

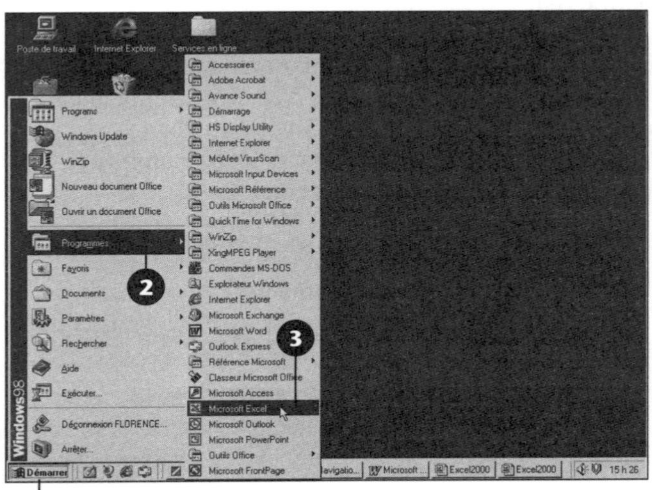

Démarrer Excel et un nouveau classeur à partir de Microsoft Office XP

1. Cliquez sur le bouton Démarrer dans la barre des tâches, puis sur Nouveau document Office.
2. Cliquez sur l'onglet Général.
3. Cliquez sur l'icône Nouveau classeur Excel.
4. Cliquez sur OK.

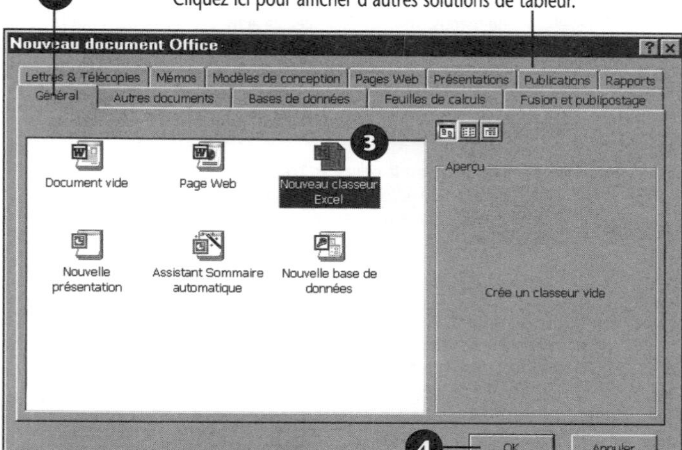

La fenêtre Excel

Au démarrage d'Excel la fenêtre principale du programme s'ouvre et affiche un classeur vierge, prêt à l'utilisation.

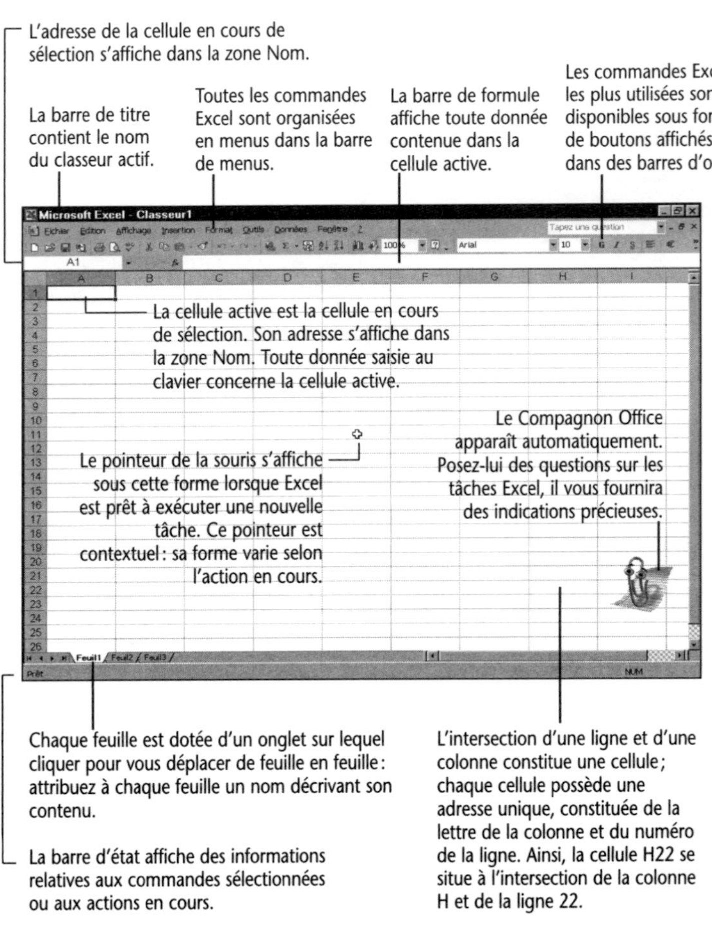

L'adresse de la cellule en cours de sélection s'affiche dans la zone Nom.
La barre de titre contient le nom du classeur actif.
Toutes les commandes Excel sont organisées en menus dans la barre de menus.
La barre de formule affiche toute donnée contenue dans la cellule active.
Les commandes Excel les plus utilisées sont disponibles sous forme de boutons affichés dans des barres d'outils.
Microsoft Excel - Classeur1
La cellule active est la cellule en cours de sélection. Son adresse s'affiche dans la zone Nom. Toute donnée saisie au clavier concerne la cellule active.
Le pointeur de la souris s'affiche sous cette forme lorsque Excel est prêt à exécuter une nouvelle tâche. Ce pointeur est contextuel : sa forme varie selon l'action en cours.
Le Compagnon Office apparaît automatiquement. Posez-lui des questions sur les tâches Excel, il vous fournira des indications précieuses.
Chaque feuille est dotée d'un onglet sur lequel cliquer pour vous déplacer de feuille en feuille : attribuez à chaque feuille un nom décrivant son contenu.
La barre d'état affiche des informations relatives aux commandes sélectionnées ou aux actions en cours.
L'intersection d'une ligne et d'une colonne constitue une cellule ; chaque cellule possède une adresse unique, constituée de la lettre de la colonne et du numéro de la ligne. Ainsi, la cellule H22 se situe à l'intersection de la colonne H et de la ligne 22.

Travailler dans la fenêtre Excel

Vous pouvez ouvrir simultanément plusieurs fenêtres de classeur.

ASTUCE

Basculer rapidement d'un document Office à un autre. *Chaque document Office XP ouvert affiche son propre bouton dans la barre des tâches Windows. Pour basculer rapidement de l'un à l'autre, cliquez sur son bouton.*

Basculer entre des fenêtres de classeur

1. Cliquez sur le menu Fenêtre pour afficher la liste des classeurs ouverts.
2. Cliquez sur le nom du classeur vers lequel basculer.

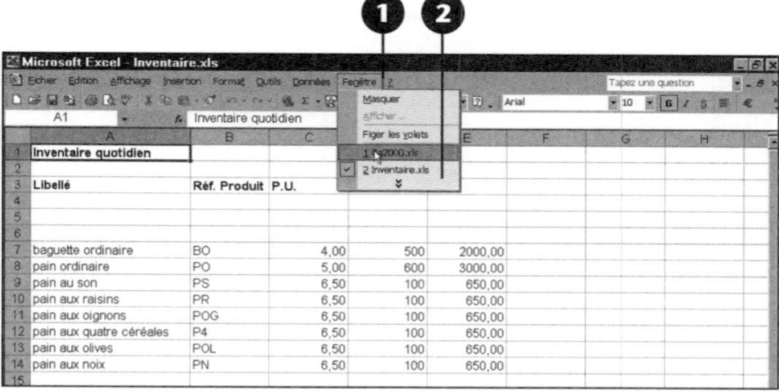

Redimensionner et déplacer des fenêtres

- **Réduire une fenêtre**
  Pour réduire une fenêtre à un bouton dans la barre des tâches, cliquez sur le bouton Réduire.
- **Agrandir une fenêtre**
  Pour agrandir une fenêtre à sa taille maximale, cliquez sur le bouton Agrandir.

◆ **Redimensionner une fenêtre**
Pour modifier la taille d'une fenêtre, placez le pointeur de la souris sur une bordure de cette fenêtre, puis faites glisser la poignée de dimensionnement.

◆ **Déplacer une fenêtre**
Pour déplacer une fenêtre, faites glisser sa barre de titre et amenez-la à son nouvel emplacement.

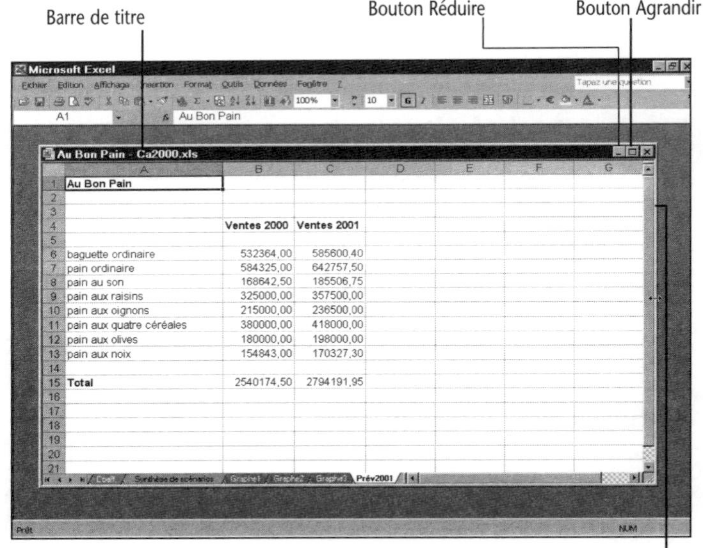

Créer un nouveau classeur

Lorsque vous démarrez Excel, la fenêtre de programme s'ouvre avec un nouveau classeur prêt à l'emploi.

Créer un classeur depuis le menu Fichier

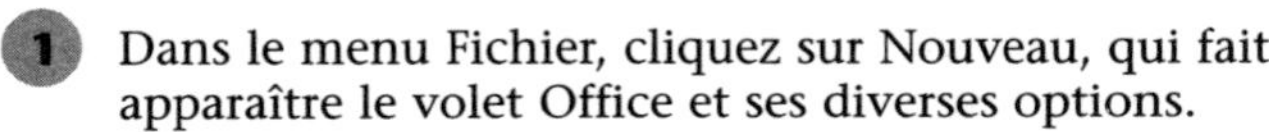

1 Dans le menu Fichier, cliquez sur Nouveau, qui fait apparaître le volet Office et ses diverses options.

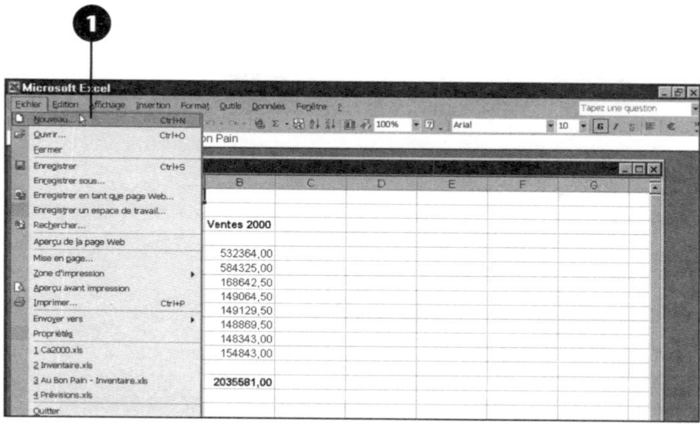

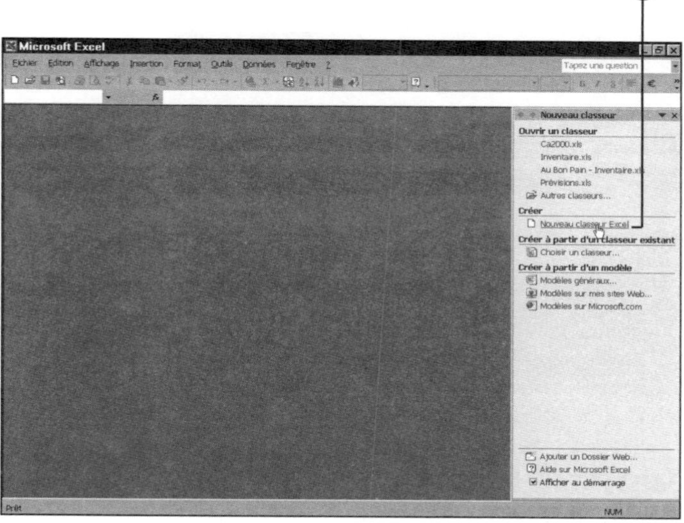

2 Dans le volet Office, cliquez sur Nouveau classeur Excel de l'option Créer.
Un classeur vierge s'ouvre.

Créer un classeur depuis un modèle

1. Dans le volet Office, cliquez sur l'option Modèles généraux, si vous voulez créer un classeur à partir d'un modèle existant.
2. Cliquez sur l'onglet Général.
3. Cliquez sur l'icône Classeur.
4. Cliquez sur OK.
   Un classeur vierge s'ouvre.

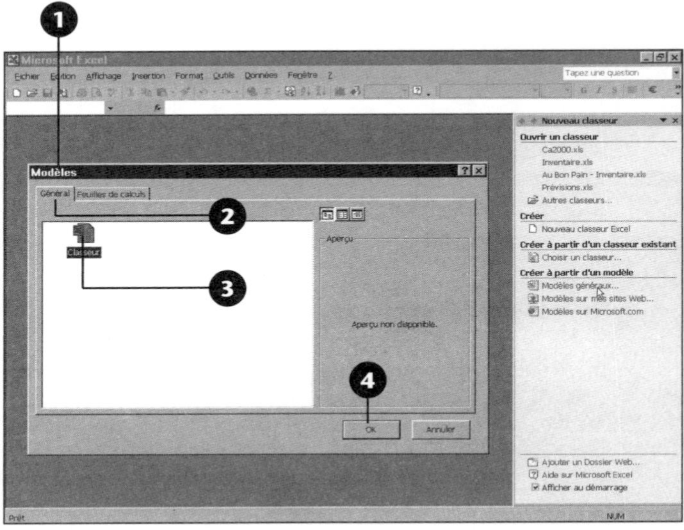

Créer un classeur depuis un classeur existant

1. Dans le volet Office, cliquez sur l'option Choisir un classeur, si vous voulez créer un classeur à partir d'un classeur existant.

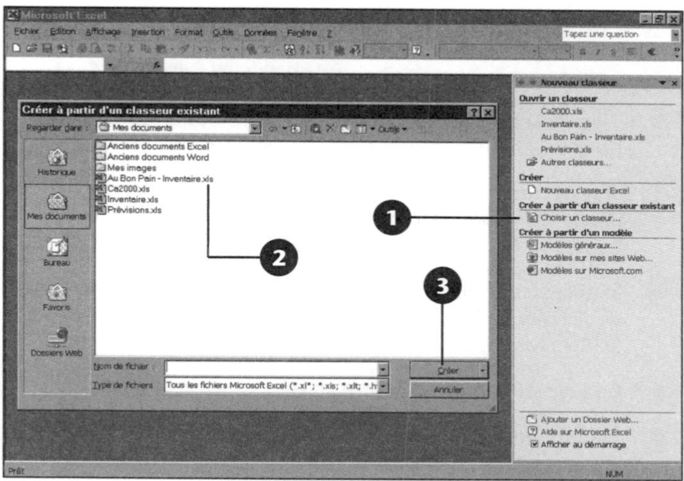

2 Choisissez un classeur existant.

3 Cliquez sur Créer.

Créer un classeur directement

Vous pouvez créer à tout moment un nouveau classeur en utilisant la touche de raccourci CTRL+N.

Ouvrir un classeur

Pour travailler sur un classeur précédemment créé, vous devez l'ouvrir.

ASTUCE

Modifier l'emplacement par défaut du fichier dans la boîte de dialogue Ouvrir. *Dans le menu Outils, cliquez sur Options, puis sur l'onglet Général et entrez un nouvel emplacement dans la zone Dossier par défaut.*

Ouvrir un classeur à partir de la fenêtre Excel

1. Cliquez sur le bouton Ouvrir dans la barre d'outils Standard.
2. Cliquez sur l'une des icônes de la barre des emplacements pour accéder rapidement aux dossiers les plus utilisés.
3. Si le fichier est situé dans un autre dossier, cliquez sur la flèche de la liste déroulante Regarder dans, et sélectionnez l'unité ou le dossier contenant le fichier à ouvrir.
4. Si nécessaire, cliquez sur la flèche de la liste déroulante Type de fichiers, puis sur le type du fichier à ouvrir (Tous les fichiers Microsoft Excel, pour afficher les classeurs).
5. Cliquez sur le nom de votre classeur.
6. Cliquez sur Ouvrir.

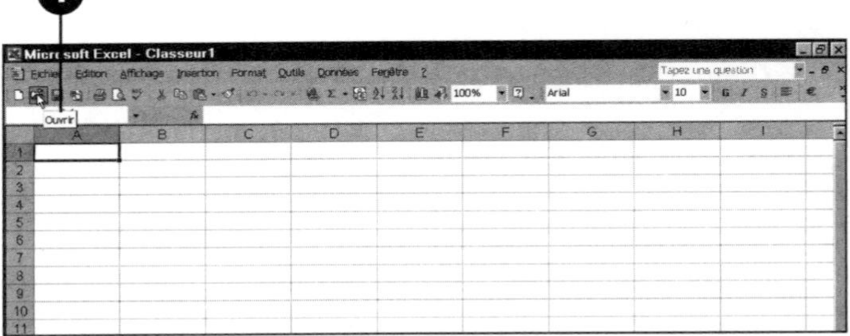

ASTUCE

Les fichiers récemment ouverts s'affichent dans le menu Fichier. *Si vous avez récemment ouvert puis refermé un fichier classeur, dans le menu Fichier, cliquez simplement sur le nom de votre fichier au bas du menu pour le rouvrir.*

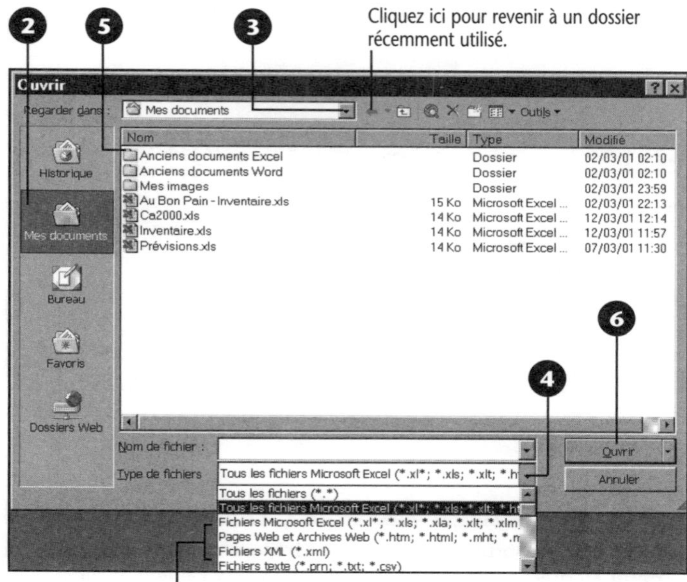

ASTUCE

Vous ne trouvez pas un fichier créé dans un autre tableur ?
Si le nom du tableur à ouvrir ne figure pas dans la liste déroulante Type de fichiers, exécutez le programme d'installation d'Excel pour installer les filtres nécessaires.

Ouvrir un classeur récemment utilisé à partir du menu Démarrer

1. Cliquez sur le bouton Démarrer dans la barre des tâches.
2. Pointez sur Documents. Le menu Documents affiche une liste des documents récemment ouverts.
3. Cliquez sur le classeur Excel à ouvrir.

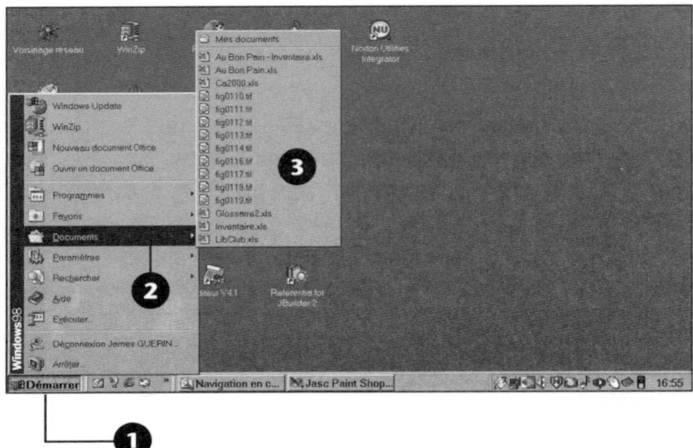

ASTUCE

Modifier le nombre des derniers fichiers ouverts dans le menu Fichier. *Dans le menu Outils, cliquez sur Options et sur l'onglet Général, et changez le nombre des derniers fichiers utilisés dans la zone Liste des derniers fichiers utilisés.*

Ouvrir un document Office à partir du menu Démarrer

1. Cliquez sur le bouton Démarrer dans la barre des tâches, puis sur Ouvrir un document Office.
2. Si nécessaire, cliquez sur la flèche de la liste déroulante Type de fichiers, puis sur le type du fichier à ouvrir.
3. Si nécessaire, cliquez sur la flèche de la liste déroulante Regarder dans, et sélectionnez l'unité et le dossier contenant le classeur à ouvrir.
4. Cliquez sur le nom du fichier.
5. Cliquez sur Ouvrir.

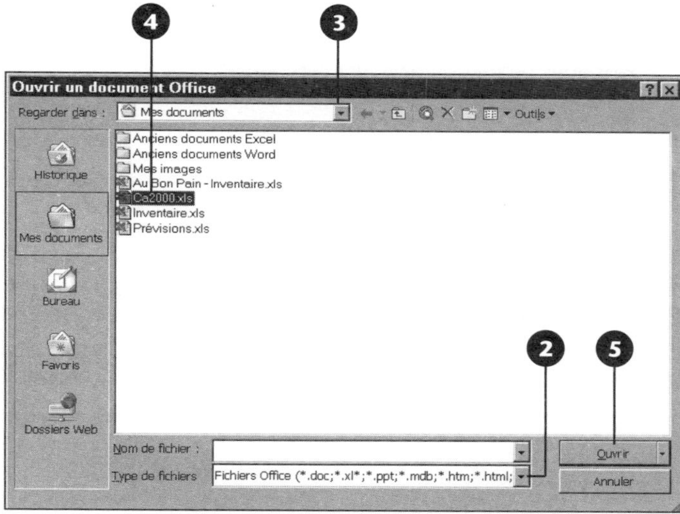

ASTUCE

Trouver un fichier dont vous ignorez le nom exact. *Dans la boîte de dialogue Ouvrir un document Office, cliquez sur la flèche de la zone Regarder dans et sélectionnez l'unité où pourrait se trouver le fichier. Tapez dans la zone Nom de fichier quelques caractères du nom de ce fichier. Cliquez sur le bouton Outils, puis sur Rechercher, activez ensuite la case à cocher Rechercher dans les sous-dossiers, enfin cliquez sur Rechercher.*

Naviguer dans un classeur

Vous vous déplacez dans un classeur ou une feuille de calcul à l'aide de votre souris ou de votre clavier.

ASTUCE

Microsoft IntelliMouse permet les déplacements rapides d'une cellule à l'autre. *Si vous êtes équipé du nouveau dispositif de pointage IntelliMouse, avec une roulette centrale entre les boutons droit et gauche de la souris, cliquez sur cette roulette puis faites glisser votre souris dans la direction voulue pour vous déplacer rapidement dans votre feuille de calcul.*

Naviguer à l'aide de la souris

La souris vous permet de naviguer vers :

- une autre cellule ;
- une autre partie de la feuille de calcul ;
- une autre feuille de calcul.

Pour vous rendre d'une cellule à l'autre, pointez sur la cellule où vous souhaitez aller, puis cliquez.

Si vous cliquez sur la roulette, le pointeur se transforme. Faites-le glisser dans la direction appropriée pour vous rendre rapidement à un nouvel emplacement.

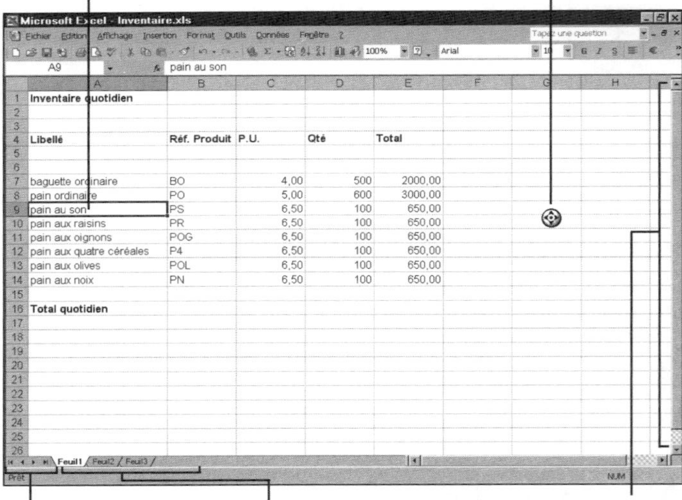

Pour afficher d'autres onglets de feuilles sans changer l'emplacement de la cellule active, cliquez sur un des boutons de défilement de feuilles.

Pour changer de feuille de calcul, cliquez sur l'onglet de la feuille voulue.

Pour afficher d'autres parties de la feuille de calcul sans modifier l'emplacement de la cellule active, cliquez sur les boutons de défilement horizontal ou vertical, ou faites glisser les barres de défilement.

ASTUCE

Changer la direction du déplacement vers la cellule suivante lorsque vous appuyez sur ENTRÉE. *Normalement, si vous appuyez sur ENTRÉE, la cellule active se déplace d'une ligne vers le bas. Pour modifier le sens de ce déplacement, dans le menu Outils, cliquez sur Options, sur l'onglet Modification, sur la flèche de la liste déroulante Sens, choisissez une direction et cliquez sur OK.*

Naviguer à l'aide du clavier

Avec le clavier, vous avez la possibilité de vous déplacer vers :

- une autre cellule ;
- une autre partie de votre feuille de calcul.

Le tableau suivant présente les raccourcis clavier commandant la navigation dans une feuille de calcul.

TOUCHES DE NAVIGATION DANS UNE FEUILLE DE CALCUL	
Appuyez sur la touche	**Pour vous déplacer**
GAUCHE	D'une cellule vers la gauche.
DROITE	D'une cellule vers la droite.
HAUT	D'une cellule vers le haut.
BAS	D'une cellule vers le bas.
ENTRÉE	D'une cellule vers le bas.
TAB	D'une cellule vers la droite.
MAJ+TAB	D'une cellule vers la gauche.
PAGE PRÉCÉDENTE	D'un écran vers le haut.
PAGE SUIVANTE	D'un écran vers le bas.
FIN+TOUCHE DE DIRECTION	Dans la direction de la touche, vers la cellule suivante contenant des données, ou vers la dernière cellule vide de la ligne ou de la colonne active.
ORIGINE	Vers la colonne A de la ligne active.
CTRL+ORIGINE	Vers la cellule A1.
CTRL+FIN	Vers la dernière cellule de la feuille de calcul contenant des données.

ASTUCE

Zoomer avec la roulette IntelliMouse. *Pour activer cette fonction, plutôt que de faire défiler votre feuille de calcul, dans le menu Outils, cliquez sur Options, sur l'onglet Général, cochez la case Zoom avec la roulette IntelliMouse, puis cliquez sur OK.*

Travailler avec les menus et les barres d'outils

Les commandes Excel sont toutes organisées en menus. Un menu court affiche les commandes usuelles, un menu étendu toutes les commandes disponibles.

Choisir une commande dans un menu

1. Cliquez dans la barre de menus sur le nom d'un menu pour afficher une liste de commandes.
2. Si nécessaire, cliquez sur la double flèche pour développer le menu et afficher d'autres commandes ou attendez que le menu étendu s'affiche.
3. Cliquez sur la commande voulue ou pointez sur la flèche à droite de la commande pour afficher un sous-menu : choisissez alors une commande.

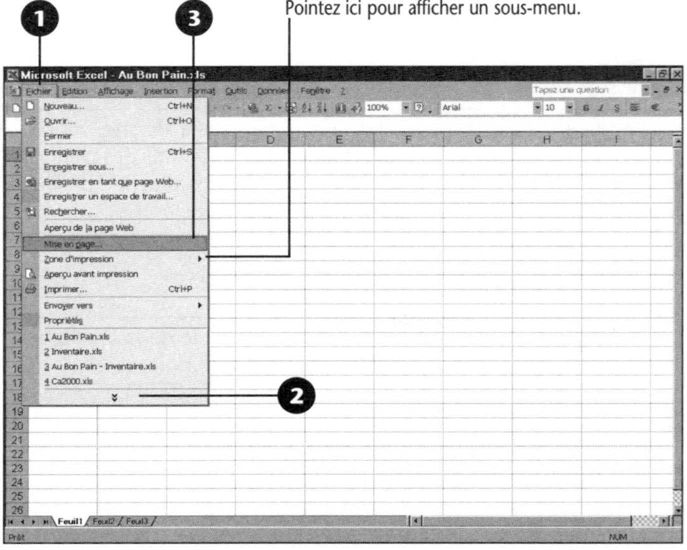

Choisir une commande avec un bouton de barre d'outils

1. Pour connaître le rôle d'un bouton, pointez dessus pour afficher son info-bulle.
2. Pour choisir une commande, cliquez sur son bouton ou sur la flèche de la liste déroulante Autres boutons pour y sélectionner le bouton voulu.
3. Lorsque vous choisissez un bouton dans la liste Autres boutons, il s'affiche dans la barre d'outils, qui ne propose que les boutons souvent utilisés.

Les barres d'outils Standard et Mise en forme s'affichent sur une seule ligne.

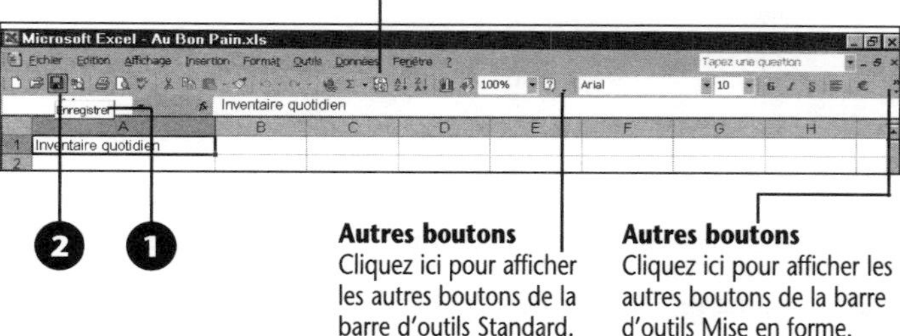

2 1

Autres boutons
Cliquez ici pour afficher les autres boutons de la barre d'outils Standard.

Autres boutons
Cliquez ici pour afficher les autres boutons de la barre d'outils Mise en forme.

ASTUCE

Les commandes et les boutons des barres d'outils et des menus s'adaptent à vos habitudes de travail. *Lorsque vous sélectionnez des commandes de menus ou des boutons d'outils, ces commandes et ces boutons sont intégrés dans le menu court et dans la barre d'outils partagée, s'ils ne s'y trouvaient pas déjà.*

Choisir une commande par un raccourci clavier

- Pour sélectionner une commande à l'aide d'un raccourci, maintenez enfoncée la première touche puis appuyez sur la seconde. Par exemple, pour exécuter la commande Enregistrer, maintenez enfoncée la touche CTRL tout en appuyant sur la touche S.

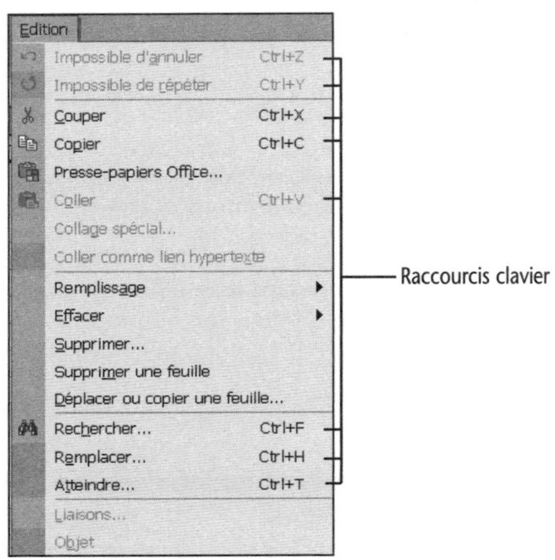

Afficher ou masquer une barre d'outils

1. Dans le menu Affichage, pointez sur Barres d'outils.
2. Cliquez sur la barre non cochée à afficher, ou sur la barre cochée à masquer.

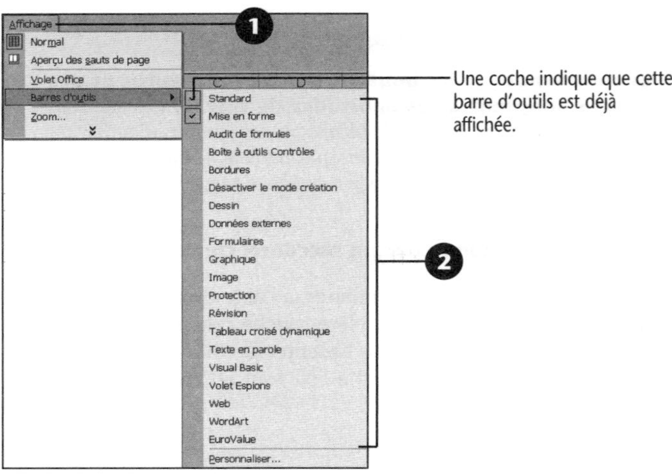

Travailler avec le volet Office

Le volet Office, intégré dans la partie droite de l'écran, donne à l'utilisateur d'Excel un accès direct aux fonctions les plus fréquemment utilisées (création de documents, presse-papiers, recherche, insertion d'une image, etc.). Par défaut, le volet Office offre les quatre fonctions de base suivantes :

- Ouverture d'un nouveau classeur
- Ouverture du presse-papiers
- Recherche d'un texte selon différentes options
- Insertion d'images clipart

Choisir l'une des fonctions du volet Office

1. Pour activer le volet Office, cliquez dans la barre des menus sur Affichage, puis sur Volet Office : le volet Office s'affiche à droite de l'écran
2. Cliquez sur la flèche placée sur la barre de commandes pour ouvrir le menu des options disponibles et cliquez sur l'option de votre choix
3. Pour parcourir l'ensemble des fonctions ou passer d'une fonction à l'autre, cliquez sur les boutons Précédent ou Suivant de la barre de commandes.
4. Cliquez sur le bouton Fermer de la barre de commandes pour effacer le volet Office.

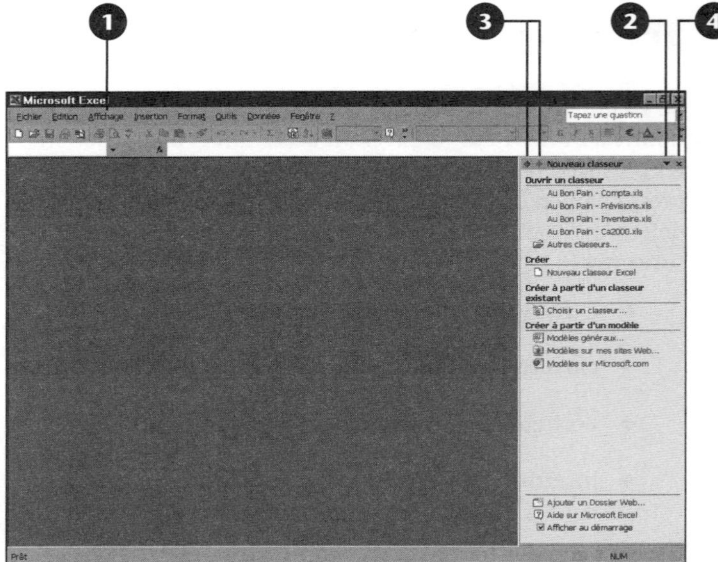

Travailler avec des boîtes de dialogue et des assistants

Une boîte de dialogue est une fenêtre spéciale qui s'ouvre lorsque Excel requiert des informations complémentaires de votre part pour mener à bien une tâche.

Sélectionner des options d'Assistant ou de boîte de dialogue

Une boîte de dialogue possède un ou plusieurs éléments :

- cases à cocher ;
- listes déroulantes ;
- boutons d'option ;
- boutons toupie ;
- onglets ;
- zones de texte.

Ceux-ci sélectionnés, ou les informations nécessaires saisies :

- Cliquez sur OK pour valider la commande et fermer la boîte de dialogue.
- Cliquez sur Annuler ou pressez ÉCHAP pour annuler la commande et fermer la boîte de dialogue.

Onglets
Cliquez sur un onglet pour sélectionner des options spécifiques liées à une tâche.

Bouton toupie
Cliquez sur la flèche vers le haut ou vers le bas pour augmenter ou diminuer une quantité ou une mesure, ou entrez la valeur voulue dans la zone de texte correspondante.

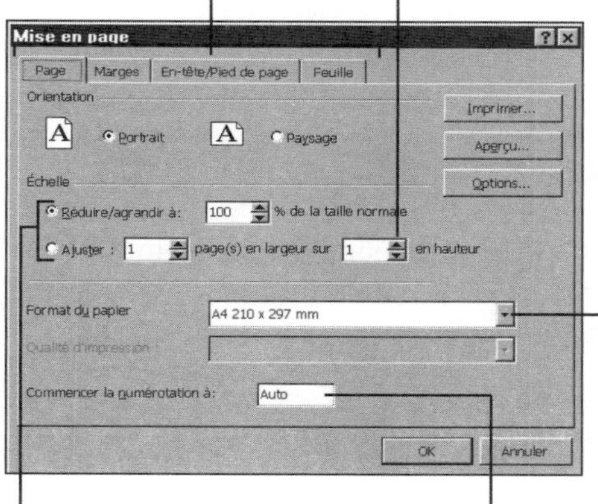

Liste déroulante
Cliquez sur la flèche de la zone de liste pour afficher une liste des choix possibles, puis sélectionnez l'élément voulu.

Boutons d'option
Cliquez sur un bouton d'option pour activer le paramètre voulu. Vous ne pouvez activer qu'un bouton à la fois.

Zone de texte
Tapez les informations nécessaires directement dans la zone de texte.

Naviguer dans les boîtes de dialogue d'un assistant

Pour ce faire, un assistant possède des options supplémentaires.

- Cliquez sur Précédent pour revenir aux boîtes de dialogue précédentes et modifier vos sélections.
- Cliquez sur Suivant pour atteindre la boîte de dialogue suivante.
- Cliquez sur Fin pour terminer la tâche de l'assistant.

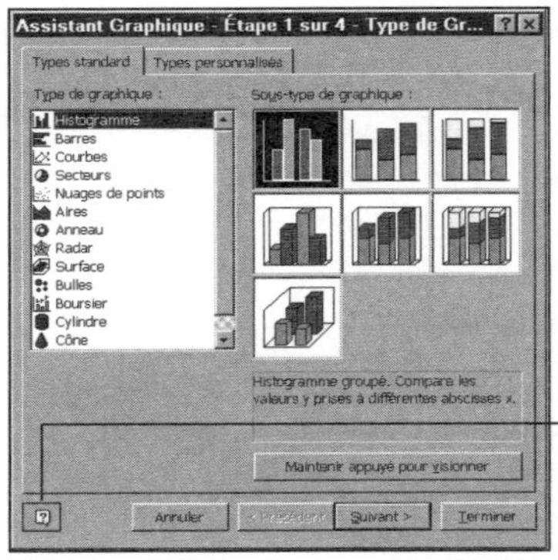

Cliquez sur ce bouton Afficher/Masquer le Compagnon Office pour obtenir des informations supplémentaires.

Déceler et corriger les problèmes

Excel sait détecter et corriger lui-même les problèmes. Vous pouvez aussi utiliser le mode Maintenance pour réparer un programme, y ajouter ou supprimer des fonctions, ou le supprimer.

ASTUCE

Prévoyez du temps pour les réparations. *Celles-ci peuvent durer une heure ou plus, selon la vitesse du processeur de votre ordinateur.*

Détecter et réparer des problèmes

1. Dans le menu ?, cliquez sur Détecter et réparer.
2. Cliquez sur Démarrer. Vérifiez que votre CD Microsoft Office se trouve dans votre lecteur.
3. Cliquez sur Réparer Office, puis sur Réinstaller Office ou Réparer les erreurs dans votre installation Office.
4. Cliquez sur Terminer.

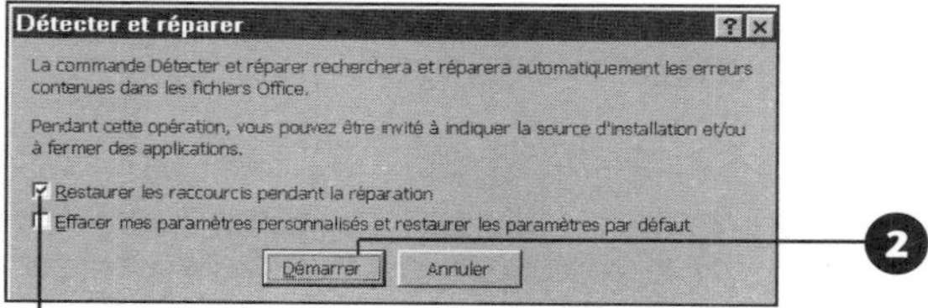

Cochez cette case pour restaurer les raccourcis de programmes dans le menu Démarrer.

Assurer la maintenance des programmes Office

1. Double-cliquez sur l'icône Setup dans le CD Office, dans l'Explorateur Windows.
2. Cliquez sur un des boutons de maintenance :
   - Ajouter ou supprimer des composants pour décider quels composants spécifiques installer ou supprimer.
   - Réparer Office afin de rétablir Microsoft Office XP dans son état initial.
   - Désinstaller Office, pour supprimer Microsoft Office XP.
3. Suivez les instructions de l'assistant pour mener à bien l'option de maintenance choisie.

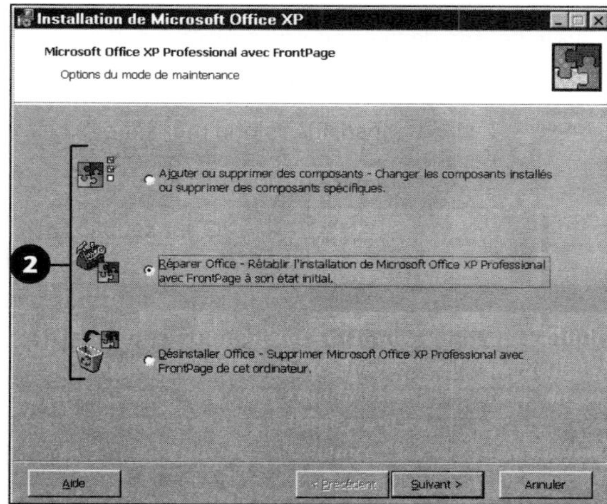

Obtenir de l'aide

Excel possède un système d'aide en ligne sophistiqué. Demandez de l'aide à tout moment avec le menu ?, avec le pointeur de l'aide et le Compagnon Office.

ASTUCE

Le bouton ? ouvre le Compagnon ou la fenêtre de l'Aide.
Cliquez sur le bouton ? : le Compagnon apparaît s'il est activé. Sinon la fenêtre de l'Aide apparaît, et vous pouvez y consulter les rubriques de l'Aide.

Obtenir de l'aide avec le pointeur ?

1. Cliquez sur le bouton ? dans la barre de titre d'une boîte de dialogue, ou dans le menu ?, cliquez sur Qu'est-ce que c'est ?

2. Cliquez avec le pointeur ? n'importe où dans la feuille de calcul, ou sur un élément d'une boîte de dialogue, pour afficher une définition fournie par l'Aide.

3. Cliquez sur le bouton de la souris ou appuyez sur ÉCHAP pour fermer la zone de définition.

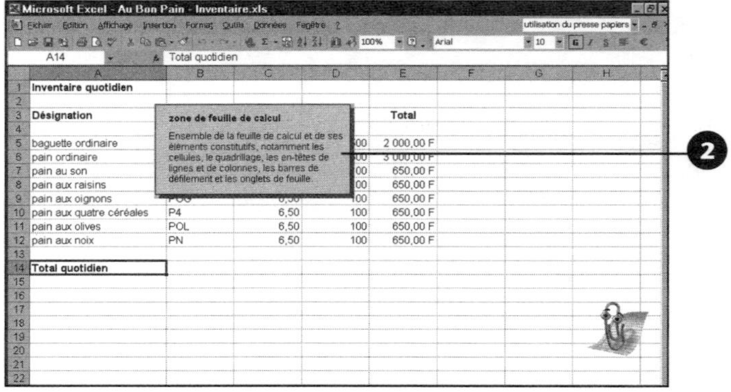

ASTUCE

Désactiver le Compagnon Office. *Cliquez avec le bouton droit sur le Compagnon Office, sur Options, désactivez la case à cocher Utiliser le Compagnon Office, puis cliquez sur OK.*

Afficher ou masquer le Compagnon Office

1. Cliquez sur le menu ?
2. Cliquez sur Afficher le Compagnon Office pour l'activer, ou sur Masquer le Compagnon Office pour le désactiver.

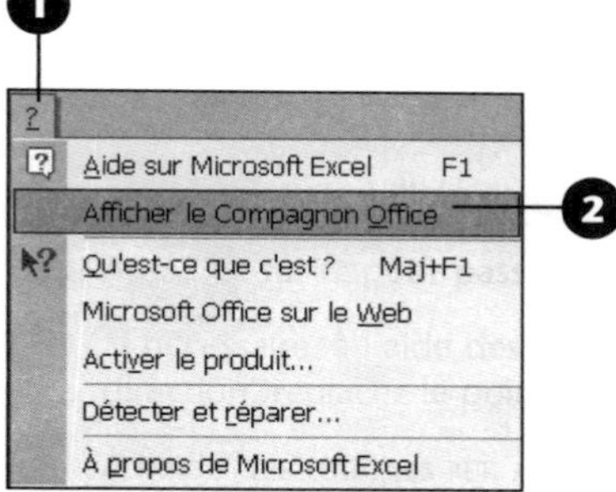

ASTUCE

Obtenir un conseil du Compagnon Office. *Une ampoule électrique s'affiche au-dessus du Compagnon lorsqu'il a un conseil à vous proposer pour la tâche en cours. Cliquez sur cette ampoule pour lire le conseil.*

Demander de l'aide au Compagnon Office

1. Cliquez sur le Compagnon Office ou sur le bouton ? dans la barre d'outils Standard.
2. Tapez votre question.
3. Cliquez sur Rechercher.
4. Cliquez sur le bouton de la rubrique qui vous intéresse.

5. Lisez cette rubrique ou cliquez sur un lien hypertexte pour aller à une autre rubrique.

6. Cliquez sur le bouton Fermer.

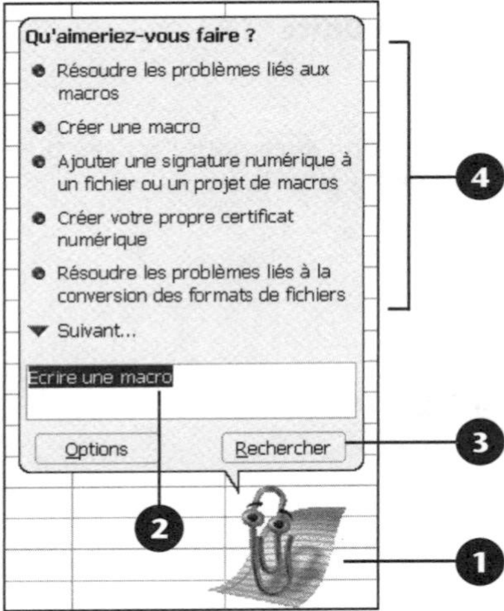

ASTUCE

Le Compagnon Office vous offre une aide interactive. *Si dans l'Aide vous voyez un lien Comment faire?, cliquez dessus pour afficher une démonstration de l'exécution de la tâche concernée.*

Enregistrer un classeur

Lorsque vous créez un nouveau classeur Excel, la barre de titre affiche un titre par défaut : Classeur1, Classeur2… Quand vous l'enregistrez pour la première fois, vous devez lui donner un nom et spécifier son emplacement de stockage.

Enregistrer un classeur pour la première fois

1. Cliquez sur le bouton Enregistrer dans la barre d'outils Standard.
2. Cliquez sur l'une des icônes de la barre des emplacements pour accéder rapidement aux dossiers courants, et sélectionnez un emplacement pour enregistrer le fichier classeur.
3. Pour l'enregistrer dans un autre dossier, cliquez sur la flèche de la liste déroulante Enregistrer dans, et sélectionnez l'unité et le dossier où stocker votre fichier.
4. Tapez un nom de fichier pour ce nouveau classeur.
5. Cliquez sur Enregistrer.

   Le nouveau nom apparaît dans la barre de titre du classeur.

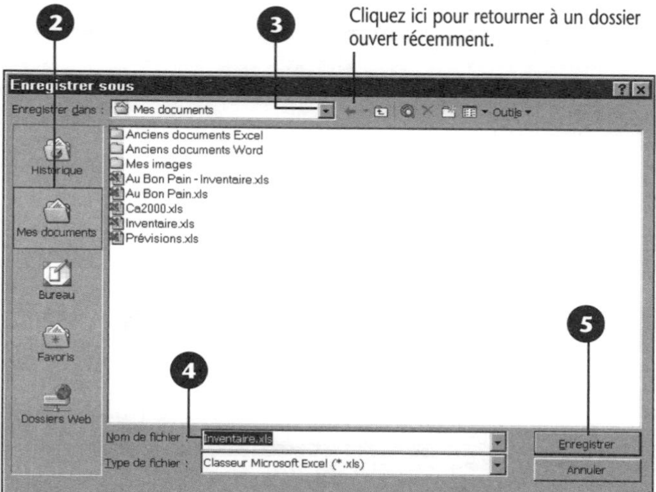

ASTUCE

Enregistrer un classeur Excel 2002 pour un utilisateur Excel 97. *Dans la boîte de dialogue Enregistrer sous, cliquez sur la flèche de liste déroulante Type de fichier et sélectionnez une version Excel antérieure dans la liste.*

Enregistrer un classeur existant sous un nom et un format différents

1. Dans le menu Fichier, cliquez sur Enregistrer sous.
2. Cliquez sur l'une des icônes de la barre des emplacements pour accéder rapidement aux dossiers courants.
3. Pour enregistrer le fichier dans un autre dossier, cliquez sur la flèche de la liste déroulante Enregistrer dans, puis sélectionnez l'unité et le dossier voulus.
4. Tapez le nouveau nom de fichier.
5. Cliquez sur la flèche de la liste déroulante Type de fichier.
6. Sélectionnez le format de fichier voulu.
7. Cliquez sur Enregistrer.

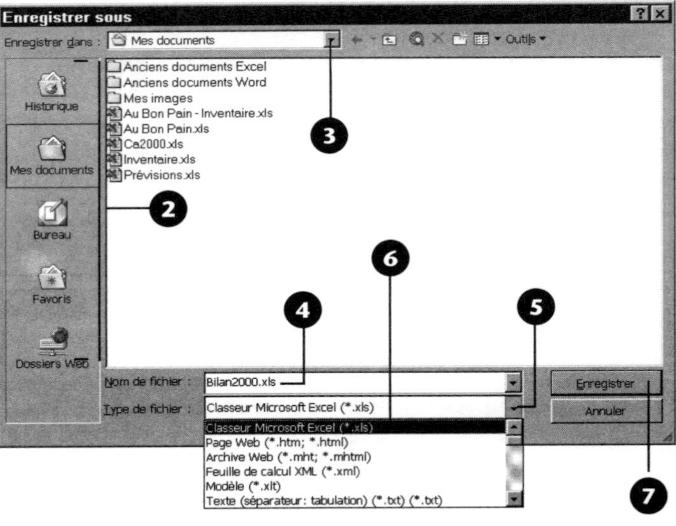

ASTUCE

Créer un nouveau classeur dans les boîtes de dialogue Enregistrer sous et Ouvrir. *Dans l'une de ces boîtes, cliquez sur le bouton Créer un dossier, tapez un nom de dossier dans la zone Nom puis cliquez sur OK.*

ASTUCE

Exécuter des tâches courantes de gestion de fichiers dans les boîtes de dialogue Enregistrer sous et Ouvrir. *Dans l'une de ces boîtes, cliquez sur le menu Outils, puis sur une commande de gestion de fichiers.*

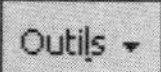

Imprimer une feuille de calcul

Vous pouvez imprimer votre travail rapidement en cliquant sur le bouton Imprimer ou recourir à la boîte de dialogue Imprimer pour spécifier certaines options d'impression.

Prévisualiser une feuille de calcul

1. Cliquez sur le bouton Aperçu avant impression dans la barre d'outils Standard.
2. Cliquez sur le bouton Zoom dans la barre d'outils Aperçu avant impression, ou cliquez avec le pointeur Zoom dans la feuille de calcul pour agrandir une zone spécifique de la page.
3. Si vous ne souhaitez pas imprimer à partir de l'aperçu, cliquez sur le bouton Fermer pour revenir à la feuille de calcul.
4. Afin d'imprimer, cliquez sur le bouton Imprimer dans la barre d'outils de l'aperçu pour ouvrir la boîte de dialogue Imprimer.
5. Spécifiez les options d'impression voulues, puis cliquez sur Imprimer.

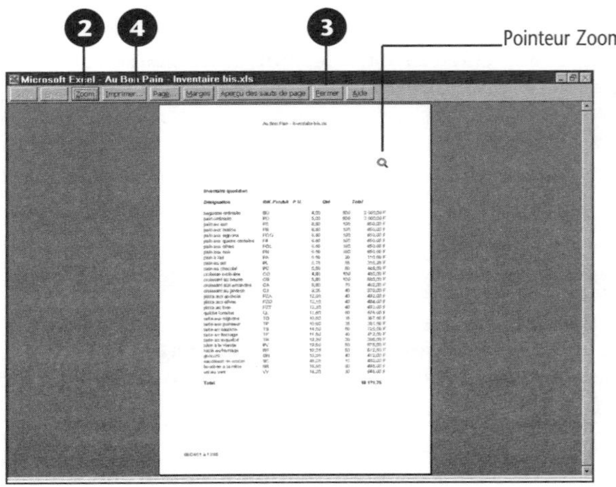

ASTUCE

Prévisualiser votre travail à partir de la boîte de dialogue Imprimer. *Cliquez sur le bouton Aperçu dans la boîte de dialogue Imprimer. Vous pouvez ensuite cliquer sur le bouton Imprimer dans la barre d'outils de l'aperçu, ou sur le bouton Fermer pour revenir à votre document.*

Imprimer rapidement un exemplaire d'une feuille de calcul

1. Cliquez sur le bouton Imprimer dans la barre d'outils Standard.

   Excel imprime la feuille de calcul sélectionnée avec les derniers paramètres définis dans la boîte de dialogue Imprimer.

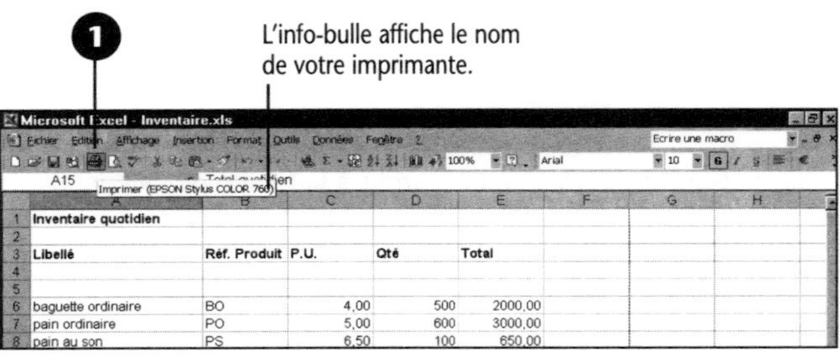

ASTUCE

Changer les propriétés de l'imprimante. *Dans le menu Fichier, cliquez sur Imprimer et sur Propriétés pour modifier les propriétés générales de l'imprimante : format de papier, orientation, graphiques et polices.*

Spécifier les options d'impression dans la boîte de dialogue Imprimer

1. Dans le menu Fichier, cliquez sur Imprimer.
2. Pour choisir une autre imprimante (installée), cliquez sur la flèche de liste déroulante Nom, puis sélectionnez l'imprimante voulue.
3. Pour imprimer des pages sélectionnées (plutôt que toutes les pages), cliquez dans la section Étendue sur le bouton d'option Page(s), puis sur les flèches De et à, pour spécifier une plage.
4. Pour imprimer plusieurs exemplaires de cette plage, cliquez sur les flèches de la zone Nombre de copies pour spécifier le nombre d'exemplaires voulu.
5. Pour modifier la zone d'impression de la feuille de calcul, cliquez dans la section Impression sur celui des boutons d'option qui identifie correctement la zone à imprimer.
6. Cliquez sur OK.

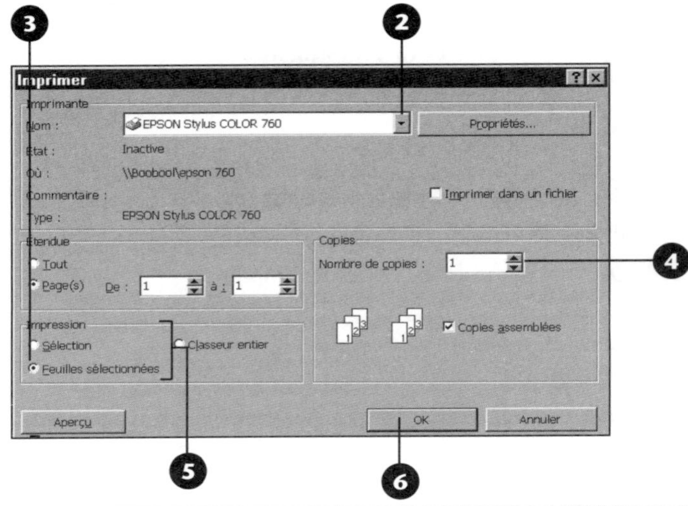

ASTUCE

Que se passe-t-il si vous sélectionnez Copies assemblées ?
Si vous cochez la case Copies assemblées, Excel imprime plusieurs exemplaires d'une feuille de calcul par jeux complets. Pour deux exemplaires d'un document de deux pages, cette option imprime les pages 1 et 2, puis une seconde fois les pages 1 et 2.

Fermer un classeur et quitter Excel

Lorsque vous avez fini de travailler sur votre classeur, fermez-le afin de libérer de la mémoire pour d'autres traitements.

Fermer

Fermer un classeur

Dans le menu Fichier, cliquez sur Fermer, ou cliquez sur le bouton Fermer dans la barre de titre de la fenêtre de feuille de calcul.
Si vous avez modifié le classeur depuis son précédent enregistrement, le Compagnon Office vous demande si vous souhaitez enregistrer les modifications.

2 Cliquez sur Oui ou Non selon votre souhait, ou sur Annuler pour revenir au classeur sans le fermer.

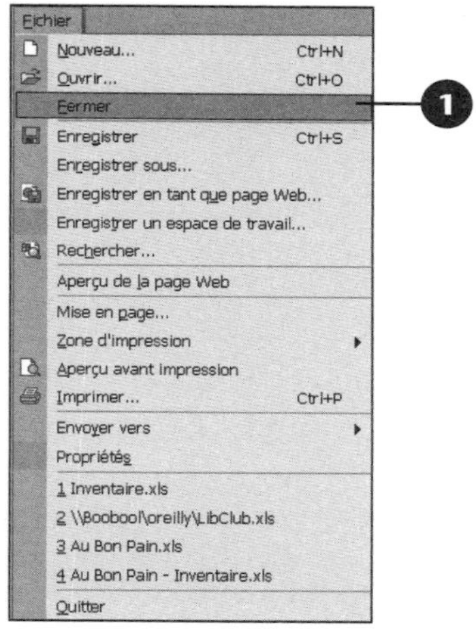

Quitter Excel

1 Cliquez sur le bouton Fermer dans la barre de titre de la fenêtre de programme Excel, ou dans le menu Fichier, cliquez sur Quitter.
Si des fichiers ouverts ont subi des modifications depuis leur précédent enregistrement, une boîte de dialogue vous demande si vous souhaitez enregistrer les modifications.

2 Cliquez sur Oui pour enregistrer les modifications apportées aux classeurs ou sur Non pour les ignorer.

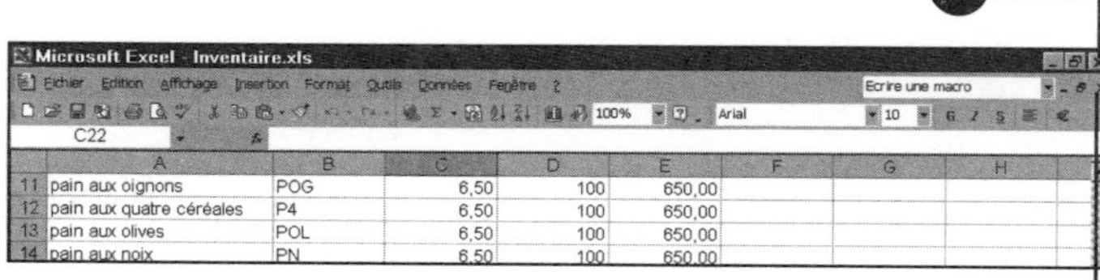

En cliquant sur ce bouton, vous ne fermez que la fenêtre de feuille de calcul.

Notions élémentaires sur les classeurs

2

Vous créez un classeur Excel aussi simplement que vous remplissez les cellules d'une feuille de calcul. Les cellules contiennent des étiquettes, des valeurs ou une combinaison des deux, et les entrées se modifient à l'aide du clavier ou de la souris. En outre, plusieurs outils Excel simplifient la saisie des données et corrigent les fautes d'orthographe. Le contenu des cellules peut être déplacé ou copié dans d'autres cellules : l'efficacité de la saisie s'en trouve considérablement accrue, le temps et l'énergie que vous y consacrez sont réduits au minimum.

Quelle que soit la précision de votre planification, il vous sera souvent nécessaire d'ajouter ou de supprimer des cellules. Lorsque vous travaillez manuellement, vous devez gommer et corriger, souvent en recommençant toute votre feuille pour pouvoir intégrer les nouvelles cellules. Excel vous permet d'automatiser ces tâches, et même de décaler comme bon vous semble les cellules existantes pour en insérer ou supprimer d'autres, afin que votre feuille de calcul reflète exactement ce que vous en attendez.

Entrer des données dans les cellules

Il existe trois types d'entrées de cellules : étiquettes, valeurs et formules. Une *étiquette* est un texte saisi dans une cellule, identifiant les données d'une feuille de calcul pour que le lecteur en interprète les informations. Une *valeur* est un nombre saisi dans une cellule. Excel sait inclure ces valeurs dans ses calculs. Pour une saisie de valeurs rapide et efficace, mettez en forme une cellule, une plage de cellules ou une colonne avec un format numérique spécifique. Si, par exemple, vous devez entrer dans une cellule 18,75 F, affectez à cette cellule un format monétaire doté d'un signe F et de deux positions décimales. Vous ne tapez plus 18,75 F, mais simplement **1875** et appuyez sur ENTRÉE.

Pour exécuter un calcul dans une feuille, entrez dans une cellule une *formule*, c'est-à-dire un calcul contenant des références de cellules, des valeurs et des opérateurs arithmétiques. Le résultat d'une formule s'affiche dans la cellule où vous avez introduit cette formule. Le contenu de la cellule s'affiche dans la barre de formule.

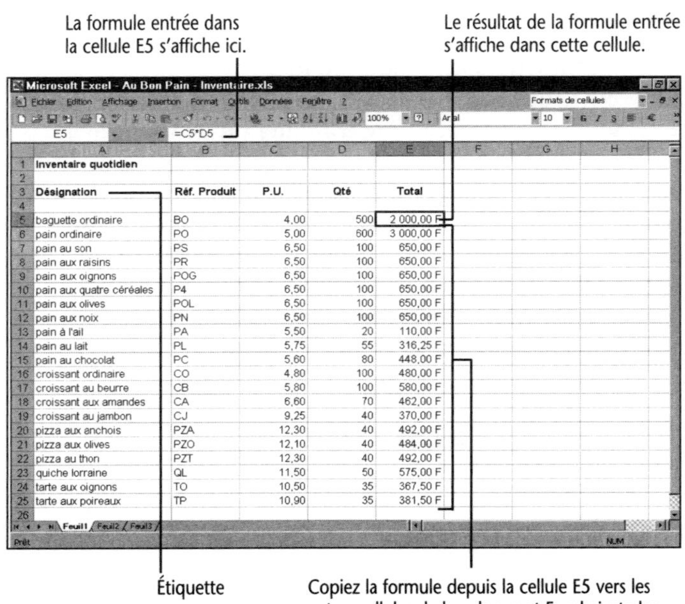
La formule entrée dans la cellule E5 s'affiche ici.
Le résultat de la formule entrée s'affiche dans cette cellule.
Microsoft Excel - Au Bon Pain - Inventaire.xls
E5
=C5*D5
Étiquette
Copiez la formule depuis la cellule E5 vers les autres cellules de la colonne et Excel ajuste les références des cellules affectées.

	A	B	C	D	E
1	**Inventaire quotidien**				
2					
3	**Désignation**	**Réf. Produit**	**P.U.**	**Qté**	**Total**
4					
5	baguette ordinaire	BO	4,00	500	2 000,00 F
6	pain ordinaire	PO	5,00	600	3 000,00 F
7	pain au son	PS	6,50	100	650,00 F
8	pain aux raisins	PR	6,50	100	650,00 F
9	pain aux oignons	POG	6,50	100	650,00 F
10	pain aux quatre céréales	P4	6,50	100	650,00 F
11	pain aux olives	POL	6,50	100	650,00 F
12	pain aux noix	PN	6,50	100	650,00 F
13	pain à l'ail	PA	5,50	20	110,00 F
14	pain au lait	PL	5,75	55	316,25 F
15	pain au chocolat	PC	5,60	80	448,00 F
16	croissant ordinaire	CO	4,80	100	480,00 F
17	croissant au beurre	CB	5,80	100	580,00 F
18	croissant aux amandes	CA	6,60	70	462,00 F
19	croissant au jambon	CJ	9,25	40	370,00 F
20	pizza aux anchois	PZA	12,30	40	492,00 F
21	pizza aux olives	PZO	12,10	40	484,00 F
22	pizza au thon	PZT	12,30	40	492,00 F
23	quiche lorraine	QL	11,50	50	575,00 F
24	tarte aux oignons	TO	10,50	35	367,50 F
25	tarte aux poireaux	TP	10,90	35	381,50 F
26					

Sélectionner des cellules

Pour travailler sur une cellule – y entrer des données, la modifier, la déplacer ou y exécuter une action – sélectionnez-la pour la rendre active.

ASTUCE

Désélectionner une plage. *Pour ce faire, cliquez n'importe où dans la feuille de calcul.*

Sélectionner une plage contiguë

1. Cliquez sur la première cellule à inclure dans la plage.
2. Faites glisser votre souris vers la dernière cellule à inclure dans la plage.
   Dans une plage sélectionnée, la cellule supérieure gauche est entourée du pointeur de cellule tandis que les autres sont en surbrillance.

Zone Nom
La référence de la cellule ou de la plage en cours de sélection apparaît ici.

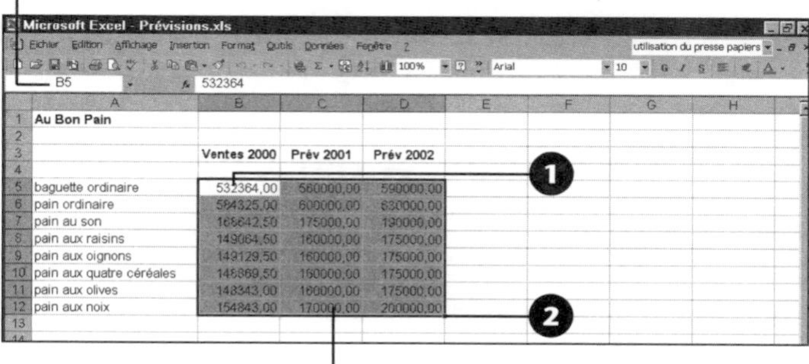

Sélection transparente
Texte et styles apparaissent derrière la surbrillance.

Sélectionner une plage non contiguë

1. Cliquez sur la première cellule à inclure dans la plage.
2. Faites glisser la souris jusqu'à la dernière cellule contiguë, puis relâchez le bouton de souris.
3. Tout en maintenant enfoncée la touche CTRL, cliquez sur la cellule suivante ou faites glisser le pointeur sur le groupe suivant de cellules à ajouter à la plage.
4. Répétez les étapes 2 et 3 jusqu'à la fin de votre sélection.

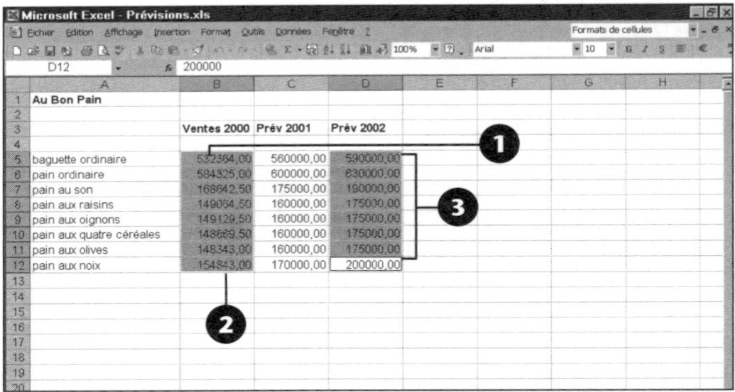

Saisir des étiquettes dans une feuille de calcul

Les étiquettes identifient les données des cellules, des colonnes et des lignes.

ASTUCE

Différentes façons de valider une saisie. *Cliquez sur le bouton Entrer de la barre de formule pour que le point d'insertion demeure dans la cellule active; appuyez sur* ENTRÉE *au clavier, et il se déplace vers la cellule immédiatement au-dessous.*

Saisir le texte d'une étiquette

1. Cliquez sur la cellule où saisir le texte de votre étiquette.
2. Tapez une étiquette. Elle peut comporter des majuscules et des minuscules, des espaces, des signes de ponctuation et des chiffres.
3. Appuyez sur ENTRÉE ou cliquez sur le bouton Entrer dans la barre de formule.

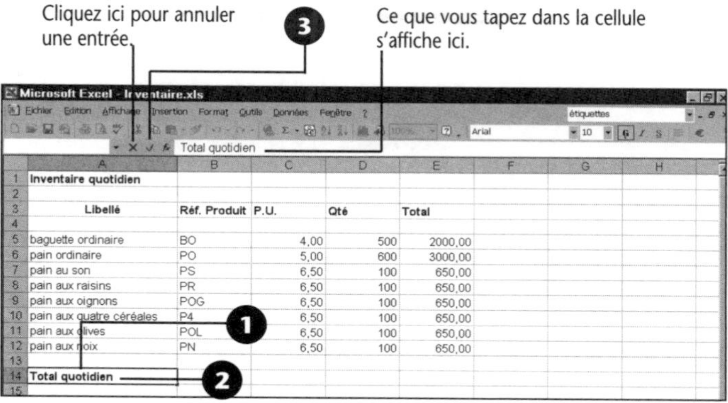

Saisir un nombre comme étiquette

1. Cliquez sur la cellule où saisir un nombre comme étiquette.
2. Insérez une apostrophe ('), préfixe d'étiquette n'apparaissant pas dans la feuille de calcul.
3. Tapez un nombre, par exemple une année, un numéro de sécurité sociale ou un numéro de téléphone.
4. Appuyez sur ENTRÉE ou cliquez sur le bouton Entrer dans la barre de formule.

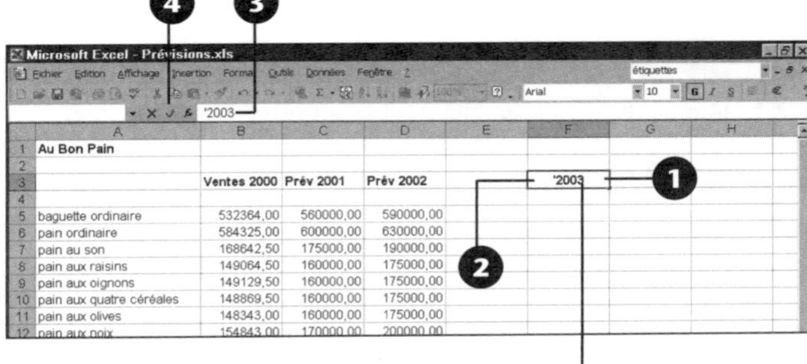

Excel n'utilise pas ce nombre dans un calcul, parce qu'il est mis en forme en tant qu'étiquette.

ASTUCE

Les étiquettes longues peuvent apparaître tronquées. *Si l'intitulé de l'étiquette dépasse la taille de la cellule, il se poursuit dans la cellule adjacente, sauf si cette dernière contient des données. L'étiquette apparaît alors tronquée. Pour que s'affiche dans la barre de formule la totalité du texte de l'étiquette, cliquez dans sa cellule.*

Saisir une étiquette à l'aide de la Saisie semi-automatique

1. Tapez les premiers caractères d'une étiquette. Si Excel reconnaît cette entrée, la fonction de Saisie semi-automatique la complète.
2. Pour accepter l'entrée suggérée, appuyez sur ENTRÉE ou cliquez sur le bouton Entrer dans la barre de formule.
3. Pour refuser la suggestion, continuez à taper votre texte.

ASTUCE

Excel ne reconnaît pas votre entrée. *Peut-être l'option Saisie semi-automatique n'est-elle pas activée. Cliquez alors dans le menu Outils, sur Options, puis sur l'onglet Modification, cochez la case Saisie semi-automatique des valeurs de cellule et validez par OK.*

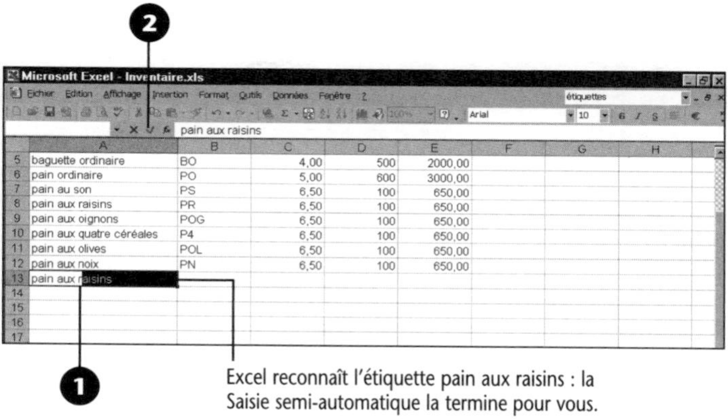

Excel reconnaît l'étiquette pain aux raisins : la Saisie semi-automatique la termine pour vous.

Saisir des valeurs dans une feuille de calcul

Vous saisissez des valeurs aux formats nombre entier, nombre décimal, pourcentage ou date.

ASTUCE

Pour saisir des nombres, employez le pavé numérique. *Avant d'utiliser le pavé numérique, assurez-vous que* NUM *est affiché dans la partie droite de la barre d'état. Si tel n'est pas le cas, activez cette fonction en pressant* VERR.NUM *du pavé numérique. Celui-ci fonctionne alors comme une calculatrice.*

Entrer une valeur

1. Cliquez sur la cellule où entrer une valeur.
2. Saisissez une valeur. Pour simplifier la saisie, omettez les virgules et les signes monétaires et appliquez plus tard le format numérique voulu.
3. Appuyez sur ENTRÉE ou cliquez sur le bouton Entrer dans la barre de formule.

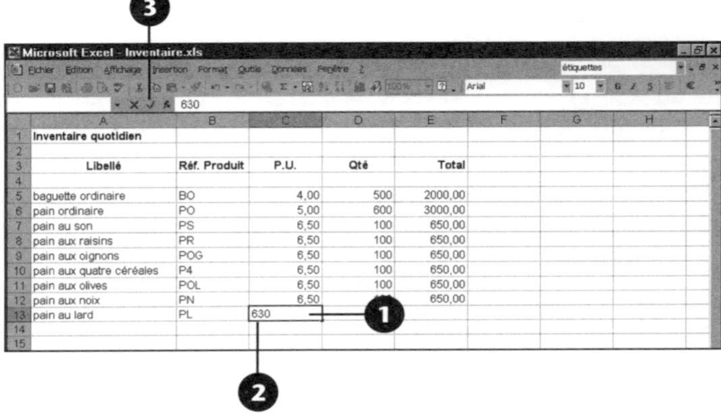

Microsoft Excel - Inventaire.xls

630

	A	B	C	D	E
1	**Inventaire quotidien**				
2					
3	**Libellé**	**Réf. Produit**	**P.U.**	**Qté**	**Total**
4					
5	baguette ordinaire	BO	4,00	500	2000,00
6	pain ordinaire	PO	5,00	600	3000,00
7	pain au son	PS	6,50	100	650,00
8	pain aux raisins	PR	6,50	100	650,00
9	pain aux oignons	POG	6,50	100	650,00
10	pain aux quatre céréales	P4	6,50	100	650,00
11	pain aux olives	POL	6,50	100	650,00
12	pain aux noix	PN	6,50		650,00
13	pain au lard	PL	630		

Entrer une date ou une heure

1. Pour saisir une date, entrez une barre oblique (/) ou un trait d'union (-) entre le jour, le mois et l'année, soit dans une cellule, soit dans la barre de formule.

2. Appuyez sur ENTRÉE ou cliquez sur le bouton Entrer dans la barre de formule.

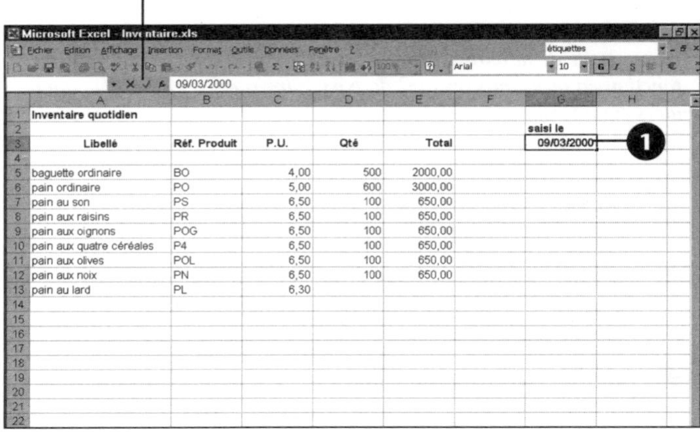

Microsoft Excel - Inventaire.xls

09/03/2000

	A	B	C	D	E	F	G
1	**Inventaire quotidien**						
2							**saisi le**
3	**Libellé**	**Réf. Produit**	**P.U.**	**Qté**	**Total**		09/03/2000
4							
5	baguette ordinaire	BO	4,00	500	2000,00		
6	pain ordinaire	PO	5,00	600	3000,00		
7	pain au son	PS	6,50	100	650,00		
8	pain aux raisins	PR	6,50	100	650,00		
9	pain aux oignons	POG	6,50	100	650,00		
10	pain aux quatre céréales	P4	6,50	100	650,00		
11	pain aux olives	POL	6,50	100	650,00		
12	pain aux noix	PN	6,50	100	650,00		
13	pain au lard	PL	6,30				

ASTUCE

Simplifier la saisie. *Entrez les valeurs le plus simplement possible. Par exemple, pour taper 10,00, entrez* **10**. *À l'aide de la commande Cellule du menu Format, mettez-les ensuite en forme avec des positions décimales, des virgules, un signe F...*

Modifier un format date ou heure

1. Cliquez sur la cellule contenant le format date à modifier.
2. Dans le menu Format, cliquez sur Cellule.
3. Cliquez sur l'onglet Nombre.
4. Cliquez sur Date.
5. Cliquez sur le format date ou heure voulu.
6. Cliquez sur OK.

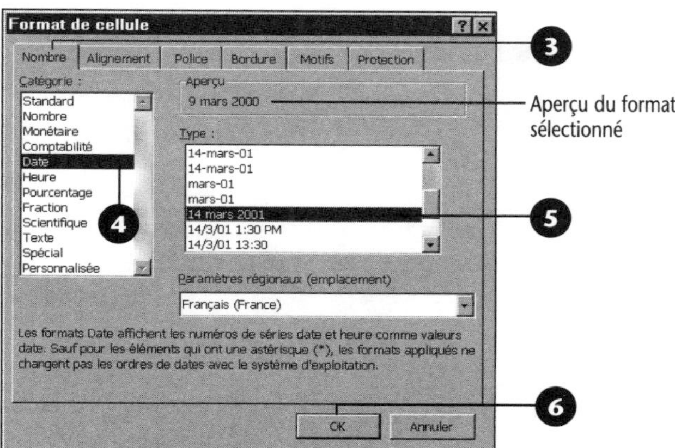

Saisir rapidement des valeurs avec la Recopie incrémentée

À l'aide de la poignée de recopie, entrez des données en série, copiez des valeurs ou des formules.

ASTUCE

Autres commandes de Recopie incrémentée. *Cliquez avec le bouton droit sur une cellule et faites glisser sa poignée : vous découvrez d'autres commandes de recopie comme Recopier les formats, Incrémenter les valeurs, les jours, les mois, les années…*

Saisir des données répétitives à l'aide de la Recopie incrémentée

1. Sélectionnez la première cellule de la plage à remplir.
2. Entrez la valeur à répéter.
3. Placez votre pointeur sur l'angle inférieur droit de la cellule sélectionnée. Le pointeur se transforme en poignée de recopie (signe + noir).
4. Faites glisser la poignée sur toute la plage où vous souhaitez répéter la valeur.

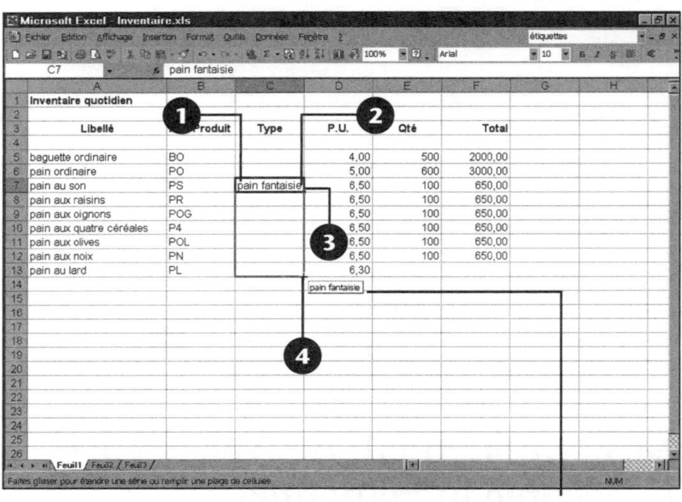

L'info-bulle de la poignée de recopie indique ce qui est en cours de recopie.

Créer une série complexe à l'aide de la Recopie incrémentée

1. Sélectionnez la première cellule de la plage à remplir.
2. Entrez la valeur de départ de la série, puis pressez ENTRÉE.
3. Tout en maintenant enfoncée la touche CTRL, faites glisser la poignée de recopie (signe + noir accompagné d'un autre + noir plus petit) depuis l'angle inférieur droit de la cellule vers la plage voulue.

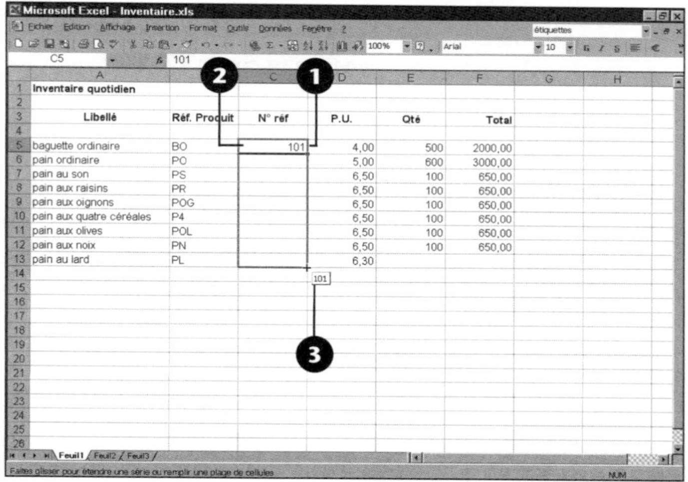

Modifier le contenu d'une cellule

Modifier des données est aussi simple que les saisir, en utilisant la barre de formule ou en modifiant directement la cellule active.

ASTUCE

Modifier le contenu d'une cellule à l'aide de la barre de formule. *Cliquez sur la cellule à modifier, puis dans la barre de formule pour y placer le point d'insertion et modifiez le contenu de la cellule.*

Modifier le contenu d'une cellule

1. Double-cliquez sur la cellule à modifier. Le point d'insertion apparaît dans la cellule.
   La barre d'état indique maintenant Modifier au lieu de Prêt.
2. Si besoin est, utilisez les touches ORIG, FIN ou les touches de direction pour placer correctement le point d'insertion dans le contenu de la cellule.
3. À l'aide des touches RETOUR ARRIÈRE et SUPPR, effacez les caractères inutiles, puis tapez votre contenu.
4. Appuyez sur ENTRÉE ou cliquez sur le bouton Entrer dans la barre de formule pour valider votre correction, ou cliquez sur le bouton Annuler pour l'ignorer.

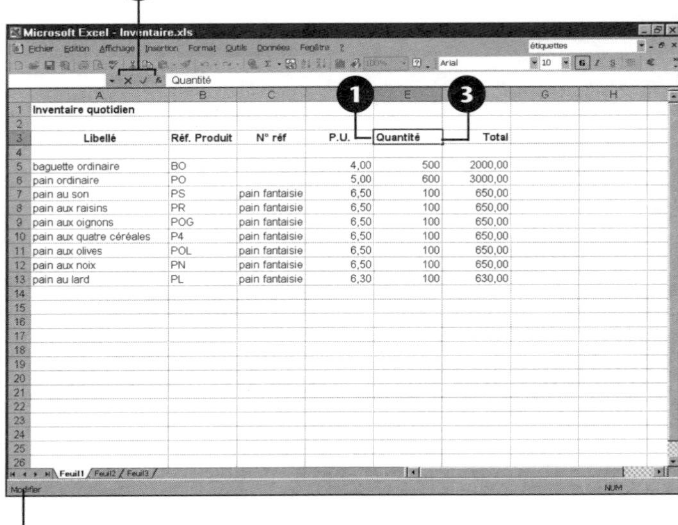

	A	B	C	D	E	F
1	Inventaire quotidien					
2						
3	Libellé	Réf. Produit	N° réf	P.U.	Quantité	Total
4						
5	baguette ordinaire	BO		4,00	500	2000,00
6	pain ordinaire	PO		5,00	600	3000,00
7	pain au son	PS	pain fantaisie	6,50	100	650,00
8	pain aux raisins	PR	pain fantaisie	6,50	100	650,00
9	pain aux oignons	POG	pain fantaisie	6,50	100	650,00
10	pain aux quatre céréales	P4	pain fantaisie	6,50	100	650,00
11	pain aux olives	POL	pain fantaisie	6,50	100	650,00
12	pain aux noix	PN	pain fantaisie	6,50	100	650,00
13	pain au lard	PL	pain fantaisie	6,30	100	630,00

L'indicateur de mode affiche Modifier.

Effacer le contenu d'une cellule

Vous pouvez effacer le contenu d'une cellule sans pour autant la supprimer.

> **ASTUCE**
>
> **Supprimer une cellule, c'est la supprimer définitivement de la feuille de calcul.** *Lorsque vous choisissez la commande Supprimer dans le menu Edition ou dans le menu contextuel, vous devez soit décaler les cellules adjacentes vers la gauche ou vers le haut, soit supprimer toute la ligne ou toute la colonne.*

Effacer le contenu d'une cellule

1. Sélectionnez la cellule ou la plage à effacer.
2. Cliquez avec le bouton droit, puis dans le menu contextuel cliquez sur Effacer le contenu, ou pressez SUPPR.

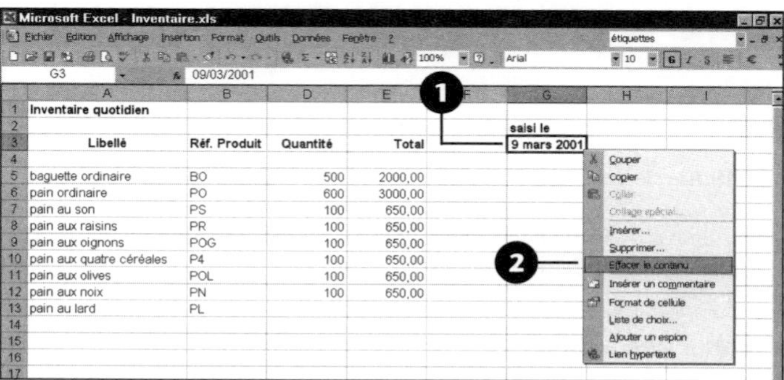

Effacer le contenu d'une cellule, son format et ses commentaires

1. Sélectionnez la cellule ou la plage à effacer.
2. Dans le menu Edition, pointez sur Effacer.
3. Cliquez sur Tout.

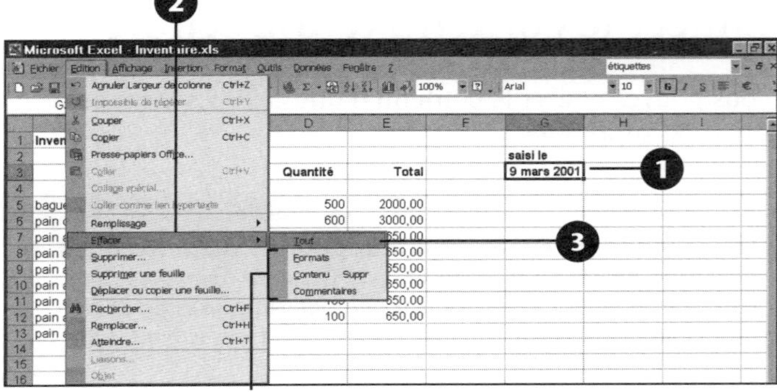

Cliquez ici pour effacer individuellement le format, le contenu ou les commentaires.

Annuler ou restaurer une action

La fonction Annuler vous permet de « récupérer » une ou plusieurs de vos actions récentes : saisies, modifications ou commandes.

ASTUCE

Afficher le bouton Rétablir. *Si le bouton Rétablir n'apparaît pas dans votre barre d'outils, cliquez sur la flèche de liste déroulante Autres boutons, puis sur le bouton Rétablir. Après utilisation d'un bouton, il demeure dans la barre d'outils.*

Annuler une action

- Cliquez sur le bouton Annuler dans la barre d'outils Standard pour annuler votre dernière action.
- Cliquez sur la flèche de liste déroulante Annuler dans la barre d'outils Standard pour afficher la liste des actions récentes qu'il vous est possible d'annuler. Si vous pointez sur une action à annuler, Excel sélectionne toutes les actions postérieures (dans le haut de la liste).
  Cliquez sur une action : Excel inverse l'action sélectionnée et toutes les autres.

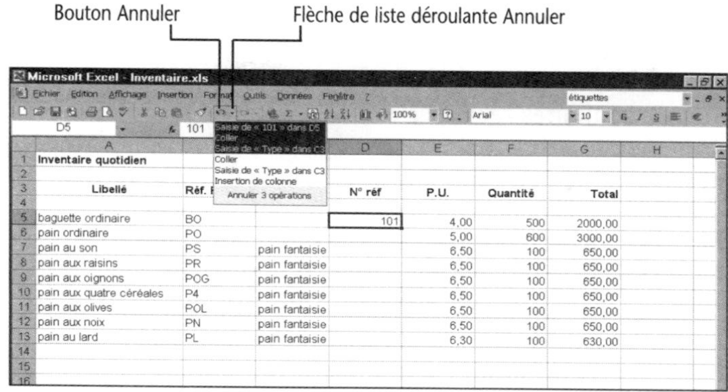

Rétablir une action

- Cliquez sur le bouton Rétablir dans la barre d'outils Standard pour rétablir votre dernière action annulée.
- Cliquez sur la flèche de liste déroulante Rétablir dans la barre d'outils Standard pour afficher la liste des actions récemment annulées qu'il vous est possible de rétablir. Si vous pointez sur une action à rétablir, Excel sélectionne toutes les actions postérieures.
  Cliquez sur l'action à rétablir : Excel rétablit également toutes les autres.

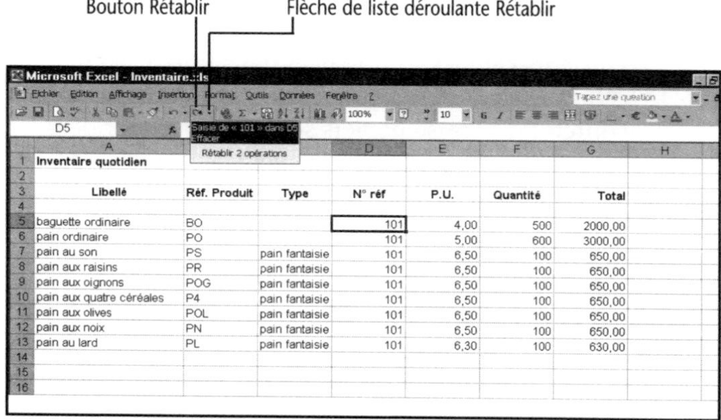

Travailler avec la commande Coller

Si vous souhaitez réutiliser des données déjà saisies dans votre feuille de calcul, vous pouvez les couper ou les copier, puis les coller dans un autre emplacement. Lorsque vous coupez ou collez des données, elles sont stockées provisoirement dans une zone de mémoire nommée le *Presse-papiers Windows*. Pour coller une plage de cellules à partir du Presse-papiers, sélectionnez la première cellule du nouvel emplacement : lorsque vous cliquez sur le bouton Coller, Excel positionne automatiquement toutes les cellules de la plage dans le bon ordre. Selon le nombre de cellules coupées ou copiées, Excel applique pour les coller dans leur nouvel emplacement l'une des méthodes suivantes :

- **Une vers une**

  Une seule cellule du Presse-papiers est collée dans une seule cellule de la feuille de calcul.

- **Une vers plusieurs**

  Une seule cellule du Presse-papiers est collée dans une plage de cellules sélectionnées dans la feuille de calcul.

- **Plusieurs vers une**

  Plusieurs cellules sont collées dans une plage de cellules, mais seule la première est identifiée. Tout le contenu du Presse-papiers sera collé, à partir de la cellule sélectionnée. Assurez-vous de disposer de suffisamment de place pour coller toute la sélection, sinon la sélection risque de remplacer le contenu existant de cellules.

◆ Plusieurs vers plusieurs

Plusieurs cellules sont collées dans une plage de cellules. Tout le contenu du Presse-papiers sera collé dans les cellules sélectionnées. Si la plage sélectionnée est plus grande que la plage du Presse-papiers, les données se répéteront dans les cellules en excédent. Pour désactiver la sélection et annuler l'opération, appuyez sur ÉCHAP.

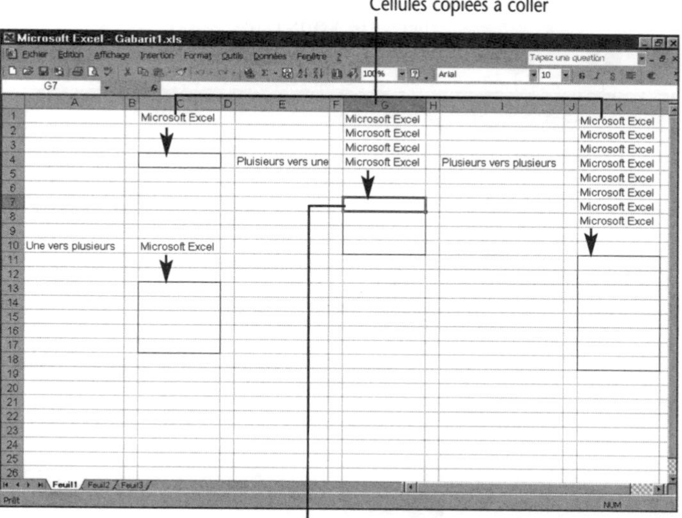

Sélectionnez une cellule comme destination.

Stocker le contenu d'une cellule

Dans Office XP, le Presse-papiers Office accepte simultanément jusqu'à vingt-quatre morceaux de texte ou images, en provenance d'un ou plusieurs documents. Lorsque vous y copiez plusieurs éléments, le contenu du Presse-papiers s'affiche à l'écran dans le volet Office.

Copier des données dans le Presse-papiers Office

1. Dans le menu Edition, cliquez sur Presse-papiers Office.
2. Sélectionnez les données à copier.
3. Cliquez sur le bouton Copier dans la barre d'outils Standard. Les données sont copiées dans le premier emplacement vide du Presse-papiers, en haut de la liste.
4. Cliquez sur le bouton de fermeture dans la barre de commande du Presse-papiers Office.

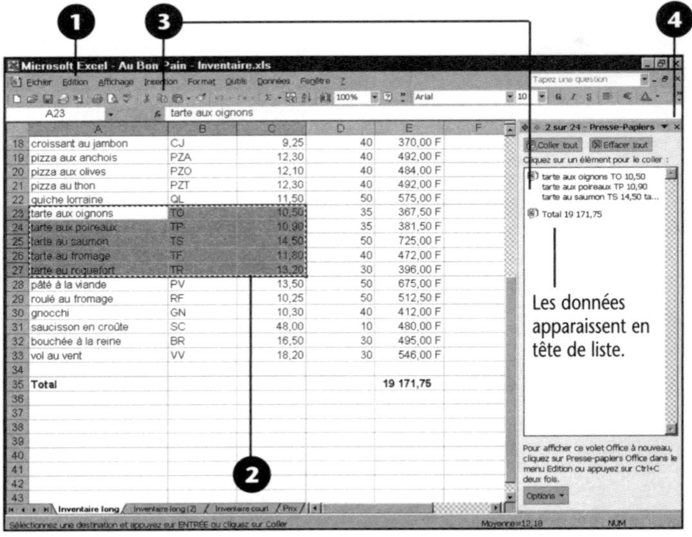

Coller des données depuis le Presse-papiers Office

1. Dans le menu Edition, cliquez sur Presse-papiers Office.
2. Dans la feuille de calcul Excel, cliquez sur la première cellule où coller les données.
3. Dans le Presse-papiers Office, cliquez sur l'élément à coller.
4. Cliquez sur le bouton de fermeture de la barre de commande du Presse-papiers.

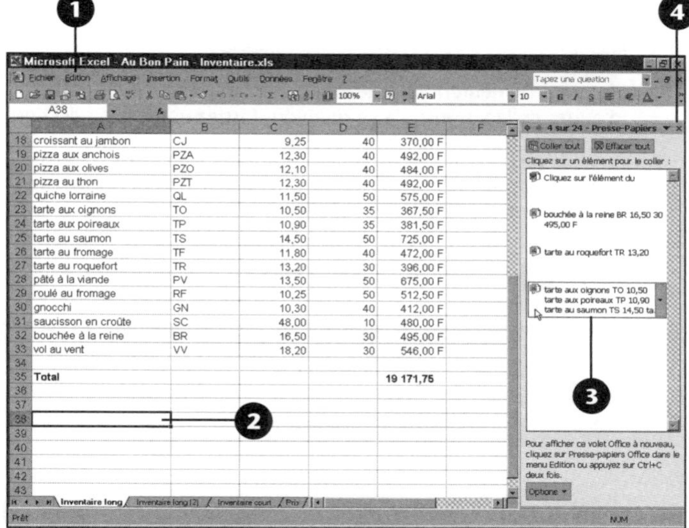

Copier le contenu d'une cellule

Vous pouvez copier les données d'une feuille de calcul, d'une cellule ou d'une plage vers toute autre feuille de calcul de votre classeur.

ASTUCE

Annulation rapide. *Lorsque vous copiez des données par un glisser-déplacer, annulez votre action en pressant* ÉCHAP *avant de relâcher le bouton de votre souris.*

Copier des données à l'aide du Presse-papiers Windows

1. Sélectionnez la cellule ou la plage contenant les données à copier.
2. Cliquez sur le bouton Copier de la barre d'outils Standard. Les données des cellules demeurent dans leur emplacement d'origine, et un rectangle de sélection délimite les cellules sélectionnées.

3. Cliquez sur la première cellule de la plage où coller les données.

4. Cliquez sur le bouton Coller dans la barre d'outils Standard. Les données demeurent dans le Presse-papiers, disponibles pour d'autres collages, jusqu'à ce que vous fassiez une autre sélection.

5. Si vous ne souhaitez pas coller cette sélection dans d'autres emplacements, appuyez sur la touche ÉCHAP pour supprimer le rectangle de sélection.

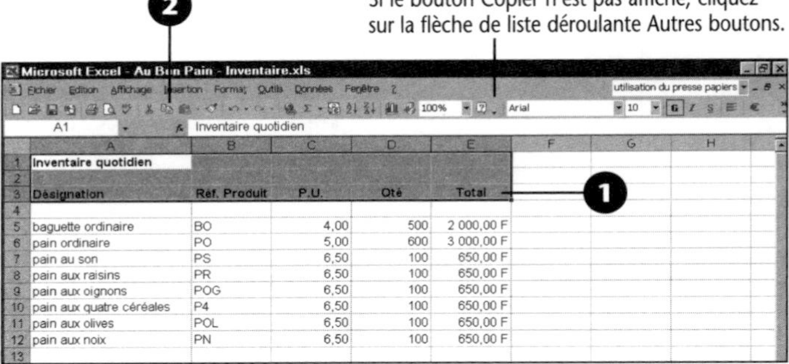

	A	B	C	D	E
1	Inventaire quotidien				
2					
3	Désignation	Réf. Produit	P.U.	Qté	Total
4					
5	baguette ordinaire	BO	4,00	500	2 000,00 F
6	pain ordinaire	PO	5,00	600	3 000,00 F
7	pain au son	PS	6,50	100	650,00 F
8	pain aux raisins	PR	6,50	100	650,00 F
9	pain aux oignons	POG	6,50	100	650,00 F
10	pain aux quatre céréales	P4	6,50	100	650,00 F
11	pain aux olives	POL	6,50	100	650,00 F
12	pain aux noix	PN	6,50	100	650,00 F
13					

4

Lorsque vous copiez des cellules, les données demeurent à leur emplacement d'origine.

Microsoft Excel - Au Bon Pain - Inventaire.xls

	A	B	C	D	E
1	Inventaire quotidien				
2					
3	Désignation	Réf. Produit	P.U.	Qté	Total
4					
5	baguette ordinaire	BO	4,00	500	2 000,00 F
6	pain ordinaire	PO	5,00	600	3 000,00 F
7	pain au son	PS	6,50	100	650,00 F
8	pain aux raisins	PR	6,50	100	650,00 F
9	pain aux oignons	POG	6,50	100	650,00 F
10	pain aux quatre céréales	P4	6,50	100	650,00 F
11	pain aux olives	POL	6,50	100	650,00 F
12	pain aux noix	PN	6,50	100	650,00 F
13					
14	Total quotidien				
15					
16					
17					
18					
19					

3

ASTUCE

Glisser-déplacer vers une autre feuille de calcul avec ALT. *Après avoir sélectionné les cellules, maintenez enfoncée la touche ALT et faites glisser la sélection vers l'onglet de feuille approprié pour l'ouvrir. Relâchez la touche ALT et faites glisser la sélection vers l'emplacement voulu dans la nouvelle feuille de calcul.*

Copier des données par la technique du Glisser-déplacer

1. Sélectionnez la cellule ou la plage contenant les données à copier.
2. Placez le pointeur de la souris sur une bordure de la sélection jusqu'à ce qu'il se transforme en flèche.
3. Maintenez enfoncés simultanément le bouton de la souris et la touche CTRL.
4. Faites glisser la sélection vers son nouvel emplacement, puis relâchez le bouton de la souris et la touche CTRL.

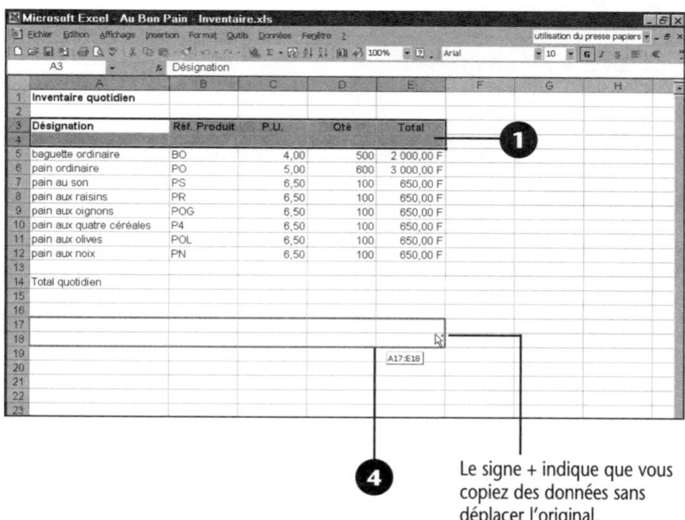

	A	B	C	D	E
1	Inventaire quotidien				
2					
3	Désignation	Réf. Produit	P.U.	Qté	Total
4					
5	baguette ordinaire	BO	4,00	500	2 000,00 F
6	pain ordinaire	PO	5,00	600	3 000,00 F
7	pain au son	PS	6,50	100	650,00 F
8	pain aux raisins	PR	6,50	100	650,00 F
9	pain aux oignons	POG	6,50	100	650,00 F
10	pain aux quatre céréales	P4	6,50	100	650,00 F
11	pain aux olives	POL	6,50	100	650,00 F
12	pain aux noix	PN	6,50	100	650,00 F
13					
14	Total quotidien				

Le signe + indique que vous copiez des données sans déplacer l'original.

ASTUCE

Le Presse-papiers Windows change lorsque vous copiez ou coupez de nouvelles informations. *En effet, la dernière sélection n'y demeure que jusqu'à ce que vous coupiez ou colliez une autre sélection.*

Coller des données avec des effets spéciaux

1. Sélectionnez la cellule ou la plage contenant les données à copier.
2. Cliquez sur le bouton Copier de la barre d'outils Standard.
3. Cliquez sur la première cellule de l'emplacement où coller les données.
4. Dans le menu Edition, cliquez sur Collage spécial.
5. Choisissez les options selon les effets de collage et les opérations mathématiques.
6. Cliquez sur OK.

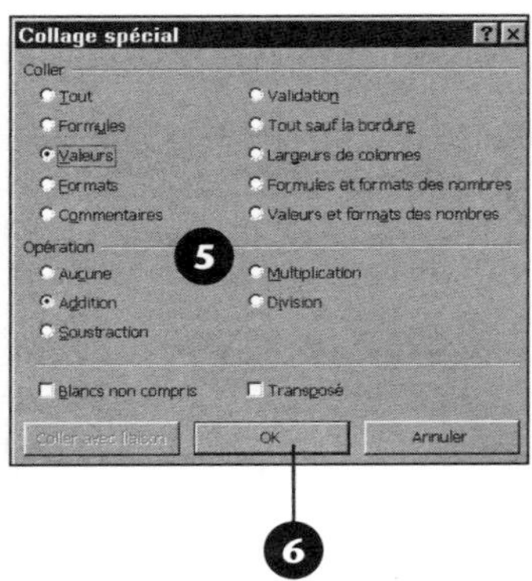

ASTUCE

Effectuer des calculs avec des cellules collées. *Avec la commande Collage spécial, combinez le contenu des cellules actives et les informations du Presse-papiers Windows dans des opérations mathématiques.*

Déplacer le contenu d'une cellule

À la différence des données copiées, les données déplacées ne demeurent pas à leur emplacement d'origine.

ASTUCE

Utiliser le Presse-papiers Office pour couper plusieurs éléments. *Les sélections coupées sont placées dans le Presse-papiers Office. Vous pouvez coller les données ailleurs plus tard.*

Déplacer des données à l'aide du Presse-papiers Windows

1. Sélectionnez la cellule ou la plage contenant les données à déplacer.
2. Cliquez sur le bouton Couper de la barre d'outils Standard. Un rectangle entoure les cellules sélectionnées, délimitant la taille de la sélection.
3. Cliquez sur la cellule supérieure gauche de l'emplacement où coller les données.
4. Cliquez sur le bouton Coller de la barre d'outils Standard. Le rectangle disparaît.

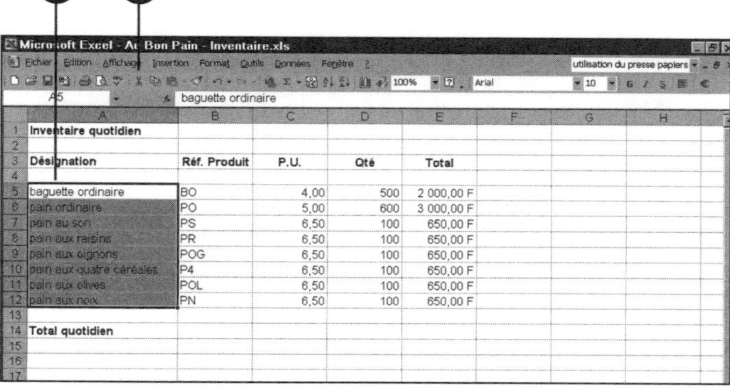

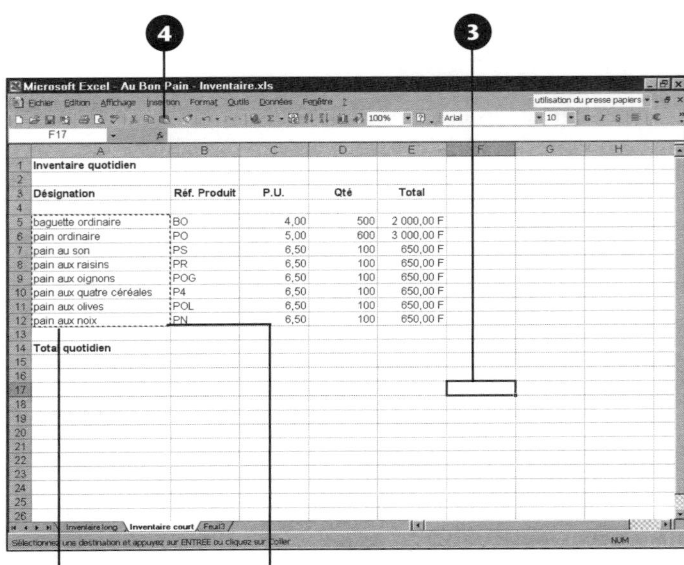

Ce rectangle délimite la sélection.

Les données seront effacées de ces cellules lorsque vous aurez collé la sélection à un autre emplacement.

ASTUCE

Repositionner le pointeur de souris pour un glisser-déplacer. *Si le pointeur de la souris se transforme en un signe + épais, replacez-le sur la bordure de la plage sélectionnée jusqu'à ce qu'il se transforme en flèche.*

Déplacer des données par un glisser-déplacer

1. Sélectionnez la cellule ou la plage avec les données à copier.
2. Placez le pointeur de la souris sur la bordure de la sélection jusqu'à ce qu'il se transforme en flèche.
3. Maintenez enfoncé le bouton de la souris tout en faisant glisser la sélection vers son nouvel emplacement, puis relâchez-le.

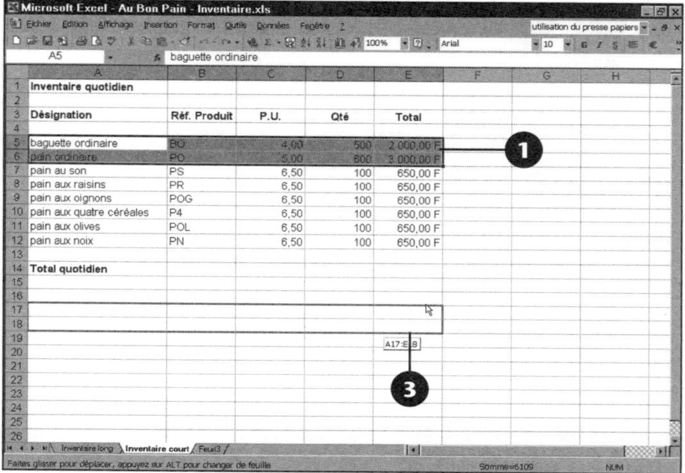

	A	B	C	D	E
1	**Inventaire quotidien**				
2					
3	**Désignation**	**Réf. Produit**	**P.U.**	**Qté**	**Total**
4					
5	baguette ordinaire	BO	4,00	500	2 000,00 F
6	pain ordinaire	PO	5,00	600	3 000,00 F
7	pain au son	PS	6,50	100	650,00 F
8	pain aux raisins	PR	6,50	100	650,00 F
9	pain aux oignons	POG	6,50	100	650,00 F
10	pain aux quatre céréales	P4	6,50	100	650,00 F
11	pain aux olives	POL	6,50	100	650,00 F
12	pain aux noix	PN	6,50	100	650,00 F
13					
14	**Total quotidien**				

ASTUCE

Deux pointeurs différents pour déplacer les données par un glisser-déplacer. *Le pointeur de la souris qui permet de déplacer des données par glisser-déplacer est identique à celui qui permet de les copier, à ceci près qu'il n'est pas accompagné d'un signe +.*

Coller des données depuis des lignes vers des colonnes et *vice versa*

1. Sélectionnez les cellules dont vous souhaitez modifier la disposition.
2. Cliquez sur le bouton Copier de la barre d'outils Standard.
3. Cliquez sur la cellule supérieure gauche de l'emplacement où coller les données.
4. Dans le menu Edition, cliquez sur Collage spécial.
5. Cochez la case Transposé.
6. Cliquez sur OK.

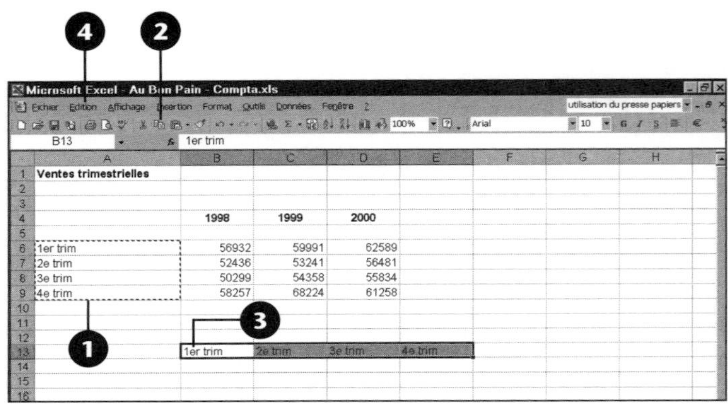

ASTUCE

Ouvrir automatiquement le Presse-papiers Office.
Le Presse-papiers Office s'affiche automatiquement lorsque vous copiez ou coupez deux sélections différentes à la suite.

Insérer et supprimer une cellule

L'insertion d'une cellule déplace les autres cellules de la ligne ou de la colonne dans la direction de votre choix.

Insérer une cellule

1. Sélectionnez la ou les cellules où ajouter de nouvelles cellules.
   Par exemple, pour insérer deux cellules vierges dans les positions C10 et C11, sélectionnez ces cellules.
2. Dans le menu Insertion, cliquez sur Cellules.
3. Cliquez sur l'option de votre choix.
   - Pour transférer le contenu de C10 et C11 vers D10 et D11, activez l'option Décaler les cellules vers la droite.

- Pour transférer le contenu de C10 et C11 vers C12 et C13, activez l'option Décaler les cellules vers le bas.

Dans les deux cas, deux cellules vierges occuperont les positions C10 et C11.

4 Cliquez sur OK.

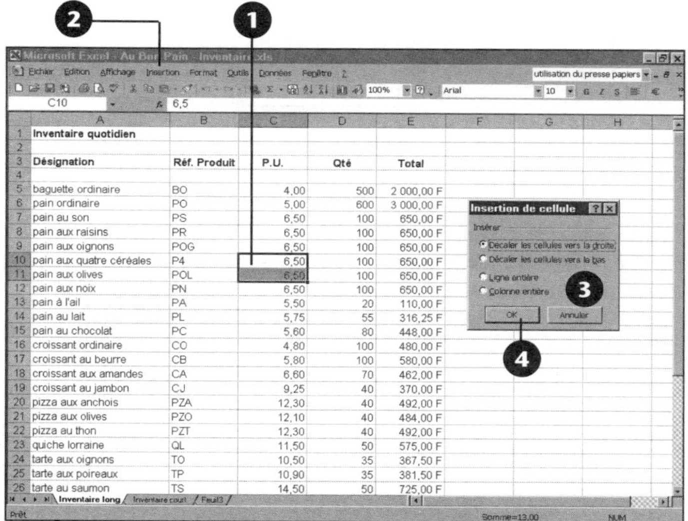

	A	B	C	D	E
1	**Inventaire quotidien**				
2					
3	**Désignation**	**Réf. Produit**	**P.U.**	**Qté**	**Total**
4					
5	baguette ordinaire	BO	4,00	500	2 000,00 F
6	pain ordinaire	PO	5,00	600	3 000,00 F
7	pain au son	PS	6,50	100	650,00 F
8	pain aux raisins	PR	6,50	100	650,00 F
9	pain aux oignons	POG	6,50	100	650,00 F
10	pain aux quatre céréales	P4	6,50	100	650,00 F
11	pain aux olives	POL	6,50	100	650,00 F
12	pain aux noix	PN	6,50	100	650,00 F
13	pain à l'ail	PA	5,50	20	110,00 F
14	pain au lait	PL	5,75	55	316,25 F
15	pain au chocolat	PC	5,60	80	448,00 F
16	croissant ordinaire	CO	4,80	100	480,00 F
17	croissant au beurre	CB	5,80	100	580,00 F
18	croissant aux amandes	CA	6,60	70	462,00 F
19	croissant au jambon	CJ	9,25	40	370,00 F
20	pizza aux anchois	PZA	12,30	40	492,00 F
21	pizza aux olives	PZO	12,10	40	484,00 F
22	pizza au thon	PZT	12,30	40	492,00 F
23	quiche lorraine	QL	11,50	50	575,00 F
24	tarte aux oignons	TO	10,50	35	367,50 F
25	tarte aux poireaux	TP	10,90	35	381,50 F
26	tarte au saumon	TS	14,50	50	725,00 F

ASTUCE

Supprimer une cellule, ou l'effacer ? *Effacer n'est pas supprimer : si vous supprimez, vous éliminez les cellules de la feuille de calcul ; si vous effacez, vous ne supprimez que le contenu de ces cellules, ou leur format, ou les deux.*

Supprimer une cellule

1 Sélectionnez la cellule ou la plage à supprimer.

2 Dans le menu Edition, cliquez sur Supprimer.

3 Cliquez sur l'option de votre choix.

- Pour déplacer les cellules restantes vers la gauche, activez l'option Décaler les cellules vers la gauche.
- Pour déplacer les cellules restantes vers le haut, activez l'option Décaler les cellules vers le haut.

4 Cliquez sur OK.

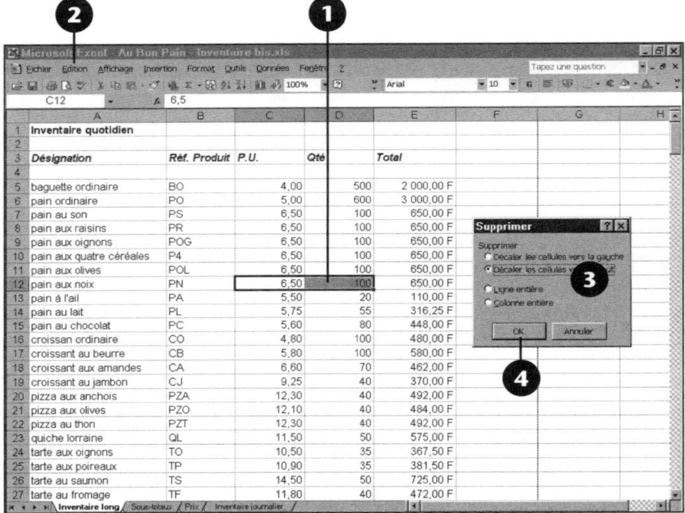

Corriger un texte à l'aide de la Correction automatique

La fonction de Correction automatique d'Excel corrige les mots à mesure que vous les tapez.

Ajouter une entrée dans la Correction automatique

1 Dans le menu Outils, cliquez sur Correction automatique.

2. Tapez un mot mal orthographié ou une abréviation.
3. Saisissez l'entrée correcte.
4. Cliquez sur Ajouter.
5. Répétez les étapes 2 à 4 pour chaque nouvelle entrée.
6. Cliquez sur OK.

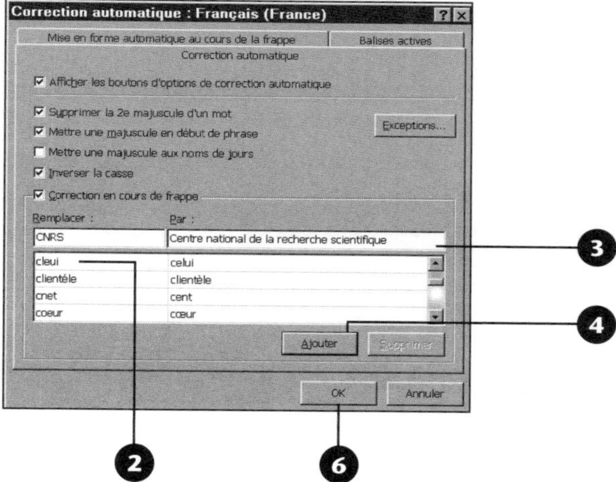

ASTUCE

Empêcher les corrections automatiques. *Dans le menu Outils, cliquez sur Options de correction automatique, désactivez la case à cocher Correction en cours de frappe et validez par OK.*

Modifier une entrée de Correction automatique

1. Dans le menu Outils, cliquez sur Options de correction automatique.
2. Sélectionnez l'entrée à modifier. Vous pouvez taper ses premières lettres dans la zone Remplacer, ou faire défiler les entrées jusqu'à celle que vous recherchez, puis cliquer pour la sélectionner.

3 Tapez l'entrée de remplacement.

4 Cliquez sur Remplacer. Si nécessaire, cliquez sur Oui pour redéfinir l'entrée.

5 Cliquez sur OK.

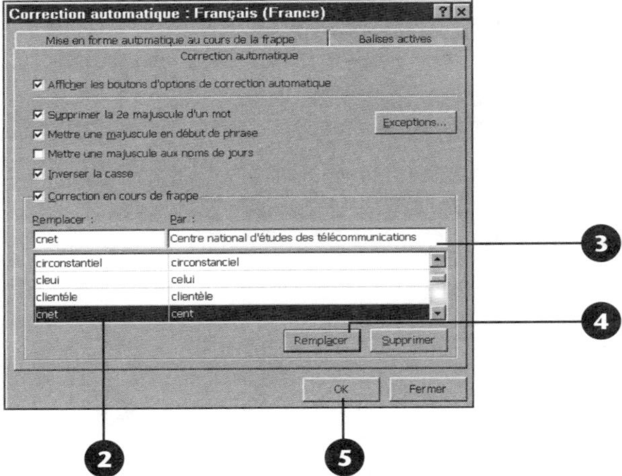

ASTUCE

Supprimer une entrée de Correction automatique. *Dans le menu Outils, cliquez sur Options de correction automatique, sélectionnez l'entrée à effacer puis cliquez sur Supprimer.*

Modifier les exceptions de Correction automatique

1 Dans le menu Outils, cliquez sur Options de correction automatique.

2 Cliquez sur le bouton Exceptions.

3 Cliquez sur l'onglet Première lettre, ou Deux majuscules en début de mot.
La liste Première lettre contient des mots se terminant par un point (.) qui ne doivent pas être suivis d'une majuscule. La liste Deux majuscules en début de mot contient des mots commençant par plusieurs majuscules. Si vous ajoutez des mots dans ces listes, Excel ne les corrige pas.

4 Tapez l'entrée à ajouter dans la liste.

5 Cliquez sur Ajouter.

6 Cliquez sur OK.

7 Cliquez sur OK.

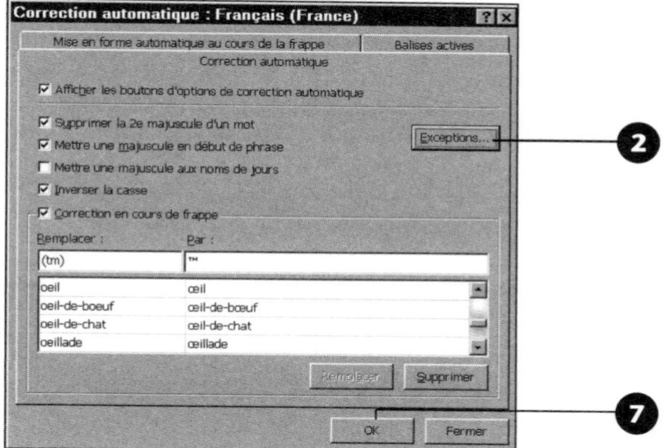

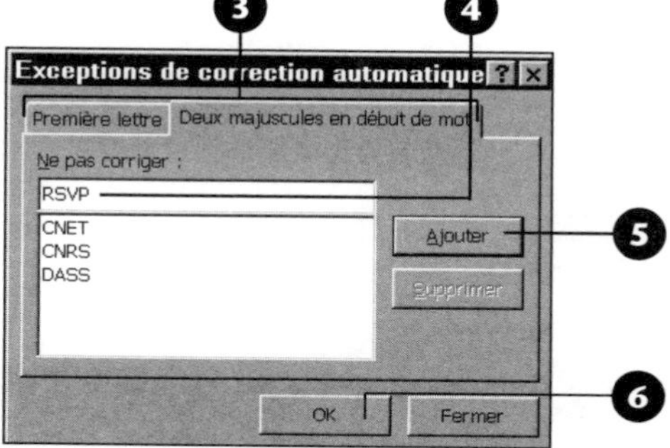

ASTUCE

Éviter la majuscule au début d'une phrase. *Dans le menu Outils, cliquez sur Options de correction automatique, désactivez la case à cocher Majuscule en début de phrase et validez par OK.*

Vérifier l'orthographe

Le correcteur orthographique d'Excel vérifie l'ensemble de la feuille.

Orthographe

Vérifier l'orthographe

1. Cliquez sur le bouton Orthographe de la barre d'outils Standard.
   La boîte de dialogue Orthographe s'ouvre si elle détecte un mot qu'elle ne reconnaît pas.
2. Si l'orthographe suggérée ne vous convient pas ou si vous voulez conserver votre frappe, choisissez Ignorer cette fois ou Ignorer toujours.
3. Pour accepter la suggestion, cliquez sur Remplacer ou Remplacer tout.
4. Pour ajouter un mot dans le dictionnaire personnalisé, cliquez sur Ajouter.
5. Lorsque vous avez terminé, cliquez sur OK.

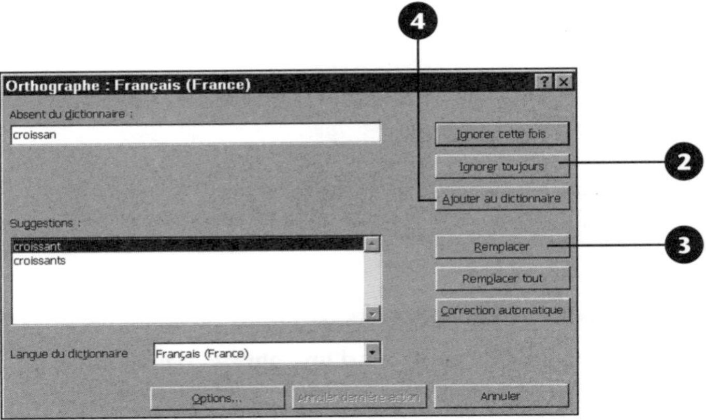

Activer la Correction automatique

1. Dans le menu Outils, cliquez sur Correction automatique.
2. Cochez la case Correction en cours de frappe.
3. Cliquez sur OK.

2 La coche indique que la Correction automatique est activée.

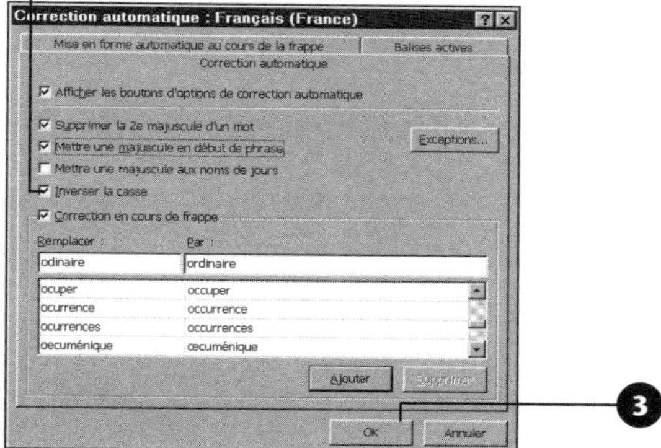

Travailler avec des formules et des fonctions

3

Une fois toutes les données saisies dans votre feuille de calcul, créez vos propres formules pour calculer des valeurs, ou insérez des formules toutes prêtes, nommées *fonctions*, pour des calculs plus complexes. Nul besoin d'être expert-comptable pour réaliser des feuilles de calcul performantes. Si vous savez quel type de résultat vous voulez obtenir – amortissement de bien ou valeur actuelle nette d'un investissement par exemple –, recherchez la fonction appropriée à l'aide de la commande Coller une fonction. Une fois localisée, utilisez-la telle quelle ou intégrez-la dans une formule plus vaste. Avec la commande Coller une fonction, vous pouvez aussi définir toutes les variables nécessaires. Excel recalculant automatiquement toutes les formules, vos feuilles de calcul resteront justes et à jour quelle que soit la fréquence de modification de vos données.

En principe, les références des cellules incluses dans les formules changent lorsque vous les copiez vers un nouvel emplacement. Parfois, vous préférerez des références de cellules absolues. Excel vous autorise à gérer les modifications de références lors des opérations de copie.

Créer une formule simple

Une formule effectue un calcul sur les valeurs fournies et retourne un résultat.

ASTUCE

Pointer sur les cellules pour minimiser les risques d'erreur. *En élaborant des formules, pointez sur une cellule plutôt que de saisir son adresse : vous assurez ainsi une référence exacte de cellule.*

Saisir une formule

1. Cliquez sur la cellule dans laquelle la formule doit être appliquée.
2. Saisissez = (le signe égale), faute de quoi Excel affichera l'information saisie, sans effectuer de calcul.
3. Entrez le premier argument, soit un nombre ou une référence de cellule.
4. Entrez un opérateur arithmétique.
5. Entrez l'argument suivant.
6. Répétez si nécessaire les étapes 4 et 5 pour compléter la formule.
7. Cliquez sur le bouton Entrer dans la barre de formule, ou appuyez sur ENTRÉE. Remarquez que le résultat du calcul s'affiche dans la cellule. Si vous sélectionnez cette cellule, la formule qu'elle contient s'affiche dans la barre de formule ; pour éditer cette formule, cliquez dans cette barre ou bien appuyez sur F2 (*voir aussi* Modifier une formule).

OPÉRATEURS ARITHMÉTIQUES		
Symbole	**Opération**	**Exemple**
+	Addition	=E3+F3
-	Soustraction	=E3-F3
*	Multiplication	=E3*F3
/	Division	=E3/F3

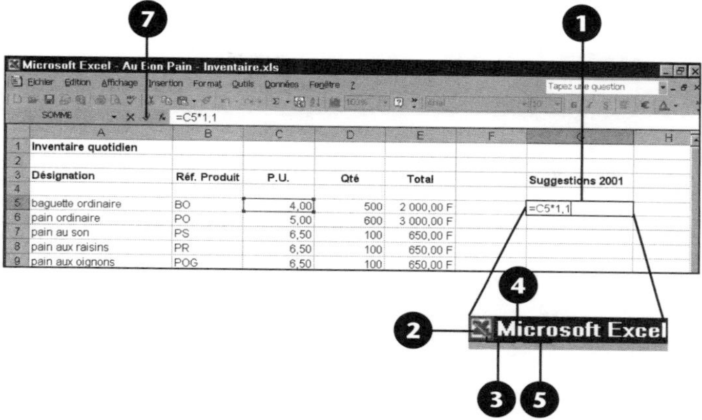

ASTUCE

Respecter les priorités des opérateurs. *Excel calcule les formules qui contiennent plusieurs opérateurs en fonction de l'ordre de priorité des opérateurs : élévation à la puissance, multiplication et division, et enfin addition et soustraction. Ainsi, dans la formule 5+2*3, Excel commence par la multiplication, puis effectue l'addition, ce qui donne pour résultat 11. Les parenthèses ont la priorité sur toutes les autres opérations : le résultat de (5+2)*3 est 21.*

Afficher les formules dans les cellules *via* le menu Outils

1. Dans le menu Outils, cliquez sur Options.
2. Cliquez sur l'onglet Affichage.
3. Cochez la case Formules.
4. Cliquez sur OK.

ASTUCE

Afficher directement les formules dans les cellules. *Vous pouvez afficher directement les formules du document à l'aide du raccourci* CTRL+" *(appuyez simultanément sur la touche* CTRL *et la touche représentant les guillemets droits).*
Pour rétablir l'affichage des données, utilisez le même raccourci.

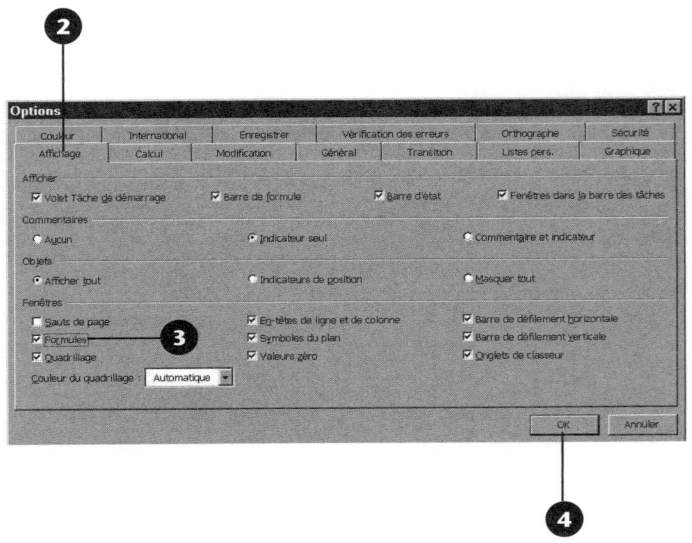

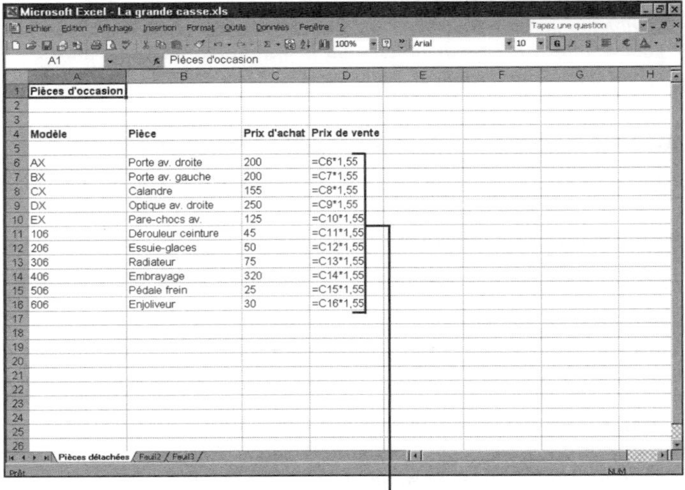

Les formules apparaissent ici.

Modifier une formule

Une formule se modifie, comme tout autre contenu, dans la barre de formule ou dans la cellule même.

> **ASTUCE**
>
> **Utiliser la barre d'outils Audit de formules pour la détection/correction d'erreurs.** *Cliquez sur Affichage dans la barre de menus, pointez sur Barre d'outils et cliquez sur Audit de formules. Cliquez dans la barre sur le bouton Vérification des erreurs pour faire apparaître la boîte de dialogue Vérification des erreurs.*

Modifier une formule dans la barre de formule

1. Sélectionnez la cellule contenant la formule à modifier.
2. Appuyez sur F2 pour passer en mode Modifier.
3. Si nécessaire, à l'aide des touches ORIG, FIN et des touches de direction, replacez le point d'insertion.
4. À l'aide des touches RET. ARR et SUPPR, effacez les caractères inutiles puis entrez vos corrections.
5. Appuyez sur ENTRÉE ou cliquez sur le bouton Entrer de la barre de formule.

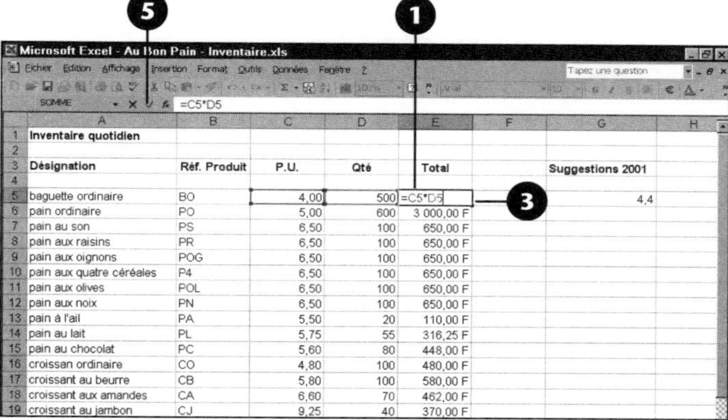

	A	B	C	D	E	F	G	H
1	Inventaire quotidien							
2								
3	Désignation	Réf. Produit	P.U.	Qté	Total		Suggestions 2001	
4								
5	baguette ordinaire	BO	4,00	500	=C5*D5		4,4	
6	pain ordinaire	PO	5,00	600	3 000,00 F			
7	pain au son	PS	6,50	100	650,00 F			
8	pain aux raisins	PR	6,50	100	650,00 F			
9	pain aux oignons	POG	6,50	100	650,00 F			
10	pain aux quatre céréales	P4	6,50	100	650,00 F			
11	pain aux olives	POL	6,50	100	650,00 F			
12	pain aux noix	PN	6,50	100	650,00 F			
13	pain à l'ail	PA	5,50	20	110,00 F			
14	pain au lait	PL	5,75	55	316,25 F			
15	pain au chocolat	PC	5,60	80	448,00 F			
16	croissan ordinaire	CO	4,80	100	480,00 F			
17	croissant au beurre	CB	5,80	100	580,00 F			
18	croissant aux amandes	CA	6,60	70	462,00 F			
19	croissant au jambon	CJ	9,25	40	370,00 F			

Copier une formule à l'aide de la Recopie incrémentée

1. Sélectionnez la cellule contenant la formule à modifier.
2. Placez le pointeur sur l'angle inférieur droit de la cellule sélectionnée (poignée de recopie).
3. Faites glisser la souris sur les cellules adjacentes où recopier la formule, puis relâchez le bouton de la souris.

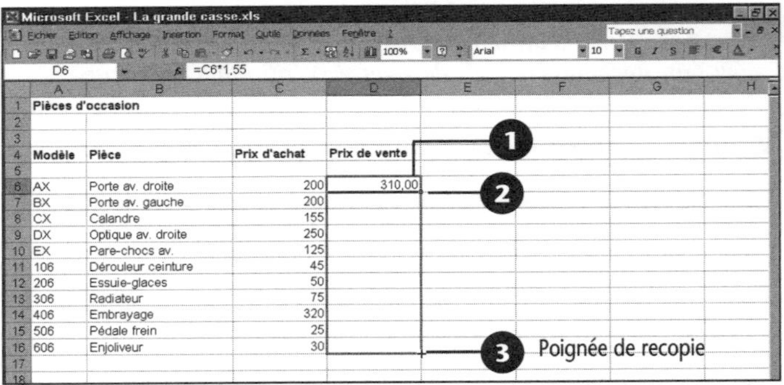

ASTUCE

Ne copier que les formules à l'aide de la commande Collage spécial. *Sélectionnez les cellules contenant les formules à copier, cliquez sur Copier, puis sur l'emplacement de destination, puis dans le menu Edition, cliquez sur Collage spécial et sur le bouton Formules puis sur OK.*

Copier une formule à l'aide du Presse-papiers Windows

1. Sélectionnez les cellules contenant les formules à copier.
2. Cliquez sur le bouton Copier de la barre d'outils Standard.
3. Sélectionnez la ou les cellules où copier la formule.
4. Cliquez sur le bouton Coller de la barre d'outils Standard.

5 Si vous n'avez plus d'autres collages à effectuer, appuyez sur ÉCHAP pour supprimer le rectangle de sélection.

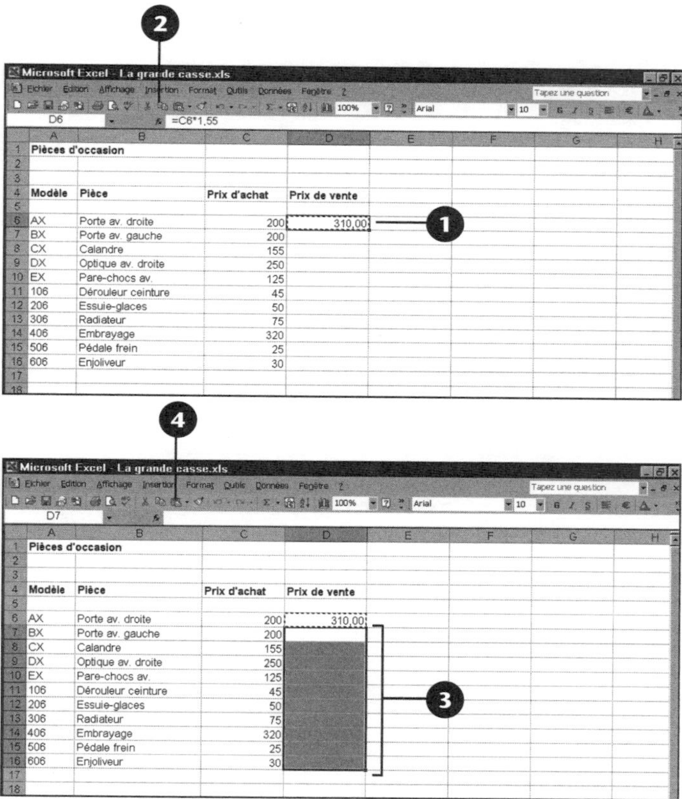

Les références relatives de cellules

Par défaut, les adresses de cellules évoluent dans les formules lorsque vous copiez ou déplacez ces dernières vers d'autres emplacements. Que vous procédiez par Copier ou par Glisser-déplacer, les références qu'elles contiennent s'ajustent automatiquement en fonction de leur nouvelle position, et les calculs portent sur les données des nouvelles cellules. Cet ajustement automatique se nomme *adressage relatif*.

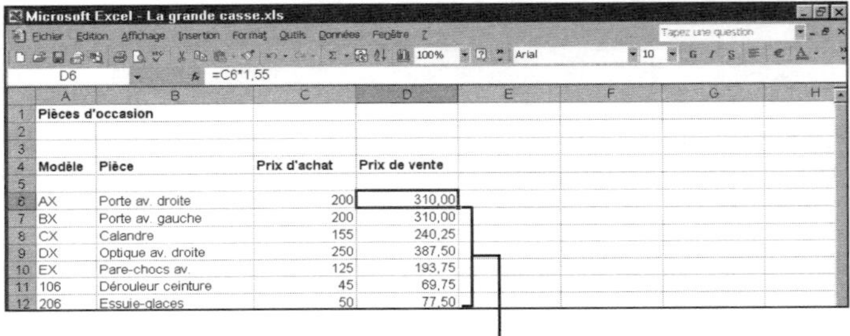

Microsoft Excel - La grande casse.xls

D6 =C6*1,55

	A	B	C	D
1	Pièces d'occasion			
2				
3				
4	Modèle	Pièce	Prix d'achat	Prix de vente
5				
6	AX	Porte av. droite	200	310,00
7	BX	Porte av. gauche	200	310,00
8	CX	Calandre	155	240,25
9	DX	Optique av. droite	250	387,50
10	EX	Pare-chocs av.	125	193,75
11	106	Dérouleur ceinture	45	69,75
12	206	Essuie-glaces	50	77,50

Ces formules sont identiques à celle de D6, mais les références de cellules ont été ajustées en fonction de leur nouvel emplacement.

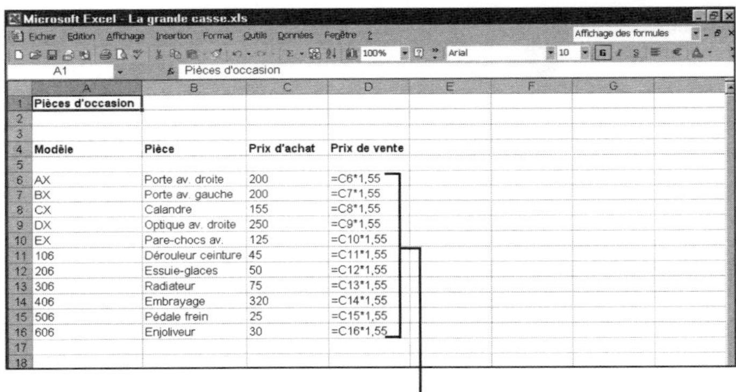

Microsoft Excel - La grande casse.xls

A1 Pièces d'occasion

	A	B	C	D
1	Pièces d'occasion			
2				
3				
4	Modèle	Pièce	Prix d'achat	Prix de vente
5				
6	AX	Porte av. droite	200	=C6*1,55
7	BX	Porte av. gauche	200	=C7*1,55
8	CX	Calandre	155	=C8*1,55
9	DX	Optique av. droite	250	=C9*1,55
10	EX	Pare-chocs av.	125	=C10*1,55
11	106	Dérouleur ceinture	45	=C11*1,55
12	206	Essuie-glaces	50	=C12*1,55
13	306	Radiateur	75	=C13*1,55
14	406	Embrayage	320	=C14*1,55
15	506	Pédale frein	25	=C15*1,55
16	606	Enjoliveur	30	=C16*1,55
17				
18				

Chaque formule est identique, mais les références de cellules ont été ajustées en fonction de la ligne.

Utiliser des références absolues

Si vous souhaitez qu'une formule se réfère toujours à la même cellule, même si vous la copiez à d'autres emplacements de votre feuille de calcul, utilisez une référence absolue.

Utiliser une référence absolue

1. Cliquez sur une cellule où vous devez entrer une formule (D5).
2. Tapez un signe = en début de formule.
3. Sélectionnez une cellule (C5), puis tapez * (l'opérateur arithmétique) pour reproduire l'exemple ci-dessous. Ouvrez la parenthèse, tapez **1** puis +.
4. Sélectionnez la cellule en référence (H3) et appuyez sur F4 pour l'affecter d'une référence absolue.
5. Éventuellement, poursuivez la saisie de la formule. Fermez la parenthèse.
6. Appuyez sur ENTRÉE ou cliquez sur le bouton Entrer de la barre de formule.

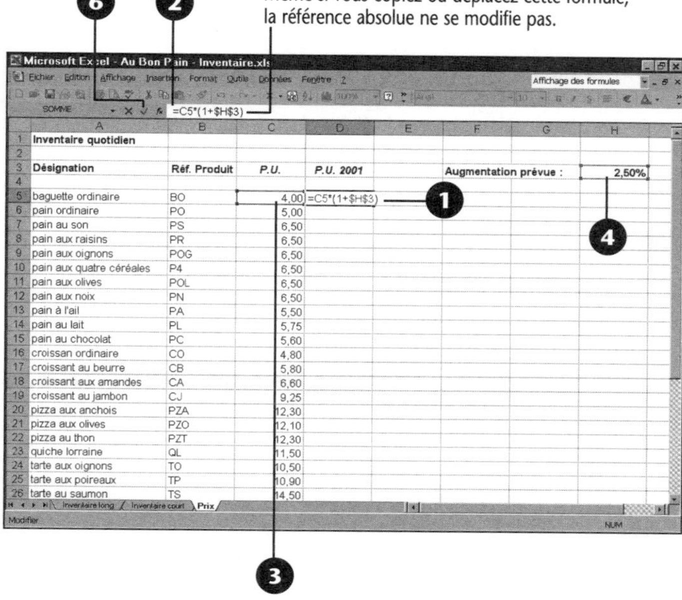

	A	B	C	D	E	F	G	H
1	Inventaire quotidien							
2								
3	Désignation	Réf. Produit	P.U.	P.U. 2001		Augmentation prévue :		2,50%
4								
5	baguette ordinaire	BO	4,00	=C5*(1+$H$3)				
6	pain ordinaire	PO	5,00					
7	pain au son	PS	6,50					
8	pain aux raisins	PR	6,50					
9	pain aux oignons	POG	6,50					
10	pain aux quatre céréales	P4	6,50					
11	pain aux olives	POL	6,50					
12	pain aux noix	PN	6,50					
13	pain à l'ail	PA	5,50					
14	pain au lait	PL	5,75					
15	pain au chocolat	PC	5,60					
16	croissan ordinaire	CO	4,80					
17	croissant au beurre	CB	5,80					
18	croissant aux amandes	CA	6,60					
19	croissant au jambon	CJ	9,25					
20	pizza aux anchois	PZA	12,30					
21	pizza aux olives	PZO	12,10					
22	pizza au thon	PZT	12,30					
23	quiche lorraine	QL	11,50					
24	tarte aux oignons	TO	10,50					
25	tarte aux poireaux	TP	10,90					
26	tarte au saumon	TS	14,50					

Référencer des cellules avec des étiquettes

Nombre de feuilles de calcul comportent des étiquettes en haut des colonnes et à gauche des lignes. Utilisez-les de préférence aux adresses pour référencer vos cellules.

ASTUCE

Que se passe-t-il si vous réduisez l'affichage d'une étiquette ? *Au-dessous de 40 % de réduction par zoom de l'affichage de votre feuille de calcul, Excel entoure d'une bordure bleue, qui ne s'imprime pas, les étiquettes créées.*

Définir des plages d'étiquettes

1. Sélectionnez la plage contenant les étiquettes de lignes à utiliser comme référence de cellules.
2. Dans le menu Insertion, pointez sur Nom et cliquez sur Étiquette.
   La plage d'étiquettes s'affiche dans la zone Ajouter une plage d'étiquettes, et l'option Étiquettes de lignes est sélectionnée.
3. Cliquez sur Ajouter.
4. Cliquez sur OK.
5. Sélectionnez la plage contenant les étiquettes de colonnes à utiliser comme référence de cellules et reprenez les étapes 2 à 4.

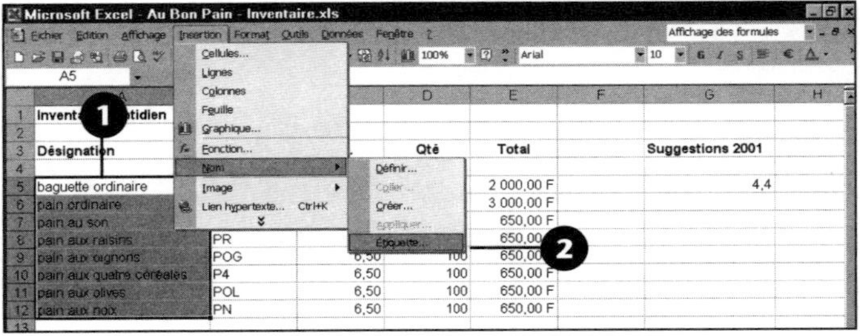

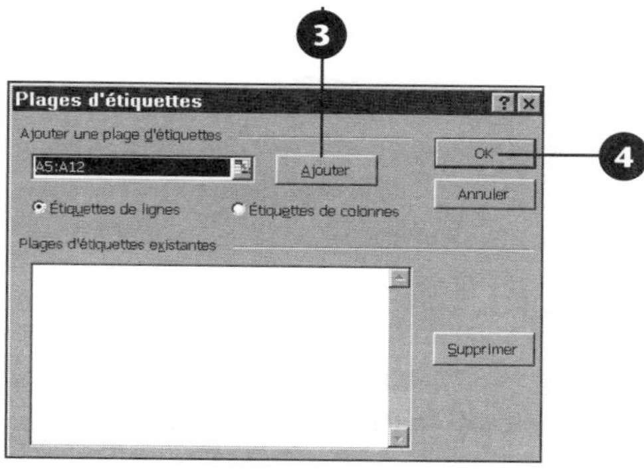

ASTUCE

Que se passe-t-il si vous changez une référence d'étiquette ? *Si vous modifiez le nom d'une étiquette référence, Excel répercute immédiatement ce changement dans chaque formule utilisant ce nom.*

Supprimer une plage d'étiquettes

1. Dans le menu Insertion, pointez sur Nom et cliquez sur Étiquette.
2. Cliquez pour sélectionner la plage d'étiquettes à supprimer.
3. Cliquez sur Supprimer.
4. Cliquez sur OK.

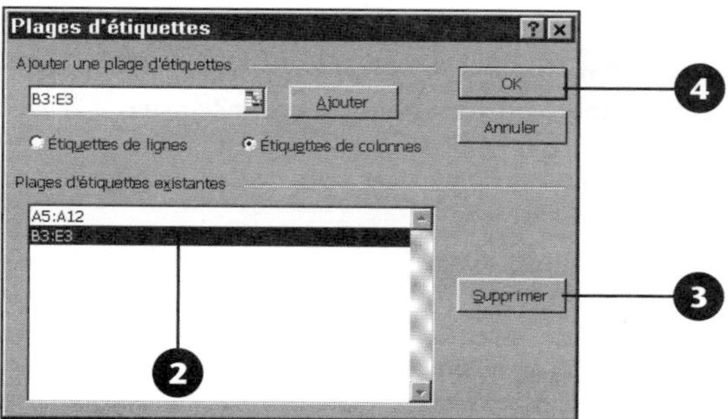

ASTUCE

Les noms d'étiquettes sont relatifs. *Si vous utilisez un nom d'étiquette dans une formule ou une fonction, Excel la considère comme une référence relative. Copiez-la vers d'autres cellules ou utilisez-la dans la Recopie incrémentée, les références s'ajustent automatiquement.*

Nommer les cellules et les plages

Pour faciliter votre travail sur les plages, nommez-les avec Excel. Les plages nommées permettent de naviguer dans de vastes feuilles de calcul.

ASTUCE

Les noms de cellules et de plages sont des adresses absolues. *À la différence des plages d'étiquettes, lesquelles sont relatives.*

Nommer une cellule ou une plage

1. Sélectionnez la cellule ou la plage à nommer.
2. Cliquez sur la zone Nom dans la barre de formule.
3. Entrez un nom pour cette cellule ou plage, nom qui peut comporter des majuscules ou des minuscules, des nombres ou des caractères de ponctuation, mais pas d'espaces.
4. Appuyez sur ENTRÉE. Le nom de la plage s'affiche dans la zone Nom chaque fois que vous sélectionnez cette plage.

ASTUCE

Faut-il activer l'option Ignorer relatif/absolu ? *Si vous activez cette option, Excel remplace la référence par le nom, que l'adresse soit absolue ou relative. Quand vous désactivez cette option, Excel ne restaure que les références absolues.*

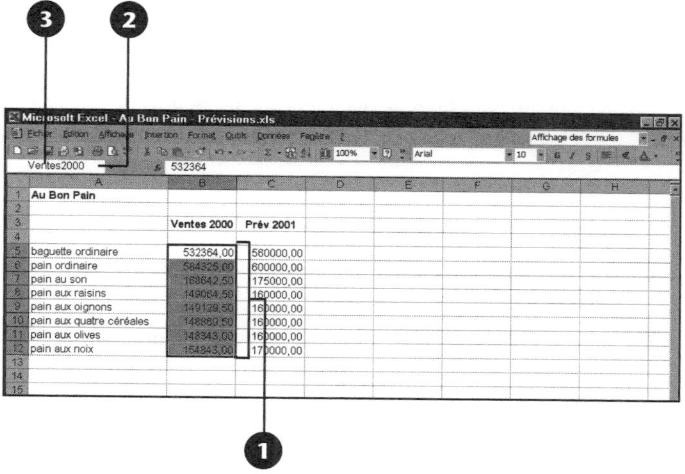

Sélectionner une cellule ou une plage nommée

1. Cliquez sur la flèche de liste déroulante de la zone Nom dans la barre de formule.
2. Sélectionnez un nom de plage ou de cellule.
   Le nom de cette plage apparaît dans la zone Nom, et toutes les cellules incluses dans la plage s'affichent en surbrillance dans la feuille de calcul.

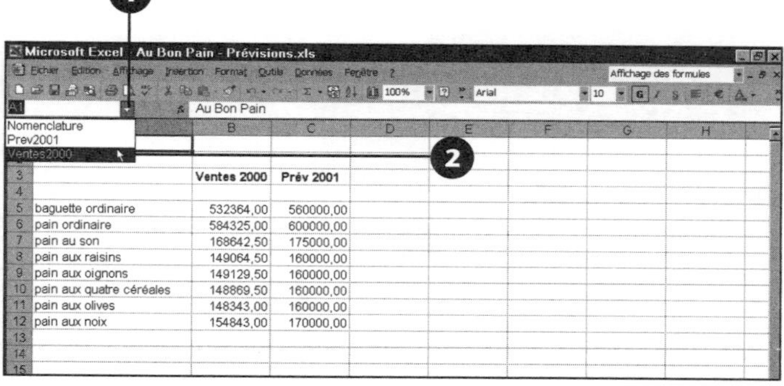

ASTUCE

Faut-il activer l'option Utiliser les noms de colonnes et de lignes ? *Si vous activez cette option, Excel utilise, pour référencer la plage sélectionnée, les titres de colonnes et de lignes de cette plage (si une cellule ne possède pas son propre nom, mais appartient à une plage nommée).*

Laisser Excel nommer une cellule ou une plage

1. Sélectionnez les cellules contenant les étiquettes et les cellules à nommer.
2. Dans le menu Insertion, pointez sur Nom, cliquez sur Créer.
3. Cochez la case indiquant la position des étiquettes par rapport aux cellules.
   Excel essaie de déterminer automatiquement la position des étiquettes, aussi ne devrez-vous peut-être pas changer les options affichées.
4. Cliquez sur OK.

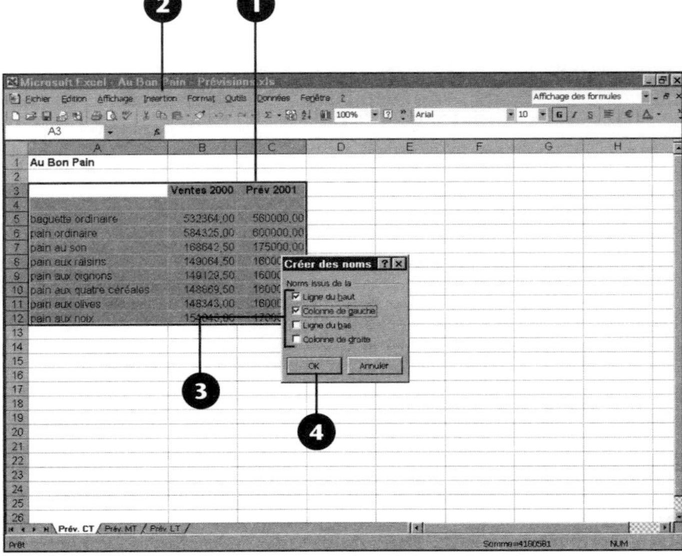

Affecter à une adresse un nom de cellule ou de plage

1. Sélectionnez les cellules auxquelles affecter un nom.
2. Dans le menu Insertion, pointez sur Nom et cliquez sur Appliquer.
3. Cliquez pour sélectionner les noms à remplacer.
4. Cliquez sur OK.

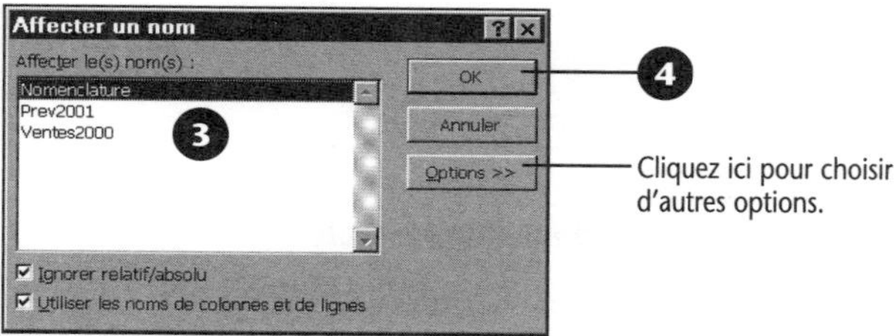

ASTUCE

Supprimer un nom de plage. *Dans le menu Insertion, pointez sur Nom, cliquez sur Définir, sélectionnez le nom de plage puis cliquez sur Supprimer.*

Simplifier une formule avec des plages

Simplifiez vos formules en utilisant des plages et des noms de plage.

Utiliser une plage dans une formule

1. Tapez un signe =, puis une fonction, par exemple **SOMME**, ouvrez ensuite la parenthèse.
2. Cliquez sur la première cellule de la plage, puis faites glisser votre souris jusqu'à la dernière cellule de la plage afin de la sélectionner. Excel entre pour vous l'adresse de la plage dans la formule.

3 Complétez la formule, puis appuyez sur ENTRÉE ou cliquez sur le bouton Entrer de la barre de formule.

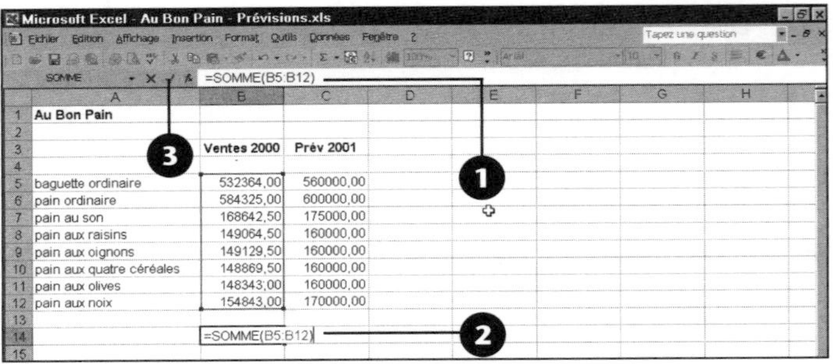

Utiliser un nom de plage dans une formule

1. Tapez un signe =, puis une fonction.
2. Appuyez sur F3 pour afficher une liste de plages nommées.
3. Cliquez sur le nom de la plage à insérer.
4. Cliquez sur OK.
5. Complétez la formule, puis appuyez sur ENTRÉE ou cliquez sur le bouton Entrer de la barre de formule.

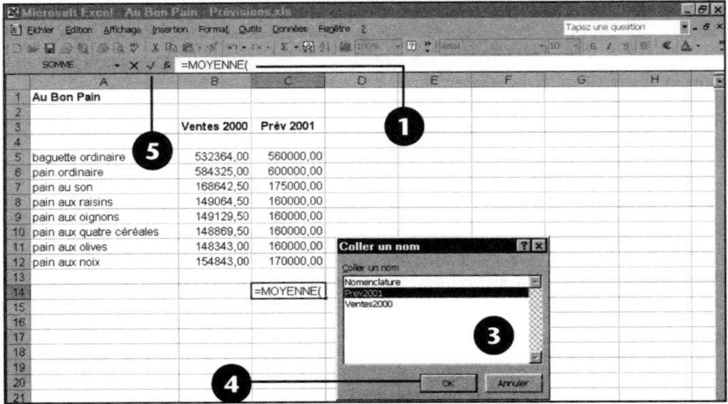

Afficher des calculs avec le Calcul automatique

Le Calcul automatique vous simplifie la tâche lorsque vous préférez obtenir rapidement le résultat d'un calcul. Cette fonctionnalité s'affiche dans la barre d'état.

Calculer automatiquement une plage

1. Sélectionnez la plage de cellules sur laquelle effectuer un calcul.
   La somme des cellules sélectionnées s'affiche dans la barre d'état derrière l'indication Somme=.

2. Pour changer l'opération effectuée par le Calcul automatique, cliquez dans la barre d'état avec le bouton droit de la souris pour ouvrir le menu contextuel du Calcul automatique.

3. Choisissez un type de calcul.

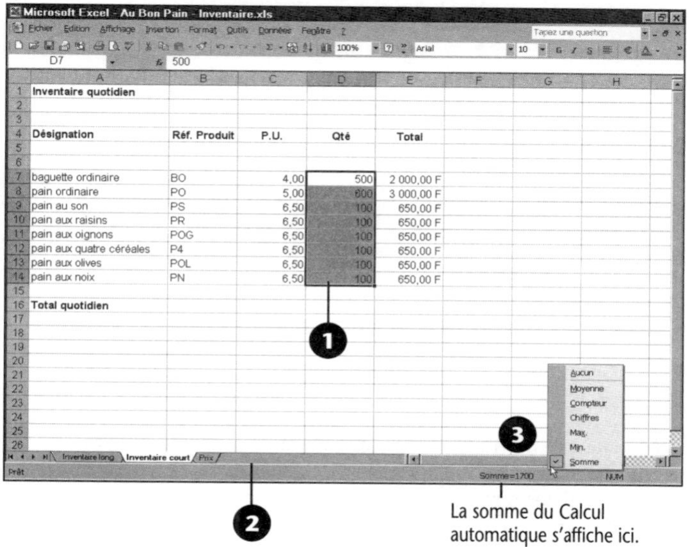

La somme du Calcul automatique s'affiche ici.

Calculer des totaux avec la Somme automatique

Le bouton Somme automatique de la barre d'outils Standard suggère la plage de cellules à totaliser : modifiez-la si elle n'est pas correcte.

Calculer des totaux avec la Somme automatique

1. Cliquez sur la cellule où afficher le résultat.
2. Cliquez sur le bouton Somme automatique de la barre d'outils Standard.
3. Pressez ENTRÉE ou cliquez sur le bouton Entrer de la barre de formule.

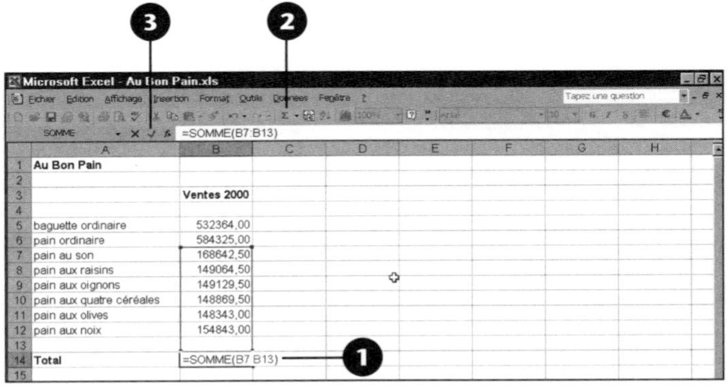

Calculer des sous-totaux et des totaux

1. Sélectionnez la zone de cellules à partir desquelles vous souhaitez calculer un sous-total.
2. Dans le menu Données, cliquez sur Sous-totaux. Si un message s'affiche, lisez-le, cliquez sur le bouton approprié et suivez les directives proposées, puis cliquez de nouveau sur Sous-totaux.

3 Cochez les cases appropriées dans la boîte de dialogue Sous-total pour spécifier quels sous-totaux calculer.

4 Cliquez sur OK.

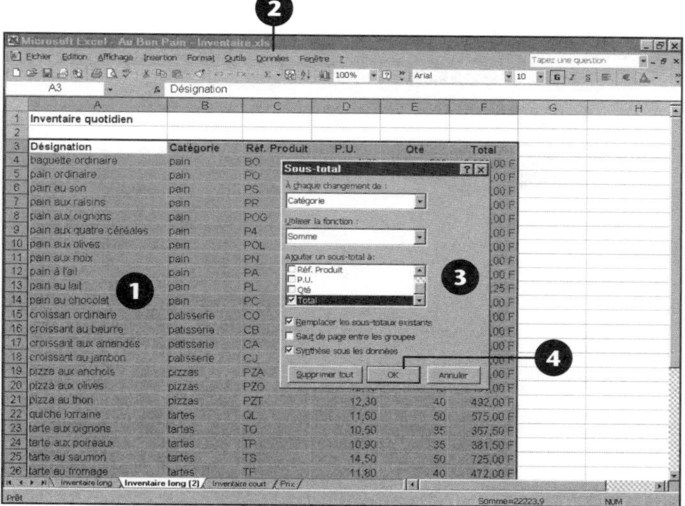

Effectuer des calculs avec des fonctions

Les fonctions sont des formules prédéfinies destinées à vous épargner la complexité de l'élaboration d'une équation.

Saisir une fonction manuellement

1 Cliquez sur la cellule où vous devez saisir la fonction.

2 Tapez un signe =, le nom de la fonction, puis ouvrez une parenthèse. Par exemple, pour insérer la fonction SOMME, tapez **=SOMME(**.

3 Entrez l'argument, ou sélectionnez la cellule ou la plage à insérer dans la fonction.

4 Appuyez sur ENTRÉE ou cliquez sur le bouton Entrer de la barre de formule.
Excel ferme automatiquement la parenthèse pour compléter la fonction.

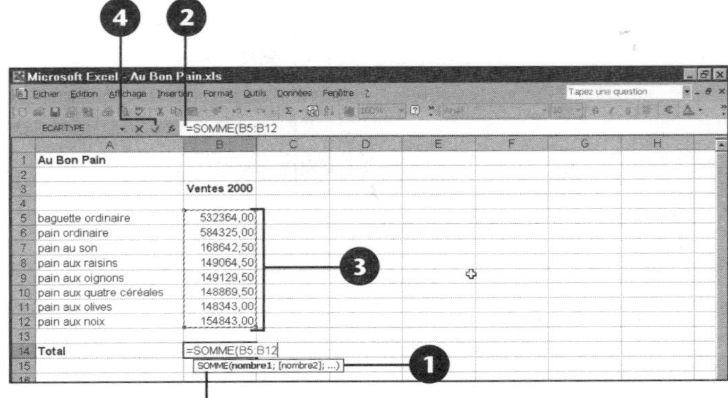

Une fonction commence toujours par le signe =.

Saisir une fonction usuelle d'Excel

1. Cliquez sur la cellule où vous devez saisir la fonction.
2. Tapez un signe =, puis cliquez sur la flèche à droite de la zone des fonctions pour faire apparaître les fonctions usuelles.
3. Cliquez sur la fonction de votre choix pour ouvrir la boîte Arguments de la fonction.
4. Modifiez le cas échéant l'argument, la cellule ou la plage de cellules proposés par Excel.
5. Cliquez sur le bouton OK.
Excel ferme automatiquement la parenthèse pour compléter la fonction.

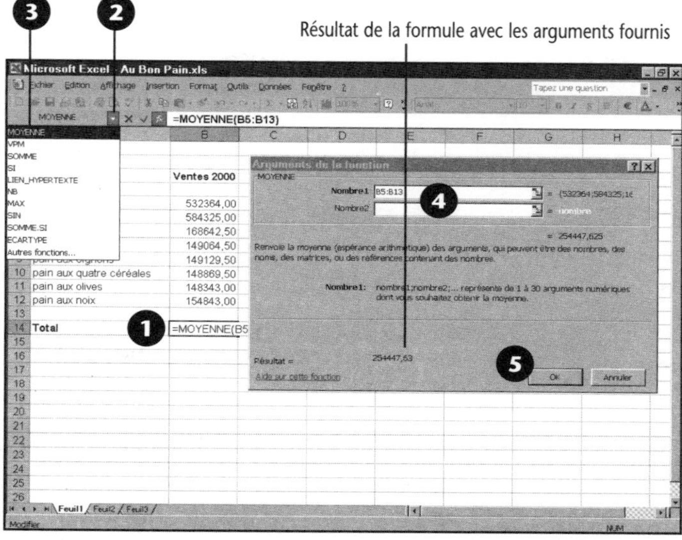

FONCTIONS USUELLES D'EXCEL		
Fonction	**Description**	**Exemple**
SOMME	Affiche la somme de l'argument.	=SOMME(argument)
MOYENNE	Affiche la valeur moyenne des cellules de l'argument.	=MOYENNE(argument)
NB	Calcule le nombre de valeurs dans l'argument.	=NB(argument)
MAX	Détermine la plus grande valeur dans l'argument.	=MAX(argument)
MIN	Détermine la plus petite valeur dans l'argument.	=MIN(argument)
VPM	Calcule les mensualités de remboursement d'un emprunt.	=VPM(argument)

Créer des fonctions

La commande Insérer une fonction vous propose les formules prédéfinies d'Excel, nommées *fonctions*.

Insérer une fonction

Insérer une fonction à l'aide d'Insérer une fonction

1. Cliquez sur la cellule où saisir la fonction.
2. Cliquez sur le bouton Insérer une fonction dans la barre d'outils Standard.
3. Cliquez sur la catégorie de fonctions requise (Statistiques par exemple)
4. Cliquez sur la fonction à insérer (ECARTYPE par exemple).
5. Cliquez sur OK.
6. Saisissez les adresses de cellules dans les zones de texte, ou cliquez dans chaque zone de texte sur le bouton de réduction à droite (pour masquer la boîte de dialogue), sélectionnez votre cellule, puis cliquez sur le bouton de restauration de la boîte de dialogue.
7. Cliquez sur OK.

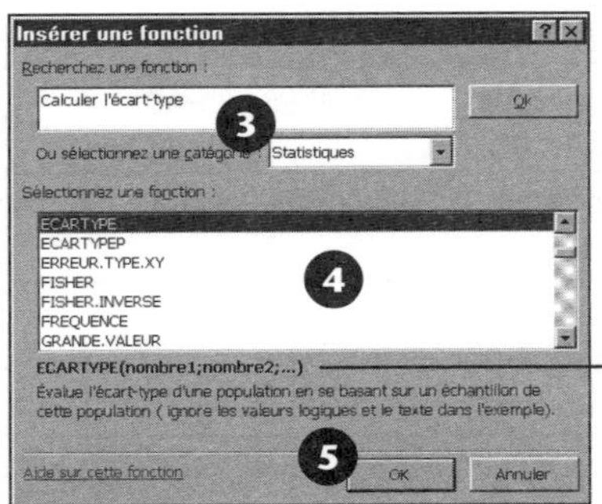

Formule de la fonction sélectionnée

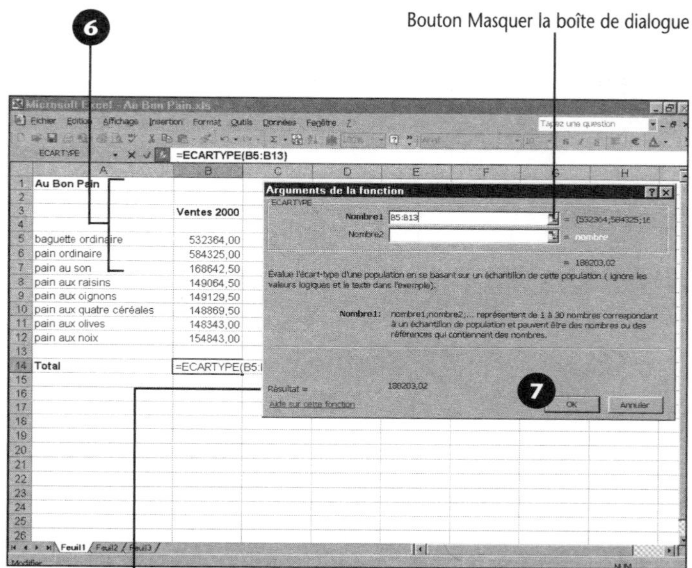

Évaluer des formules

Lors de calculs complexes, il peut être nécessaire d'évaluer les formules utilisées. Excel facilite cette évaluation en permettant de passer par chaque calcul conduisant au résultat.

1. Cliquez sur la cellule à évaluer.
2. Ouvrez la barre d'outils Audit de formules.
3. Cliquez sur le bouton Évaluation de formule.

Modifier des classeurs et des feuilles de calcul

4

Comme vous ne sauriez tout prévoir, vous serez certainement amené à modifier votre classeur. Ces modifications peuvent porter aussi bien sur les données que sur le classeur même.

Réorganisez un classeur en ajoutant, supprimant, déplaçant et renommant des feuilles de calcul. Dans chacune, vous pouvez insérer ou supprimer des cellules, des lignes et des colonnes, ajuster la largeur des colonnes et la hauteur des lignes, et structurer ainsi chaque feuille selon vos besoins. Vous procédez sans difficulté à ces modifications car Excel met automatiquement à jour les références des cellules dans vos formules, à chaque modification et nouveau calcul, pour garantir des résultats toujours justes.

Toutes sortes de paramètres d'impression, dont l'orientation de la page, les marges, les en-têtes et les pieds de page, vous permettent également d'améliorer présentation et lisibilité de vos feuilles et classeurs.

Sélectionner et nommer une feuille de calcul

Chaque nouveau classeur ouvert contient par défaut trois feuilles de calcul.

> **ASTUCE**
>
> **Choisir un nombre différent de feuilles par défaut.** *Cliquez sur Outils dans la barre des menus, puis sur Options. À l'onglet Général de la boîte Options, affichez le nombre de feuilles de calcul que vous désirez dans le champ Nombre de feuilles de calcul par nouveau classeur (la valeur par défaut est 3). Cliquez sur OK pour valider.*

Sélectionner une feuille de calcul

1. Cliquez sur l'onglet de la feuille à activer.

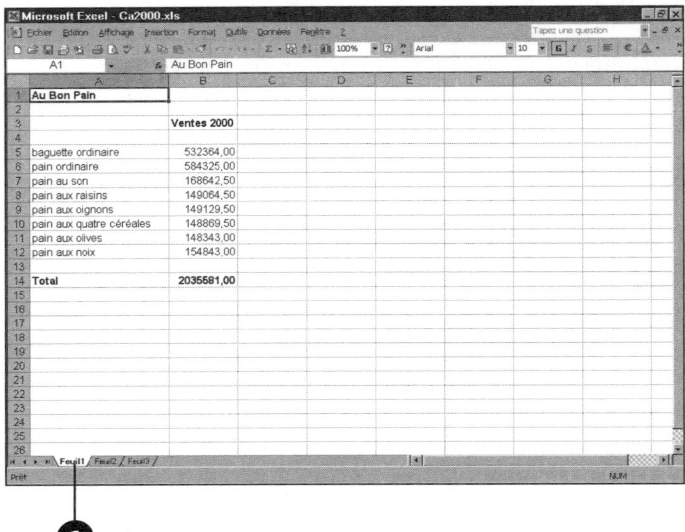

Nommer une feuille de calcul

1. Double-cliquez sur l'onglet de la feuille à nommer.
2. Saisissez un nouveau nom. Le nom actuel, en surbrillance, est automatiquement remplacé par le texte saisi.
3. Appuyez sur ENTRÉE.

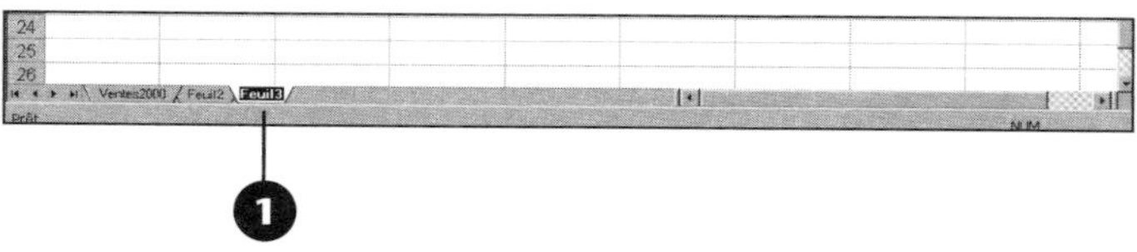

ASTUCE

Choisir des noms de feuille courts, puisque la taille de l'onglet d'une feuille s'allonge en fonction du nom choisi. *Plus vos noms seront courts et plus vous pourrez afficher d'onglets à l'écran, ce qui est particulièrement utile pour des classeurs contenant plusieurs feuilles de calcul.*

Insérer et supprimer une feuille de calcul

L'ajout et la suppression de feuilles sont des opérations simples.

ASTUCE

Masquer une feuille de calcul. *Cliquez sur l'onglet de la feuille à masquer, et dans le menu Format, pointez sur Feuille et cliquez sur Masquer. Pour rétablir votre feuille, cliquez sur Format, pointez sur Feuille, puis cliquez sur Afficher. Sélectionnez la feuille à rétablir et validez par OK.*

Insérer une feuille de calcul

1. Cliquez sur l'onglet de feuille à droite de l'endroit où insérer une feuille.

2. Dans le menu Insertion, cliquez sur Feuille.
Une nouvelle feuille est insérée à gauche de l'onglet sélectionné.

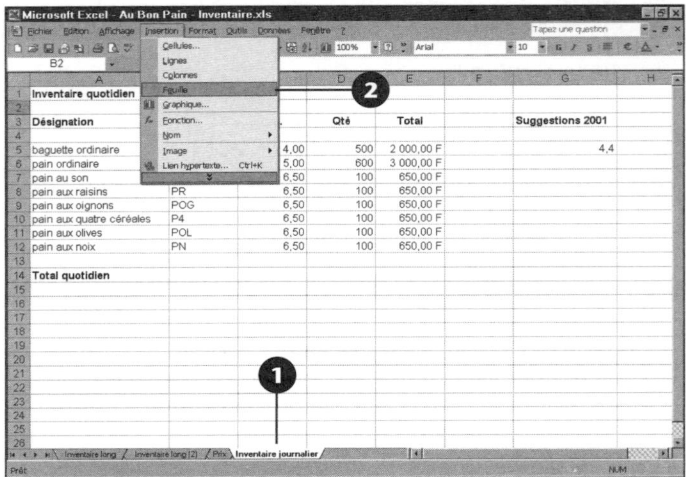

Supprimer une feuille de calcul

1. Cliquez sur l'onglet de la feuille à supprimer, ou dans n'importe quelle cellule de cette feuille.

2. Dans le menu Edition, cliquez sur Supprimer une feuille.

3. Cliquez sur Supprimer pour confirmer la suppression.

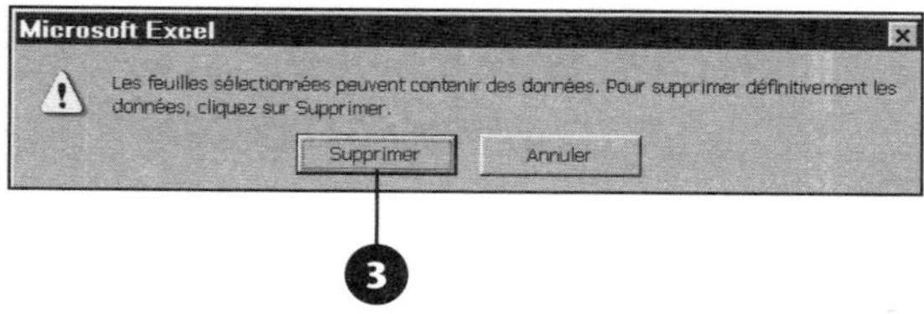

Déplacer et copier une feuille de calcul

Quand vous aurez créé plusieurs feuilles dans un classeur, il faudra les organiser.

ASTUCE

Doter votre feuille d'un arrière-plan. *Cliquez sur l'onglet de la feuille concernée et, dans le menu Format, pointez sur Feuille, et cliquez sur Arrière-plan. Sélectionnez une image pour l'arrière-plan et cliquez sur Insérer. Pour supprimer l'arrière-plan, refaites la même séquence et cliquez sur Supprimer l'arrière-plan.*

Déplacer une feuille au sein d'un classeur

1. Cliquez sur l'onglet de la feuille à déplacer, puis maintenez enfoncé le bouton de la souris.
2. Lorsque le pointeur de souris se transforme en petite feuille, faites-le glisser à droite de l'onglet où placer votre feuille.
3. Relâchez le bouton de la souris.

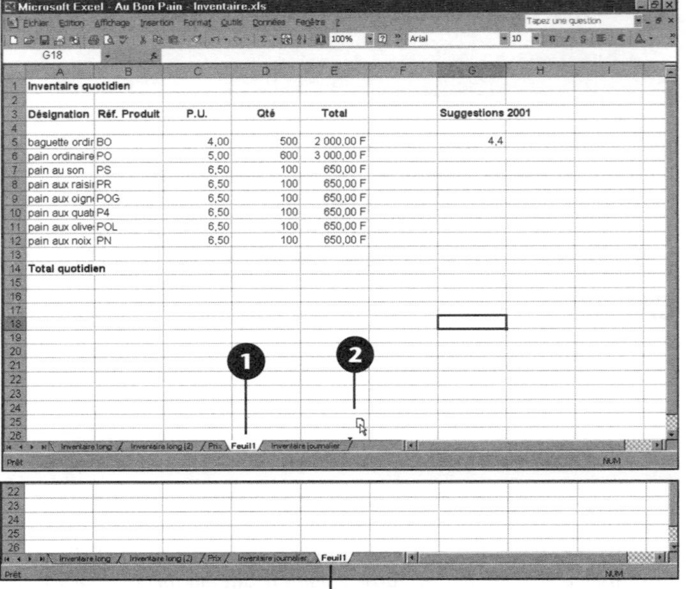

	A	B	C	D	E	F	G
1	Inventaire quotidien						
2							
3	Désignation	Réf. Produit	P.U.	Qté	Total		Suggestions 2001
4							
5	baguette ordir	BO	4,00	500	2 000,00 F		4,4
6	pain ordinaire	PO	5,00	600	3 000,00 F		
7	pain au son	PS	6,50	100	650,00 F		
8	pain aux raisi	PR	6,50	100	650,00 F		
9	pain aux oign	POG	6,50	100	650,00 F		
10	pain aux quat	P4	6,50	100	650,00 F		
11	pain aux olive	POL	6,50	100	650,00 F		
12	pain aux noix	PN	6,50	100	650,00 F		
13							
14	Total quotidien						

La feuille se déplace vers sa nouvelle position.

ASTUCE

Déplacer une feuille en désactivant la case à cocher Créer une copie. *Pour déplacer votre feuille sans la copier, désactivez la case Créer une copie dans la boîte de dialogue Déplacer ou copier. Cette boîte s'obtient en cliquant sur l'onglet de la feuille avec le bouton droit de la souris, puis sur l'option Déplacer ou copier.*

Copier une feuille de calcul

1. Cliquez sur l'onglet de la feuille à copier.
2. Dans le menu Edition, cliquez sur Déplacer ou copier une feuille.
3. Pour copier la feuille vers un autre classeur ouvert, cliquez sur la flèche de liste déroulante Dans le classeur et sélectionnez le nom du classeur de destination.
   Les feuilles du classeur sélectionné s'affichent dans la zone Avant la feuille.

4. Cliquez sur le nom d'une feuille dans la liste Avant la feuille. La copie s'insère à gauche de cette feuille.

5. Cochez la case Créer une copie.

6. Cliquez sur OK.

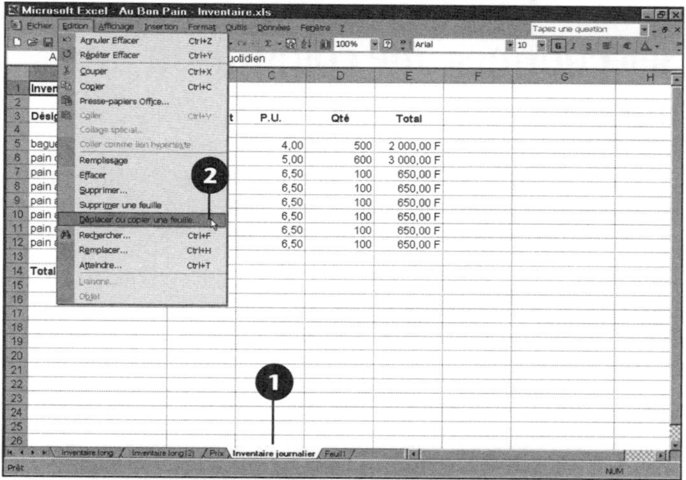

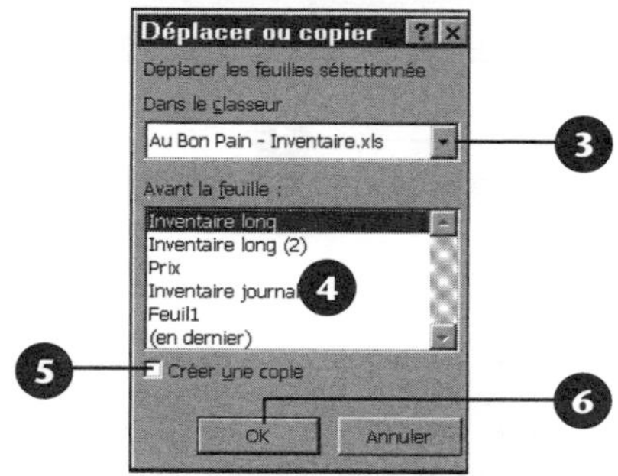

ASTUCE

Que faire si le classeur ne figure pas au sein de la liste Dans le classeur ? *Pour déplacer ou copier une feuille vers un autre classeur, ouvrez d'abord celui-ci, puis retournez dans le classeur contenant la feuille à copier ou déplacer.*

ASTUCE

Grouper plusieurs feuilles de calcul. *Cliquez sur l'onglet d'une feuille, maintenez enfoncée la touche* MAJ *puis cliquez sur l'onglet d'une autre feuille pour les grouper. Pour les dissocier, cliquez avec le bouton droit sur l'onglet d'une feuille groupée, puis sur Dissocier les feuilles dans le menu contextuel.*

Sélectionner une colonne ou une ligne

Il est possible de sélectionner plusieurs lignes ou plusieurs colonnes, même non contiguës dans la feuille.

Sélectionner une colonne ou une ligne

1. Cliquez sur le bouton d'en-tête de la colonne ou de la ligne à sélectionner.

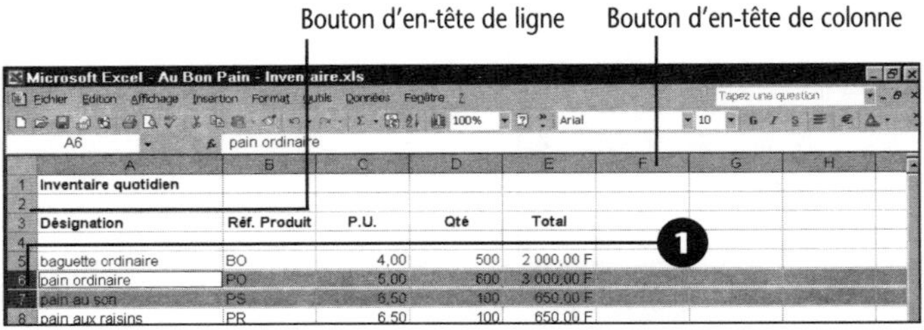

Bouton d'en-tête de ligne

Bouton d'en-tête de colonne

Sélectionner plusieurs colonnes ou lignes

1. Faites glisser votre souris sur les boutons d'en-tête des colonnes ou des lignes à sélectionner si elles sont contiguës.
2. Si elles ne sont pas contiguës, maintenez enfoncée la touche CTRL tout en cliquant sur les boutons d'en-tête des autres lignes ou colonnes concernées.

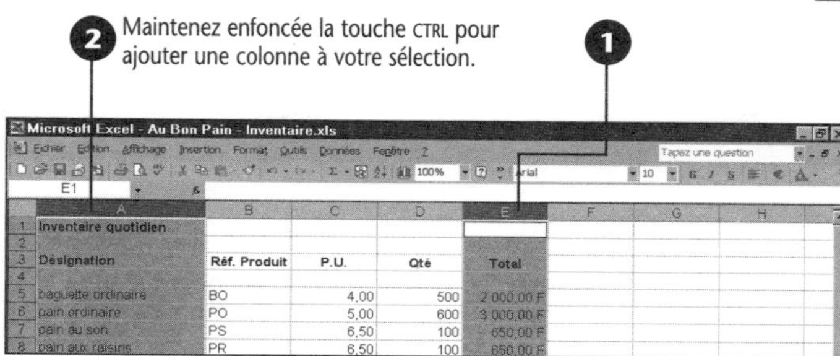
2
Maintenez enfoncée la touche CTRL pour ajouter une colonne à votre sélection.
1

Sélectionner toute la feuille de calcul

1. Cliquez sur le bouton Sélectionner tout.

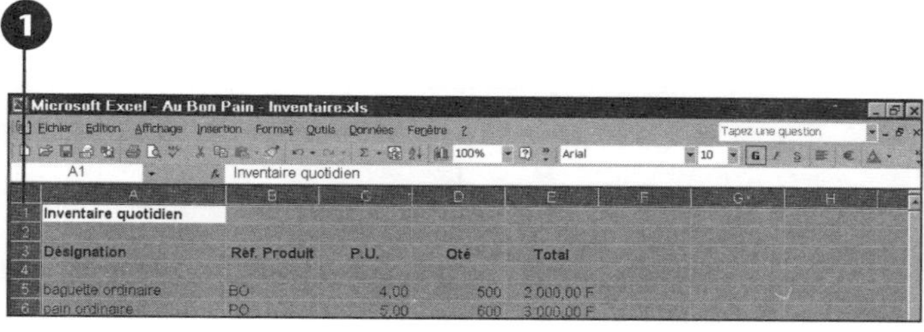
1

Insérer une colonne ou une ligne

Vous pouvez insérer des colonnes et des lignes vierges dans une feuille sans bousculer les données existantes.

ASTUCE

Le menu Insertion évolue en fonction de la sélection. *Si vous cliquez sur un bouton d'en-tête de colonne, vous sélectionnez toute la colonne : seule la commande Colonnes sera alors disponible dans le menu Insertion. Le principe est le même pour les lignes.*

Insérer une colonne ou une ligne

1. Pour insérer une colonne, cliquez dans la colonne à droite de la future colonne. Pour insérer une ligne, cliquez dans la ligne située au-dessous de la future ligne.
2. Cliquez sur le menu Insertion, puis sur Colonnes ou Lignes. Une nouvelle colonne s'insère à gauche de la colonne sélectionnée ou au-dessus de la ligne sélectionnée.

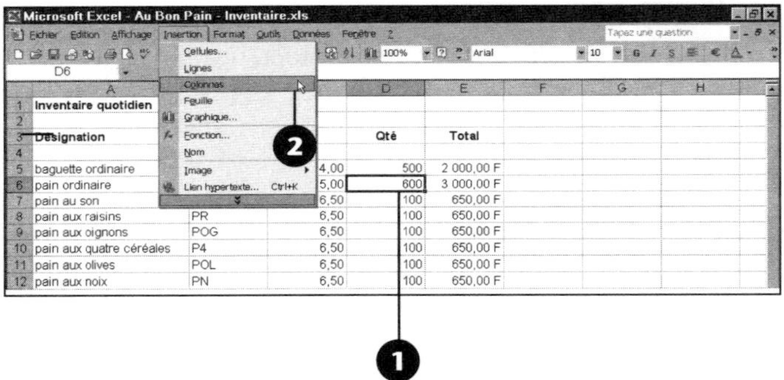

Insérer plusieurs colonnes ou lignes

1. Pour insérer plusieurs colonnes, sélectionnez autant de boutons d'en-tête de colonne que de colonnes à insérer. Pour insérer plusieurs lignes, sélectionnez autant de boutons d'en-tête de ligne que de lignes à insérer.
2. Dans le menu Insertion, cliquez sur Colonnes ou sur Lignes.

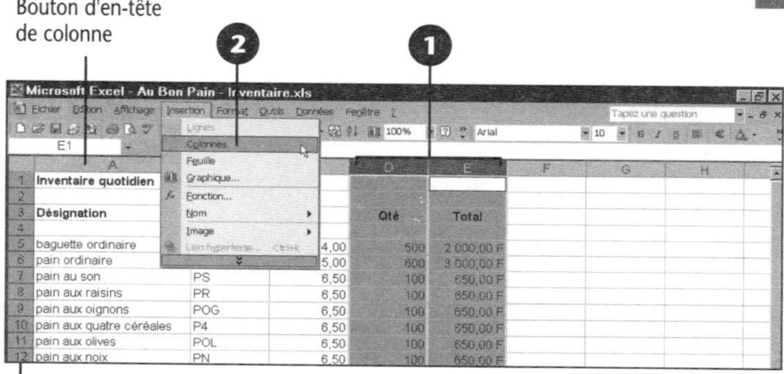

Bouton d'en-tête de ligne

Supprimer une colonne ou une ligne

La procédure est aussi simple que pour les insérer. Les colonnes et les lignes restantes sont alors décalées automatiquement vers la gauche et vers le haut.

Supprimer une colonne

1. Cliquez sur le bouton d'en-tête de la colonne à supprimer.
2. Dans le menu Edition, cliquez sur Supprimer.

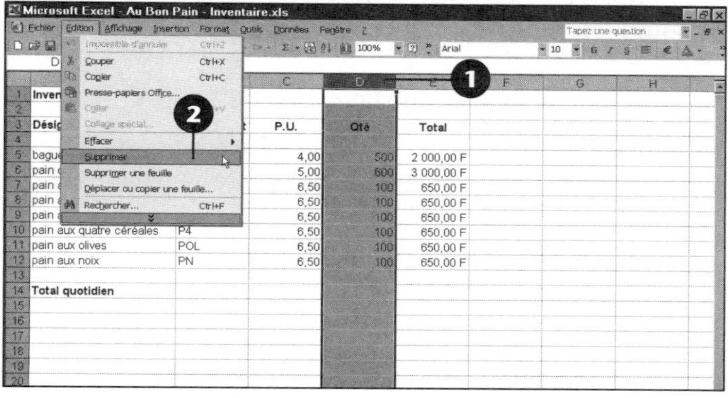

Supprimer une ligne

1. Cliquez sur le bouton d'en-tête de la ligne (ou des lignes) à supprimer.

2. Dans le menu Edition, cliquez sur Supprimer.

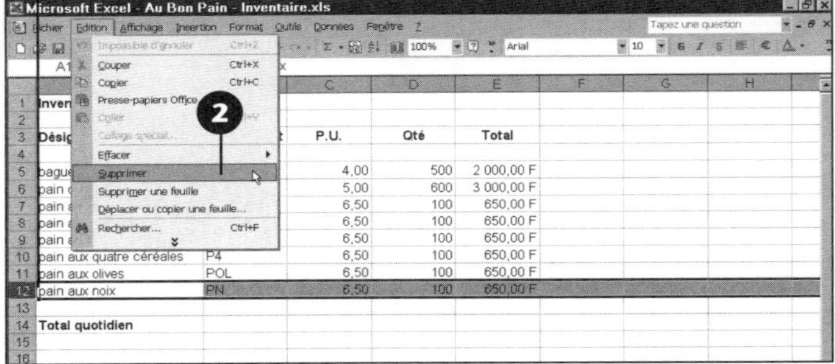

Masquer une colonne ou une ligne

Pour préserver la confidentialité de certaines données, masquez-les. Cela n'affecte en rien les calculs.

Masquer une colonne ou une ligne

1. Cliquez sur le bouton d'en-tête de la colonne ou de la ligne à masquer (pour en masquer plusieurs, faites glisser votre souris sur leurs boutons d'en-tête).

2. Dans le menu Format, pointez sur Colonne ou sur Ligne, puis cliquez sur Masquer.

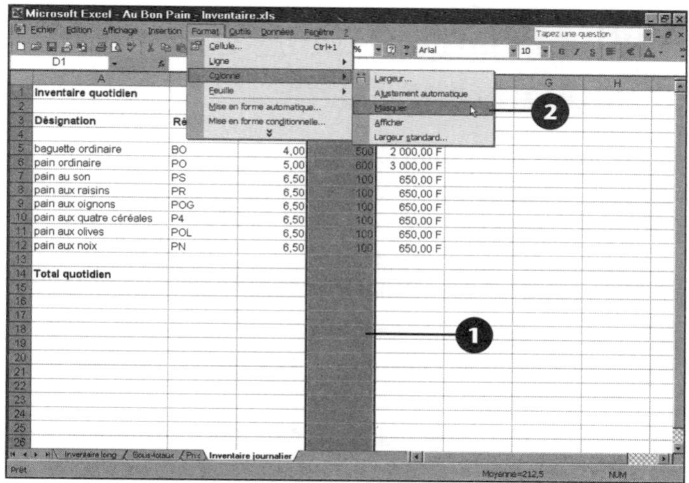

Afficher une colonne ou une ligne masquée

1. Sélectionnez les boutons d'en-tête des lignes ou colonnes situées de part et d'autre de la ligne ou colonne masquée.
2. Dans le menu Format, pointez sur Colonne ou sur Ligne, puis cliquez sur Afficher.

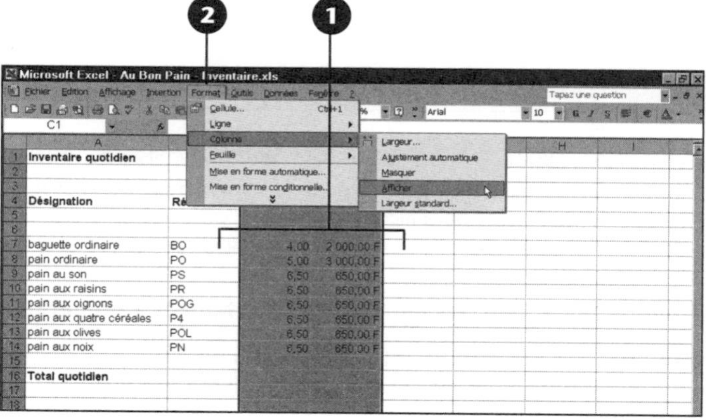

Ajuster la largeur d'une colonne et la hauteur d'une ligne

En concevant votre feuille de calcul, vous devrez parfois modifier la largeur par défaut de certaines colonnes ou la hauteur de certaines lignes.

Modifier la largeur des colonnes avec l'Ajustement automatique

1. Placez le pointeur de votre souris sur la bordure droite du bouton d'en-tête de la colonne à ajuster. Il se transforme en double flèche.

2. Double-cliquez et la largeur de la colonne s'adapte à l'entrée de cellule la plus longue.

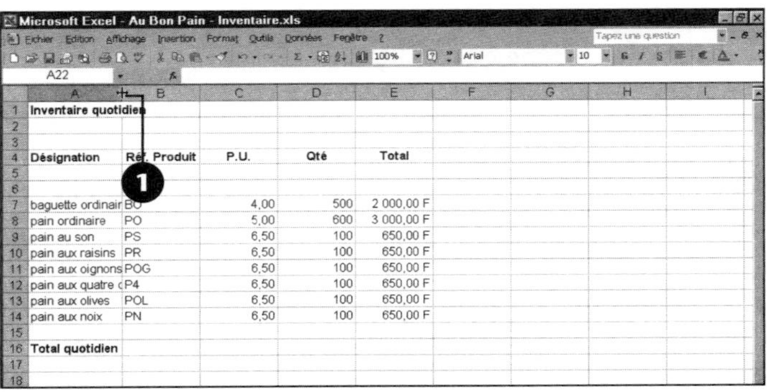

ASTUCE

Placer correctement le pointeur de la souris pour ajuster la largeur d'une colonne. *Placez votre pointeur entre le bouton d'en-tête de la colonne à redimensionner et celui de la colonne située à sa droite.*

Modifier la hauteur des lignes avec l'Ajustement automatique

1. Placez le pointeur de votre souris sur la bordure inférieure du bouton d'en-tête de la ligne à ajuster. Il se transforme en double flèche.

2 Double-cliquez et la hauteur de la ligne s'adapte à la police la plus grande de la ligne.

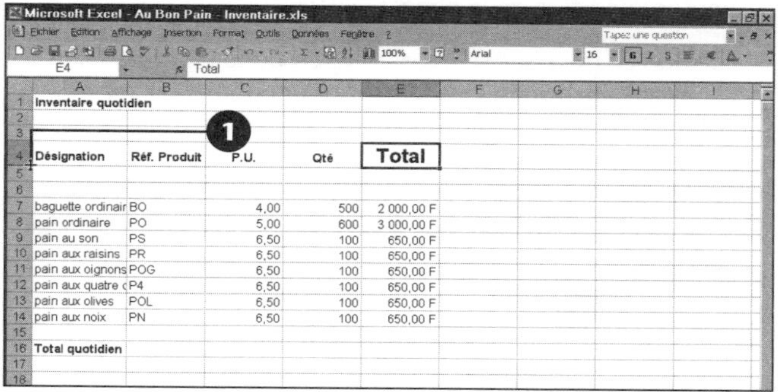

ASTUCE

Placer correctement le pointeur de la souris pour ajuster la hauteur d'une ligne. *Placez votre pointeur entre le bouton d'en-tête de la ligne à redimensionner et celui de la ligne en dessous.*

Ajuster la largeur de colonne avec la souris

1 Placez le pointeur de votre souris sur la bordure droite du bouton d'en-tête de la colonne à ajuster.

2 Lorsque ce pointeur se transforme en double flèche, faites-le glisser vers la droite ou vers la gauche pour augmenter ou diminuer la largeur de la colonne.

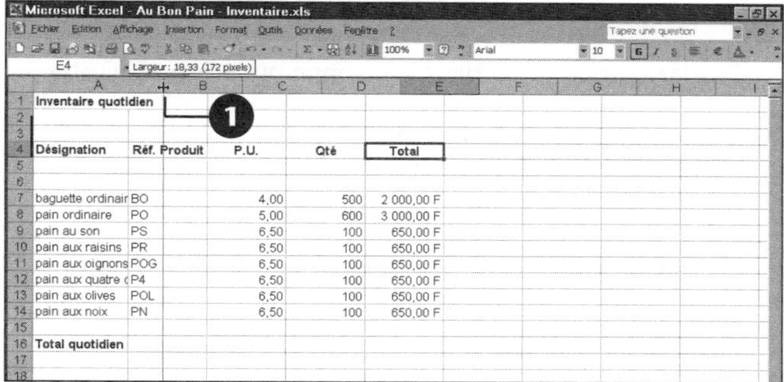

Ajuster la hauteur de ligne avec la souris

1. Placez le pointeur de votre souris sur la bordure inférieure du bouton d'en-tête de la ligne à ajuster.
2. Lorsque ce pointeur se transforme en double flèche, faites-le glisser vers le bas ou vers le haut pour augmenter ou diminuer la hauteur de la ligne.

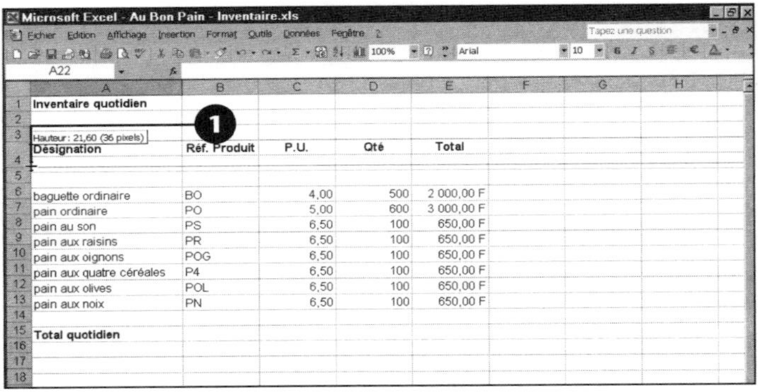

	A	B	C	D	E	F	G	H
1	**Inventaire quotidien**							
2								
3	**Désignation**	**Réf. Produit**	**P.U.**	**Qté**	**Total**			
4								
5								
6	baguette ordinaire	BO	4,00	500	2 000,00 F			
7	pain ordinaire	PO	5,00	600	3 000,00 F			
8	pain au son	PS	6,50	100	650,00 F			
9	pain aux raisins	PR	6,50	100	650,00 F			
10	pain aux oignons	POG	6,50	100	650,00 F			
11	pain aux quatre céréales	P4	6,50	100	650,00 F			
12	pain aux olives	POL	6,50	100	650,00 F			
13	pain aux noix	PN	6,50	100	650,00 F			
14								
15	**Total quotidien**							
16								
17								
18								

ASTUCE

Largeur de colonne standard et hauteur de ligne standard. *Par défaut, chaque colonne mesure 10,78 points de large et chaque ligne, 13,20 points de haut.*

Modifier la hauteur de ligne et la largeur de colonne avec le menu

1. Cliquez n'importe où dans la colonne ou la ligne à ajuster.
2. Dans le menu Format, pointez sur Colonne ou Ligne puis cliquez sur Largeur ou Hauteur.
3. Entrez une nouvelle dimension en points.
4. Cliquez sur OK.

ASTUCE

Qu'est-ce qu'un point ? *Une unité de mesure typographique. Un pouce (25,4 mm) contient 72 points. Appliquez à vos lignes et à vos colonnes différentes tailles en points et choisissez celle qui convient le mieux à votre présentation.*

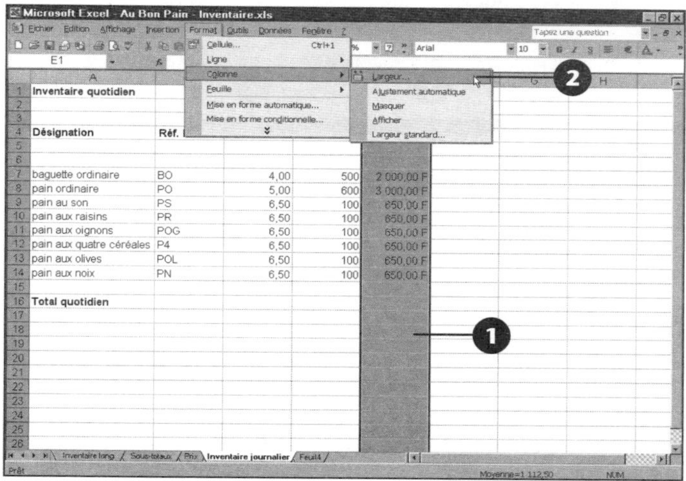

Figer une colonne ou une ligne

Vous pouvez figer temporairement les en-têtes de ligne ou de colonne pour qu'ils restent visibles même lorsque vous faites défiler votre feuille.

Figer une colonne ou une ligne

1. Sélectionnez la colonne à droite des colonnes à figer, ou la ligne en dessous des lignes à figer. Pour figer les deux, cliquez dans la cellule située au-dessous à droite de la colonne et de la ligne à figer.

2 Dans le menu Fenêtre, cliquez sur Figer les volets.

- Si vous figez un volet horizontalement, toutes les lignes au-dessus de la cellule active se figent. Si vous figez un volet verticalement, toutes les colonnes à gauche de la cellule active se figent.
- Si vous figez un volet, vous n'influez en rien sur l'impression de la feuille de calcul.

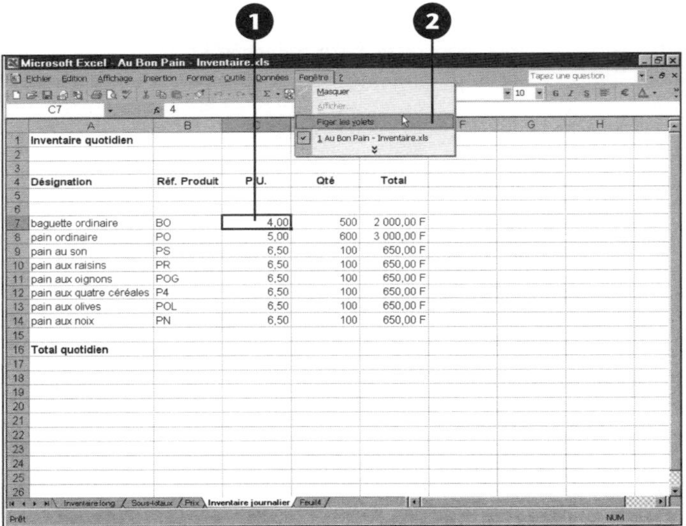

Libérer une cellule ou une ligne figées

1 Cliquez sur le menu Fenêtre.

2 Cliquez sur Libérer les volets.

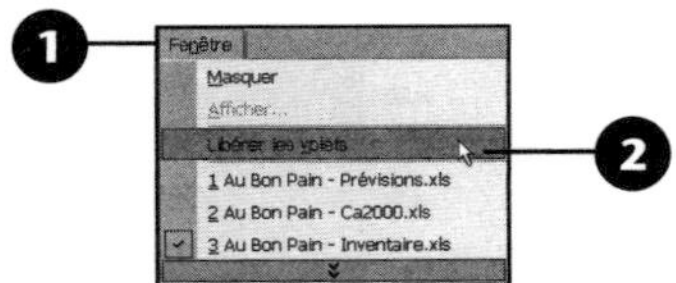

Afficher l'aperçu des sauts de page

Si la feuille de calcul à imprimer dépasse une page, Excel la divise en pages en lui intégrant des sauts de page automatiques.

ASTUCE

Supprimer un saut de page. *Sélectionnez la colonne ou la ligne voisine du saut de page, et dans le menu Insertion, cliquez sur Supprimer le saut de page.*

Insérer un saut de page

1. Pour insérer un saut de page vertical, cliquez sur le bouton d'en-tête de la colonne située à droite de l'emplacement souhaité.
   Pour insérer un saut de page horizontal, cliquez sur le bouton d'en-tête de la ligne située au-dessous de l'emplacement souhaité.
   Pour démarrer une nouvelle page, cliquez sur la cellule située au-dessous à droite de l'emplacement souhaité.
2. Dans le menu Insertion, cliquez sur Saut de page.

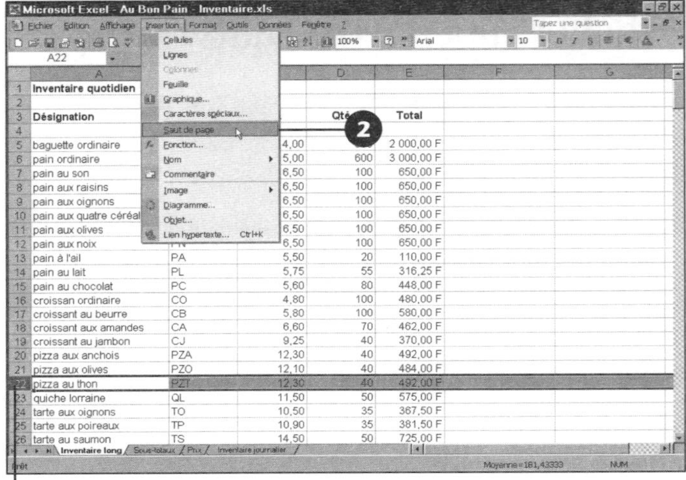

Saut de page inséré ici

Afficher l'aperçu d'un saut de page et le déplacer

1. Dans le menu Affichage, cliquez sur Aperçu des sauts de page.

2. Pour déplacer un saut de page, placez votre pointeur sur le saut de page bleu et faites-le glisser dans une nouvelle position.

3. Lorsque vous avez terminé, dans le menu Affichage, cliquez sur Normal.

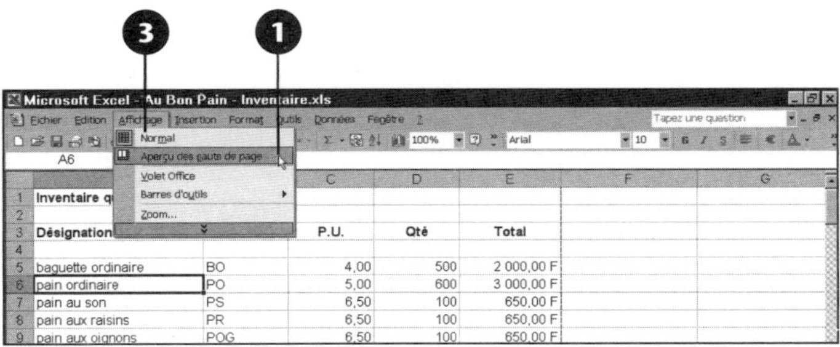

Mettre la page en forme

Vous pouvez paramétrer la page d'une feuille de calcul pour l'imprimer selon vos besoins.

ASTUCE

Les modifications entrées dans la boîte de dialogue Mise en page ne se reflètent pas dans la fenêtre de feuille de calcul. *Vous ne les voyez qu'en affichant l'aperçu avant impression ou en imprimant la feuille.*

Changer l'orientation de la page

1. Dans le menu Fichier, cliquez sur Mise en page.
2. Cliquez sur l'onglet Page.
3. Activez l'option Portrait (210 x 297 mm, par défaut) ou Paysage (297 x 210 mm, par défaut) pour définir l'orientation.
4. Cliquez sur OK.

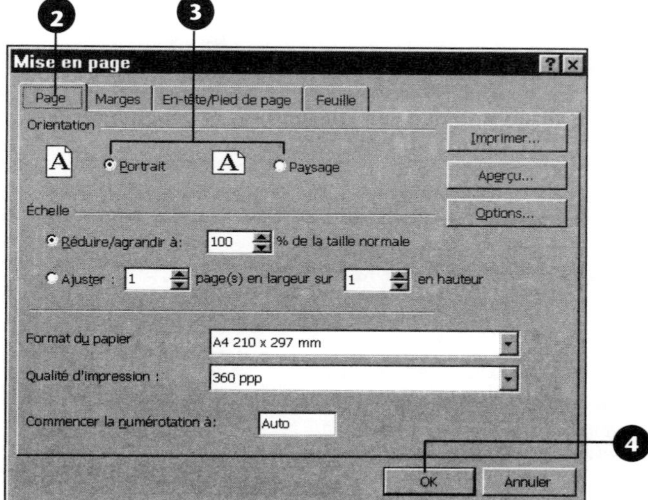

Changer les marges

1. Dans le menu Fichier, cliquez sur Mise en page.
2. Cliquez sur l'onglet Marges.
   - ◆ Cliquez sur les flèches Haut, Bas, Gauche, Droite, pour ajuster la taille des marges.
   - ◆ Cochez une des cases Centrer sur la page, pour centrer automatiquement les données par rapport aux marges gauche et droite (Horizontalement) ou supérieure et inférieure (Verticalement).
3. Cliquez sur OK.

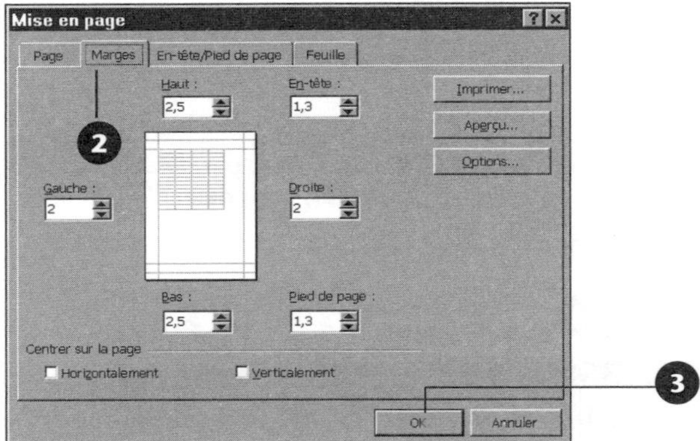

Ajouter un en-tête ou un pied de page

L'en-tête et le pied de page facilitent la lecture des documents imprimés.

ASTUCE

Afficher l'aperçu de l'en-tête et du pied de page. *Cliquez sur le bouton Aperçu pour vous assurer que l'en-tête et le pied de page sont bien adaptés à votre document.*

Modifier un en-tête ou un pied de page

1. Dans le menu Fichier, cliquez sur Mise en page.
2. Cliquez sur l'onglet En-tête/Pied de page.
3. Si la zone En-tête ne contient pas les informations voulues, cliquez sur En-tête personnalisé.
4. Saisissez vos informations dans les sections de gauche, centrale ou de droite, ou cliquez sur l'un des boutons pour insérer des informations prédéfinies.
   Si aucune information ne doit figurer dans l'en-tête, effacez le texte et les codes présents dans les zones de texte.
5. Sélectionnez le texte à mettre en forme puis cliquez sur Police.
6. Cliquez sur OK.
7. Si la zone Pied de page ne contient pas les informations voulues, cliquez sur Pied de page personnalisé.
8. Répétez les opérations de l'étape 4.
9. Cliquez sur OK.
10. Cliquez sur OK.

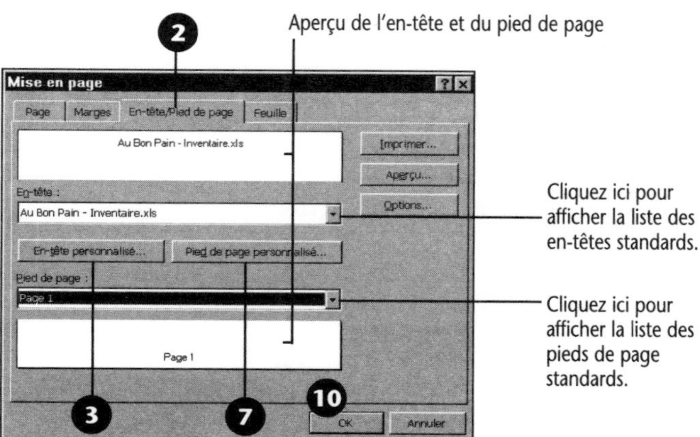

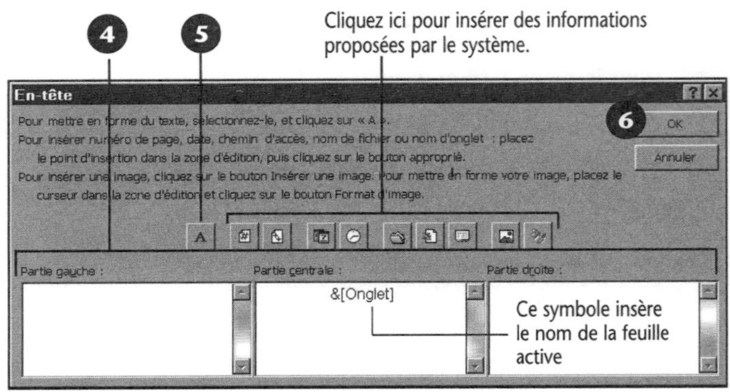
4
5
Cliquez ici pour insérer des informations proposées par le système.
En-tête
Pour mettre en forme du texte, sélectionnez-le, et cliquez sur « A ».
Pour insérer numéro de page, date, chemin d'accès, nom de fichier ou nom d'onglet : placez le point d'insertion dans la zone d'édition, puis cliquez sur le bouton approprié.
Pour insérer une image, cliquez sur le bouton Insérer une image. Pour mettre en forme votre image, placez le curseur dans la zone d'édition et cliquez sur le bouton Format d'image.
6
OK
Annuler
Partie gauche :
Partie centrale :
Partie droite :
&[Onglet]
Ce symbole insère le nom de la feuille active

Personnaliser l'impression d'une feuille de calcul

Vous pouvez imprimer tout ou partie d'une feuille de calcul, et contrôler la présentation de nombreux éléments.

ASTUCE

Si la zone d'impression est déjà définie, inutile de la sélectionner. *Si vous avez déjà défini une zone d'impression, elle s'affiche dans Zone d'impression de l'onglet Feuille de la boîte de dialogue Mise en page.*

Imprimer une partie de la feuille de calcul

1. Dans le menu Fichier, cliquez sur Mise en page.
2. Cliquez sur l'onglet Feuille.
3. Cliquez dans Zone d'impression, puis saisissez la plage à imprimer. Ou bien, cliquez sur le bouton Masquer la boîte de dialogue, sélectionnez les cellules à imprimer puis cliquez sur Restaurer la boîte de dialogue.
4. Cliquez sur OK.

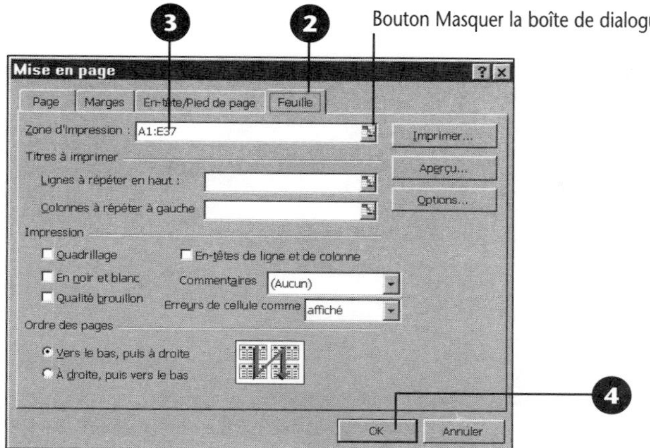

Imprimer sur chaque page les titres de lignes et de colonnes

1. Dans le menu Fichier, cliquez sur Mise en page.
2. Cliquez sur l'onglet Feuille.
3. Entrez le numéro de ligne ou la lettre de la colonne contenant les titres. Ou bien, cliquez sur le bouton Masquer la boîte de dialogue approprié, sélectionnez la ligne ou la colonne puis cliquez sur Restaurer la boîte de dialogue.
4. Cliquez sur OK.

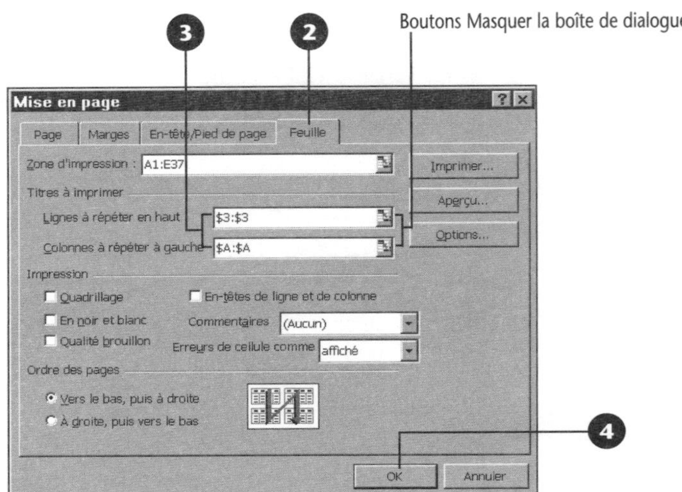

ASTUCE

Lors de la sélection de la zone d'impression, n'incluez pas les lignes et colonnes que vous voulez imprimer sur chaque page. *Cette information s'imprimerait alors deux fois sur la première page. Employez plutôt l'option Titres à imprimer.*

Imprimer le quadrillage, les lettres de colonnes et les numéros de lignes

1. Dans le menu Fichier, cliquez sur Mise en page.
2. Cliquez sur l'onglet Feuille.
3. Cochez la case Quadrillage.
4. Cochez la case En-têtes de ligne et de colonne.
5. Cliquez sur OK.

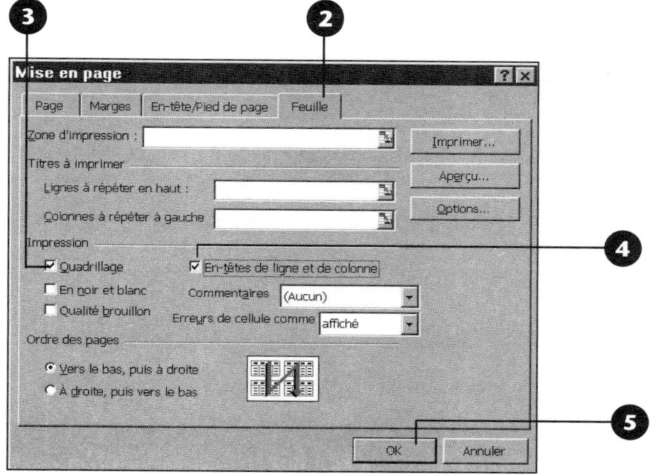

Imprimer votre feuille de calcul sur un nombre spécifié de pages

1. Dans le menu Fichier, cliquez sur Mise en page.
2. Cliquez sur l'onglet Page.
3. Sélectionnez une option d'échelle.
   - Activez Réduire/agrandir à pour fixer le pourcentage d'ajustement de la taille de la feuille.
   - Activez Ajuster pour que la feuille de calcul s'imprime sur un nombre spécifié de pages.
4. Cliquez sur OK.

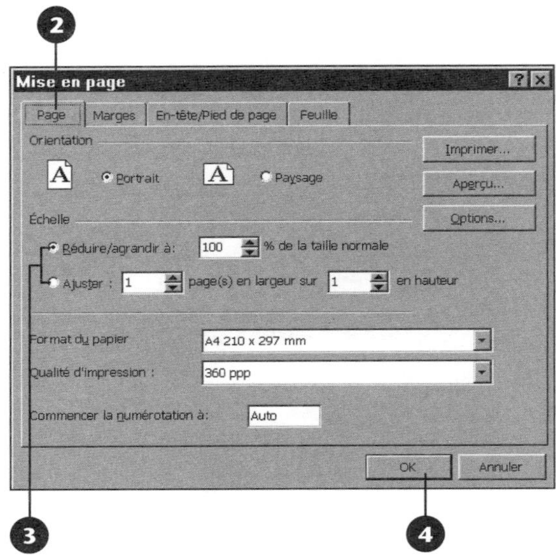

ASTUCE

Réduire ou augmenter la taille des caractères à imprimer. *Cliquez sur une des flèches Réduire/agrandir à pour définir le pourcentage de la taille des caractères à imprimer. Cliquez sur une des flèches Ajuster … pages pour spécifier le nombre de pages sur lesquelles vous voulez imprimer votre feuille de calcul ; la taille des caractères imprimés s'ajustera automatiquement.*

Définir une zone d'impression

La zone d'impression est la section de la feuille de calcul qui s'imprime lorsque vous lancez l'impression.

ASTUCE

Éviter de répéter les lignes et les colonnes. *En imprimant une feuille de calcul sur plusieurs pages, veillez à assigner à la zone d'impression des titres spécifiques d'impression pour éviter que des lignes ou des colonnes ne se répètent sur une même page.*

Définir la zone d'impression

1. Sélectionnez la plage de cellules à imprimer.
2. Cliquez sur le menu Fichier.
3. Pointez sur Zone d'impression, puis cliquez sur Définir.

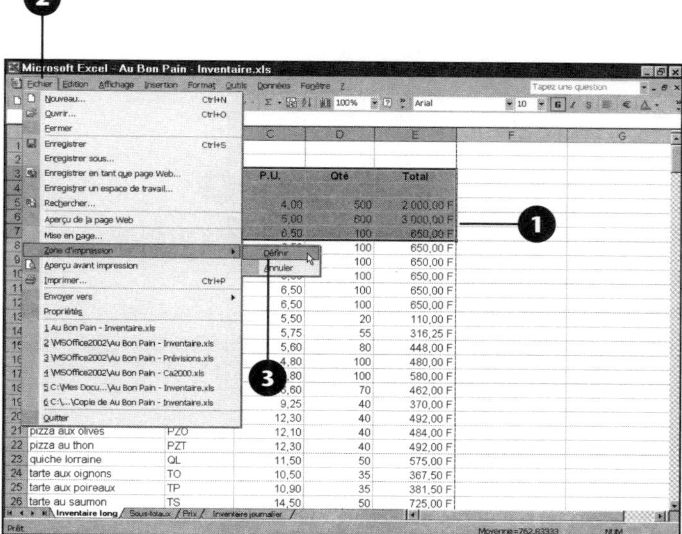

Annuler la définition de zone d'impression

1 Cliquez sur le menu Fichier.

2 Pointez sur Zone d'impression, puis cliquez sur Annuler.

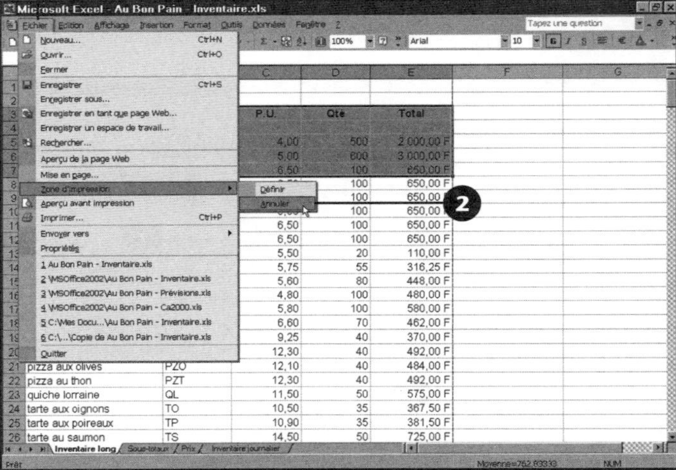

Mettre en forme les feuilles de calcul

5

Microsoft Excel 2002 vous propose plusieurs outils pour améliorer la présentation des feuilles de calcul et les rendre plus professionnelles. Si l'aspect d'une feuille n'a aucune influence sur les résultats, il contribue au confort de lecture : pour que vos lecteurs lisent et interprètent sans problèmes les informations recueillies, prenez le temps de mettre en forme vos feuilles de calcul.

Mettre une feuille en forme

La mise en forme d'une feuille de calcul porte sur la présentation du contenu de ses cellules et de sa grille. Pour faire ressortir les informations importantes, modifiez l'aspect des chiffres et du texte en leur ajoutant un signe monétaire, une virgule décimale... ou en leur appliquant des attributs tels que gras ou italique. Changez de police et de taille de police, ajustez l'alignement des données dans les cellules, ajoutez des couleurs, des motifs, des bordures ou des images. Pour ce faire, utilisez les formats automatiques et les styles, vous irez plus vite et améliorerez la cohérence de vos feuilles de calcul. Vous pouvez même opter pour une autre langue de communication.

Mettre en forme du texte et des nombres

Modifier l'aspect des données des cellules d'une feuille de travail ne modifie pas naturellement leur valeur.

Modifier l'apparence d'un texte

1. Sélectionnez la cellule ou la plage avec le texte à mettre en forme.
2. Cliquez si nécessaire sur la flèche Autres boutons pour afficher les boutons de mise en forme.
3. Cliquez sur le bouton concerné pour appliquer l'attribut correspondant au texte sélectionné. Vous pouvez lui appliquer plusieurs attributs tant qu'il demeure sélectionné.

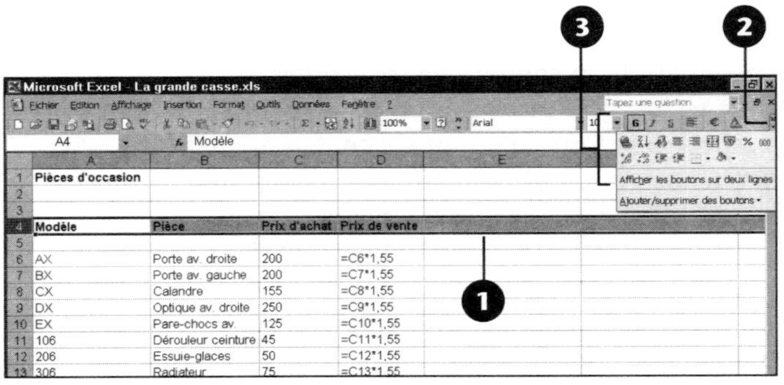

ASTUCE

Supprimer rapidement un format numérique ou un attribut de police. *Les boutons de la barre d'outils Mise en forme permettent de basculer : cliquez dessus pour les activer ou les désactiver. Pour supprimer rapidement un format numérique ou un attribut de police, sélectionnez la cellule, la plage ou le texte concernés et cliquez sur le bouton approprié.*

BOUTONS DE LA BARRE D'OUTILS MISE EN FORME		
Bouton	**Nom**	**Exemple**
G	Gras	**Excel**
I	Italique	*Excel*
S	Souligné	Excel
	Monétaire	1 234,10 F
%	Style de pourcentage	54,32 %
,	Style de la virgule	5 432,10
+,0 ,00	Ajouter une décimale	5 432,10 devient 5 432,100
,00 +,0	Réduire les décimales	5 432,10 devient 5 432,1
€	Euro	

ASTUCE

Ouvrir rapidement la boîte de dialogue Format de cellule. *Cliquez avec le bouton droit sur une cellule ou une plage sélectionnée puis sur Format de cellule dans le menu contextuel.*

Changer rapidement la présentation d'un nombre

1. Sélectionnez la cellule ou la plage contenant le nombre dont vous souhaitez changer le format.
2. Si nécessaire, cliquez sur la flèche de liste déroulante Autres boutons pour afficher les boutons de mise en forme numérique.
3. Cliquez sur un bouton de mise en forme pour appliquer l'attribut numérique voulu à la plage sélectionnée.

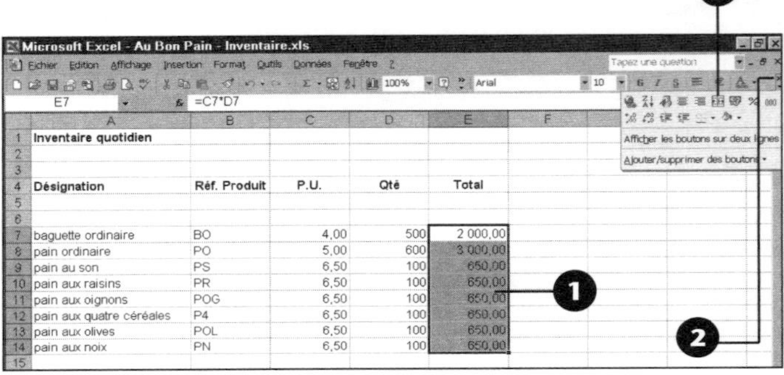

ASTUCE

Attribuer à des nombres un format monétaire étranger. *Dans la boîte de dialogue Format de cellule, cliquez sur l'onglet Nombre, puis sur Monétaire dans la liste Catégorie.Cliquez sur la flèche de liste déroulante Symbole puis sélectionnez un symbole monétaire. Excel supporte le symbole de l'euro.*

Attribuer un format numérique à l'aide de la boîte de dialogue Format de cellule

1. Sélectionnez la cellule ou la plage contenant le nombre dont vous souhaitez changer le format.
2. Dans le menu Format, cliquez sur Cellule.
3. Cliquez sur l'onglet Nombre.
4. Sélectionnez une catégorie.
5. Sélectionnez les options à appliquer.
6. Appréciez le résultat dans la zone Aperçu.
7. Cliquez sur OK.

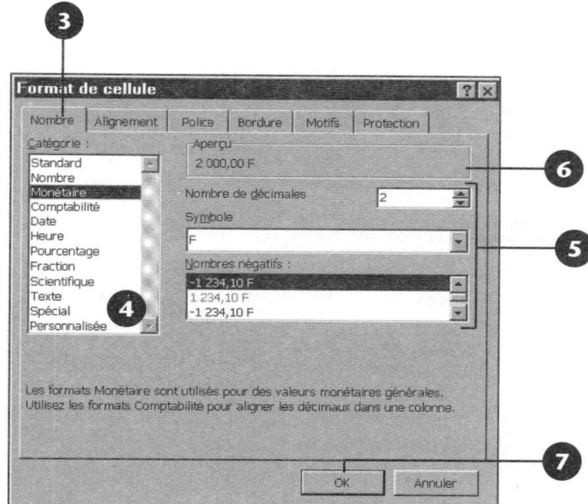

Définir une mise en forme conditionnelle

La mise en forme conditionnelle détermine le format d'une cellule en fonction de son contenu.

Créer une mise en forme conditionnelle

1. Sélectionnez une cellule ou une plage à laquelle assigner une mise en forme conditionnelle.
2. Dans le menu Format, cliquez sur Mise en forme conditionnelle.
3. Sélectionnez l'opérateur et les valeurs voulues pour la condition 1.
4. Cliquez sur le bouton Format, sélectionnez les attributs à appliquer, puis cliquez sur OK.

5 Cliquez sur Ajouter pour inclure d'autres conditions, puis répétez les étapes 3 et 4.

6 Cliquez sur OK.

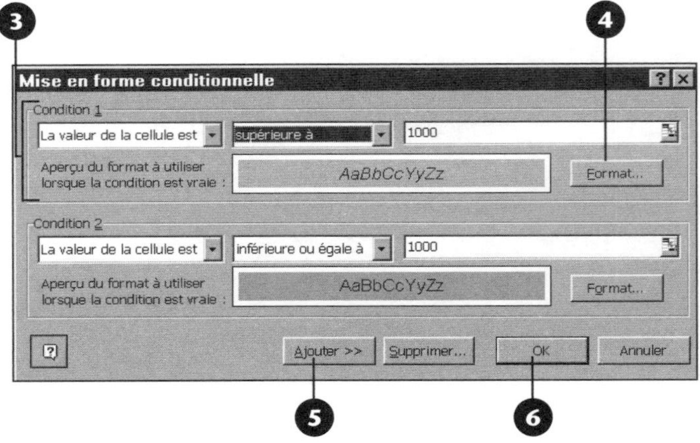

Supprimer une mise en forme conditionnelle

1 Dans le menu Format, cliquez sur Mise en forme conditionnelle.

2 Cliquez sur Supprimer.

3 Cochez les cases des conditions à supprimer.

4 Cliquez sur OK.

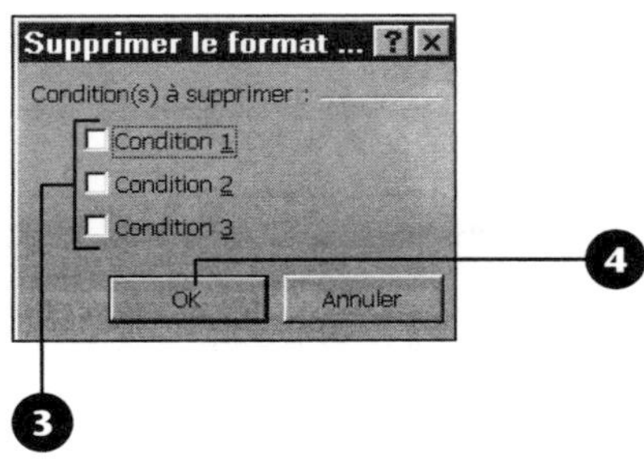

Copier des formats de cellules

Vous souhaitez appliquer le format d'une cellule à d'autres cellules ; recopiez votre mise en forme.

Copier un format de cellule

1. Sélectionnez une cellule ou une plage avec le format à copier.
2. Cliquez sur le bouton Reproduire la mise en forme de la barre d'outils Standard. Si nécessaire, cliquez sur la flèche de liste déroulante Autres boutons pour l'afficher.
3. Faites glisser votre souris pour sélectionner les cellules où le format doit être copié. Lorsque vous relâchez le bouton de la souris, les cellules s'affichent dans leur nouvelle mise en forme.

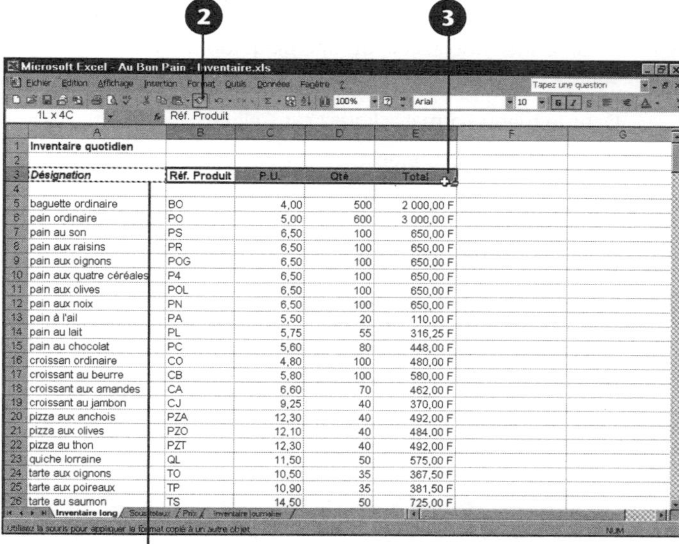

	A	B	C	D	E
1	**Inventaire quotidien**				
2					
3	*Désignation*	**Réf. Produit**	P.U.	Qté	Total
4					
5	baguette ordinaire	BO	4,00	500	2 000,00 F
6	pain ordinaire	PO	5,00	600	3 000,00 F
7	pain au son	PS	6,50	100	650,00 F
8	pain aux raisins	PR	6,50	100	650,00 F
9	pain aux oignons	POG	6,50	100	650,00 F
10	pain aux quatre céréales	P4	6,50	100	650,00 F
11	pain aux olives	POL	6,50	100	650,00 F
12	pain aux noix	PN	6,50	100	650,00 F
13	pain à l'ail	PA	5,50	20	110,00 F
14	pain au lait	PL	5,75	55	316,25 F
15	pain au chocolat	PC	5,60	80	448,00 F
16	croissan ordinaire	CO	4,80	100	480,00 F
17	croissant au beurre	CB	5,80	100	580,00 F
18	croissant aux amandes	CA	6,60	70	462,00 F
19	croissant au jambon	CJ	9,25	40	370,00 F
20	pizza aux anchois	PZA	12,30	40	492,00 F
21	pizza aux olives	PZO	12,10	40	484,00 F
22	pizza au thon	PZT	12,30	40	492,00 F
23	quiche lorraine	QL	11,50	50	575,00 F
24	tarte aux oignons	TO	10,50	35	367,50 F
25	tarte aux poireaux	TP	10,90	35	381,50 F
26	tarte au saumon	TS	14,50	50	725,00 F

1 Un rectangle de sélection apparaît autour de la cellule dont vous copiez le format.

ASTUCE

Annuler la copie de format à l'aide de la touche ÉCHAP. *Si vous changez d'avis alors que vous êtes en train de copier un format dans une cellule, pressez ÉCHAP.*

Changer de police

Vous disposez pour vos feuilles de calcul de toutes les polices installées dans votre système. La police par défaut est Arial 10.

ASTUCE

Chaque ordinateur a des polices différentes. *Si vous partagez des fichiers avec d'autres utilisateurs, sachez qu'ils ne disposent pas toujours des polices utilisées dans vos feuilles de calcul.*

Changer la police et la taille des caractères

1. Sélectionnez une cellule ou une plage dont vous voulez changer les caractères.
2. Dans le menu Format, cliquez sur Cellule.
3. Cliquez sur l'onglet Police.
4. Sélectionnez un nom de police.
5. Sélectionnez un style de police.
6. Sélectionnez une taille de police.
7. Sélectionnez éventuellement d'autres attributs de mise en forme.
8. Observez le résultat dans la zone Aperçu.
9. Cliquez sur OK.

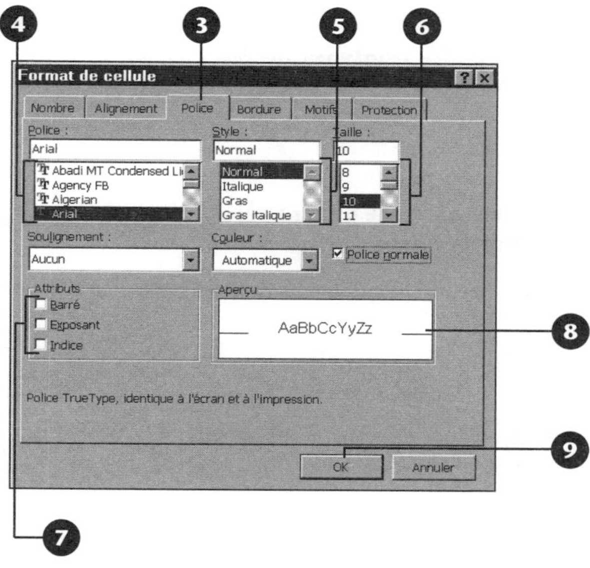
4
3
5
6
Format de cellule
Nombre
Alignement
Police
Bordure
Motifs
Protection
Police :
Arial
Abadi MT Condensed Li
Agency FB
Algerian
Arial
Style :
Normal
Normal
Italique
Gras
Gras italique
Taille :
10
8
9
10
11
Soulignement :
Aucun
Couleur :
Automatique
Police normale
Attributs
Barré
Exposant
Indice
Aperçu
AaBbCcYyZz
8
Police TrueType, identique à l'écran et à l'impression.
9
OK
Annuler
7

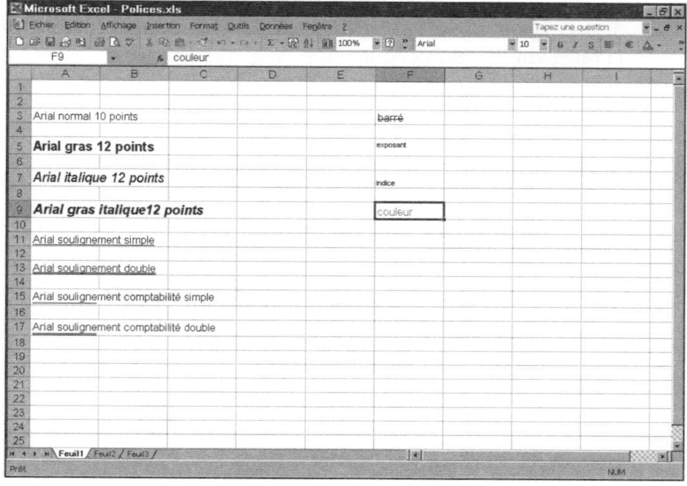
Microsoft Excel - Polices.xls
Fichier Edition Affichage Insertion Format Outils Données Fenêtre ?
Tapez une question
100%
Arial
10
F9
couleur
Arial normal 10 points
barré
Arial gras 12 points
exposant
Arial italique 12 points
indice
Arial gras italique12 points
couleur
Arial soulignement simple
Arial soulignement double
Arial soulignement comptabilité simple
Arial soulignement comptabilité double
Feuil1
Feuil2
Feuil3
Prêt
NUM

ASTUCE

Qu'est-ce qu'une police TrueType ? *Une police qui utilise des capacités logicielles spéciales pour imprimer exactement ce qui apparaît à l'écran.*

Changer de police et de taille de caractères à l'aide de la barre d'outils Mise en forme

1. Sélectionnez une cellule ou une plage dont vous voulez changer la police et la taille.
2. Cliquez sur la flèche de liste déroulante Police dans la barre d'outils Mise en forme.
3. Si nécessaire, utilisez la barre de défilement pour rechercher votre police, puis cliquez dessus.
4. Cliquez sur la flèche de liste déroulante Taille de la police dans la barre d'outils Mise en forme. Éventuellement, cliquez sur la flèche de liste déroulante Autres boutons pour afficher le bouton de taille.
5. Si nécessaire, utilisez la barre de défilement pour rechercher la taille voulue, puis cliquez dessus.

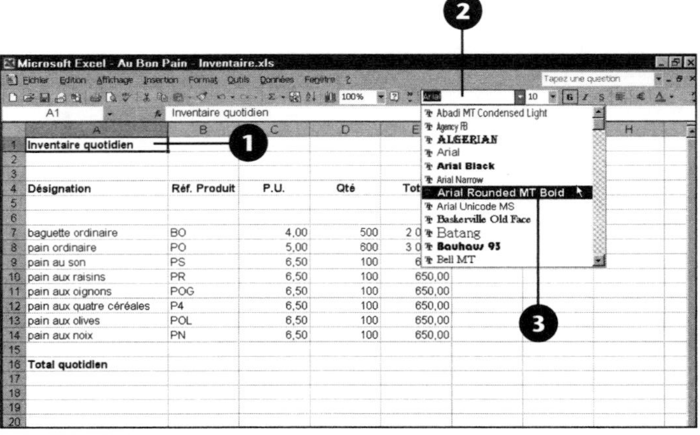

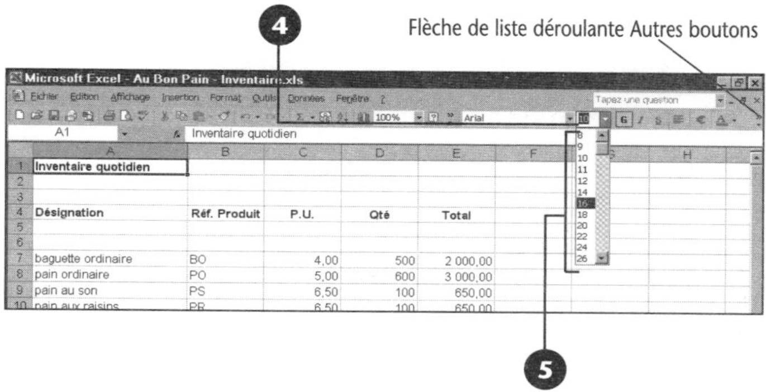

ASTUCE

Qu'est-ce qu'une police d'imprimante ? *Il s'agit d'une police qui n'existe que dans des tailles spécifiées. Si votre feuille de calcul est destinée à être publiée, utilisez des polices d'imprimante.*

ASTUCE

Afficher les noms de police dans leur police. *Dans le menu Outils, cliquez sur Personnaliser, sur l'onglet Options et cochez la case Lister les noms de police dans leur format de police.*

Modifier l'alignement des données

Lorsque vous saisissez des données dans une cellule, Excel aligne les étiquettes sur le bord gauche de la cellule et les valeurs et formules sur le bord droit.

Modifier l'alignement à l'aide de la boîte de dialogue Format de cellule

1. Sélectionnez une cellule ou une plage dont vous souhaitez modifier l'alignement.
2. Dans le menu Format, cliquez sur Cellule.

3 Cliquez sur l'onglet Alignement.

4 Cliquez sur la flèche de liste déroulante Horizontal, puis choisissez un alignement.

5 Cliquez sur la flèche de liste déroulante Vertical, puis choisissez un alignement.

6 Sélectionnez une orientation en cliquant sur un point dans la zone Orientation, ou sur une flèche dans la zone Degrés.

7 Si vous le souhaitez, cochez une ou plusieurs cases de Contrôle du texte.

8 Cliquez sur OK.

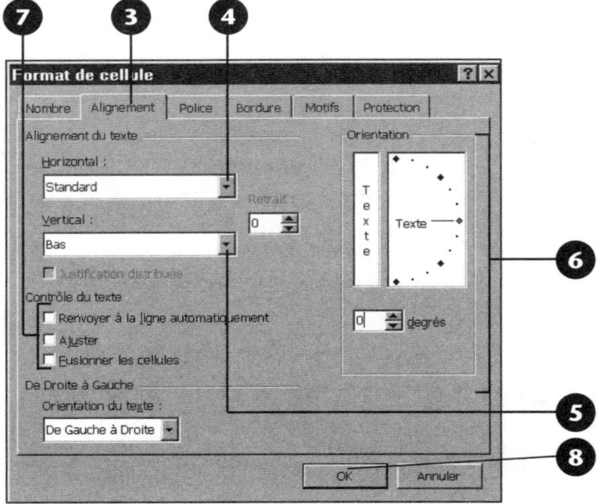

ASTUCE

Autres options d'alignement dans la boîte de dialogue Format de cellule. *Cette boîte de dialogue propose bien d'autres options d'alignement, mais si vous voulez centrer sur plusieurs colonnes ou aligner simplement à droite, à gauche ou au centre, utilisez plutôt les boutons de la barre d'outils Mise en forme.*

Exemples d'alignement des données

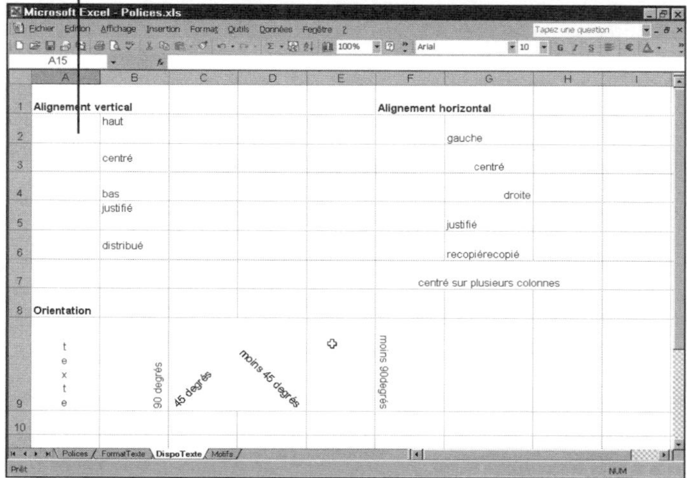

Modifier l'alignement à l'aide de la barre d'outils Mise en forme

1. Sélectionnez une cellule ou une plage contenant des données à réaligner.
2. Cliquez sur un des boutons Aligner à gauche, Aligner à droite, Centrer ou Fusionner et Centrer de la barre d'outils Mise en forme.
   Si nécessaire, cliquez sur la flèche de liste déroulante Autres boutons pour afficher les boutons manquants.

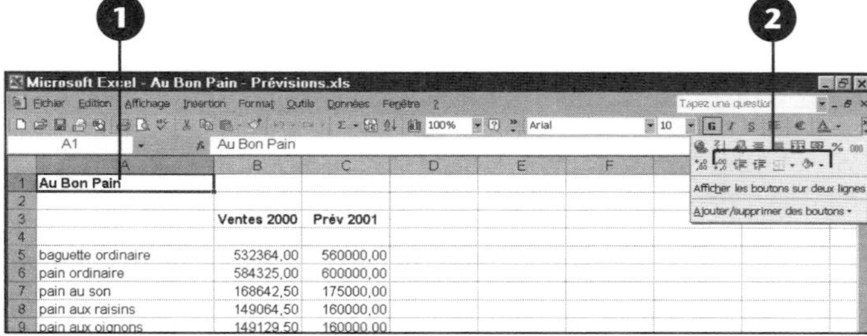

BOUTONS D'ALIGNEMENT DE LA BARRE D'OUTILS MISE EN FORME		
Bouton	**Nom**	**Description**
	Aligner à gauche	Aligne le contenu des cellules sur la bordure gauche de la cellule.
	Centrer	Centre le contenu des cellules.
	Aligner à droite	Aligne le contenu des cellules sur la bordure droite de la cellule.
	Fusionner et centrer	Centre le contenu des cellules sur l'ensemble de la plage sélectionnée.

Contrôler l'enchaînement du texte

Une étiquette peut être plus longue que la cellule qu'elle occupe. Si la cellule voisine est occupée, le texte apparaît tronqué.

Contrôler l'enchaînement du texte dans une cellule

1. Sélectionnez une cellule ou une plage dont vous voulez ajuster le texte.
2. Dans le menu Format, cliquez sur Cellule.
3. Cliquez sur l'onglet Alignement.
4. Cochez une ou plusieurs cases de Contrôle du texte.
   - Renvoyer à la ligne automatiquement répartit le texte sur plusieurs lignes.

- Ajuster réduit la taille des caractères afin d'adapter le texte aux dimensions de la cellule.
- Fusionner les cellules transforme les cellules sélectionnées en cellule unique.

5. Cliquez sur OK.

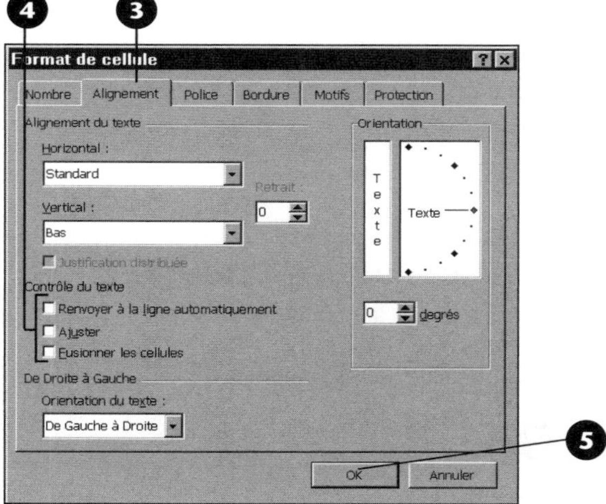

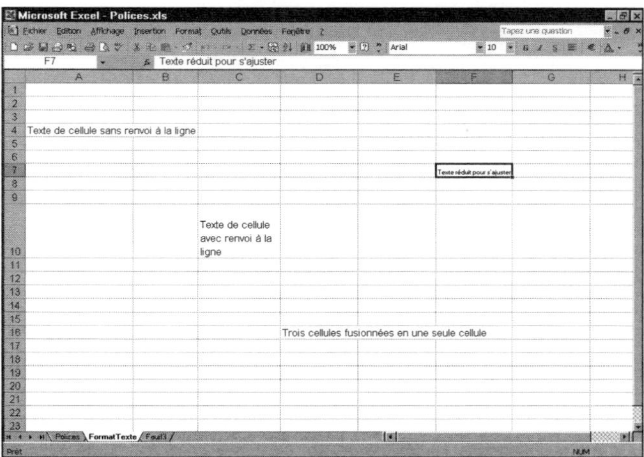

Changer les couleurs

Vous pouvez modifier les couleurs des données de votre feuille de calcul.

Changer la couleur d'un texte à l'aide de la boîte de dialogue Format de cellule

1. Sélectionnez une cellule ou une plage contenant le texte à modifier.
2. Dans le menu Format, cliquez sur Cellule.
3. Cliquez sur l'onglet Police.
4. Choisissez une couleur dans la liste déroulante Couleur.
5. Appréciez le résultat dans la zone Aperçu.
6. Cliquez sur OK.

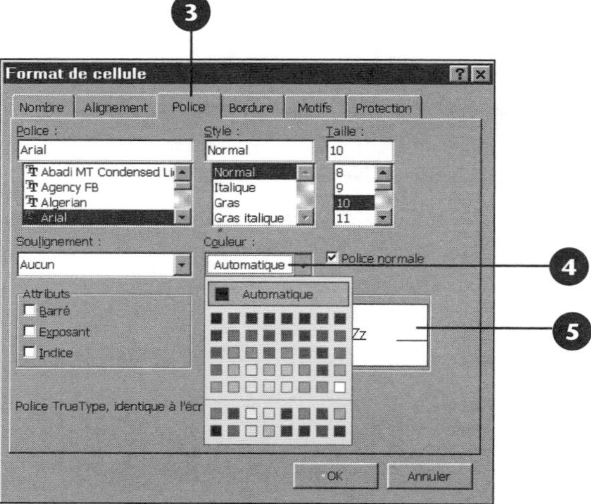

ASTUCE

Le bouton Couleur de caractères de la barre d'outils Mise en forme affiche la dernière couleur utilisée. *Pour appliquer cette couleur à une autre sélection, cliquez simplement sur le bouton et non sur sa flèche.*

Changer la couleur de police à l'aide de la barre d'outils Mise en forme

1. Sélectionnez une cellule ou une plage contenant le texte à modifier.
2. Cliquez sur la flèche de liste déroulante Couleur de caractères. Si nécessaire, cliquez sur la flèche de liste déroulante Autres boutons pour afficher ce bouton.
3. Cliquez sur une couleur.

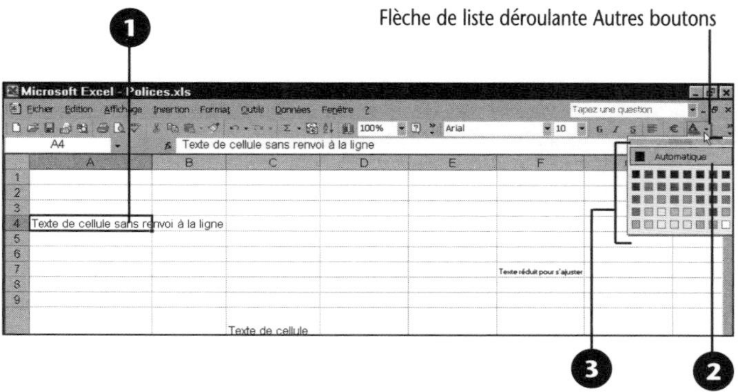

ASTUCE

Utiliser des couleurs pour identifier des types de données. *Les couleurs permettent d'associer événements et types de données. Affichez par exemple les bénéfices d'un département en bleu et ceux d'un autre en vert.*

Ajouter aux cellules des couleurs et des motifs

Ajoutez dans vos cellules une couleur de remplissage ou un motif d'arrière-plan pour les faire ressortir.

Choisir une couleur de remplissage et un motif dans la boîte de dialogue Format de cellule

1. Sélectionnez une cellule ou une plage à remplir avec une couleur ou un motif.
2. Dans le menu Format, cliquez sur Cellule.
3. Cliquez sur l'onglet Motifs.
4. Cliquez sur une couleur.
5. Cliquez sur la flèche de liste déroulante Motif pour afficher les motifs disponibles et choisissez-en un.
6. Observez votre sélection dans l'Aperçu.
7. Cliquez sur OK.

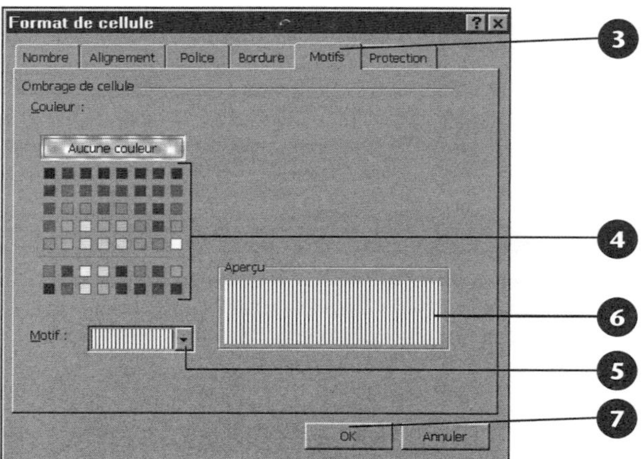

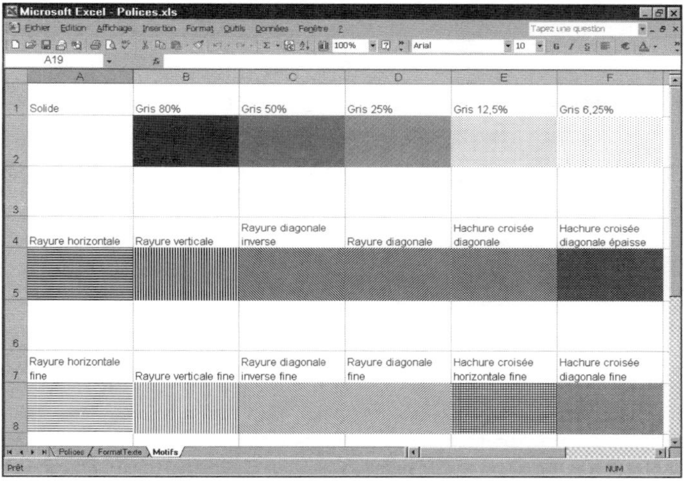

Microsoft Excel - Polices.xls

	A	B	C	D	E	F
1	Solide	Gris 80%	Gris 50%	Gris 25%	Gris 12,5%	Gris 6,25%
2						
3						
4	Rayure horizontale	Rayure verticale	Rayure diagonale inverse	Rayure diagonale	Hachure croisée diagonale	Hachure croisée diagonale épaisse
5						
6						
7	Rayure horizontale fine	Rayure verticale fine	Rayure diagonale inverse fine	Rayure diagonale fine	Hachure croisée horizontale fine	Hachure croisée diagonale fine
8						

Polices / FormatTexte / Motifs

ASTUCE

Copier des mises en forme. *Lorsque vous copiez un format de cellule à l'aide du bouton Reproduire la mise en forme de la barre d'outils Standard, vous recopiez aussi les couleurs de remplissage et les motifs.*

Choisir une couleur de remplissage à l'aide de la barre d'outils Mise en forme

1. Sélectionnez une cellule ou une plage.
2. Cliquez sur la flèche de liste déroulante Couleur de remplissage dans la barre d'outils Mise en forme.
3. Si nécessaire, cliquez sur la flèche de liste déroulante Autres boutons pour afficher ce bouton.
4. Cliquez sur une couleur.

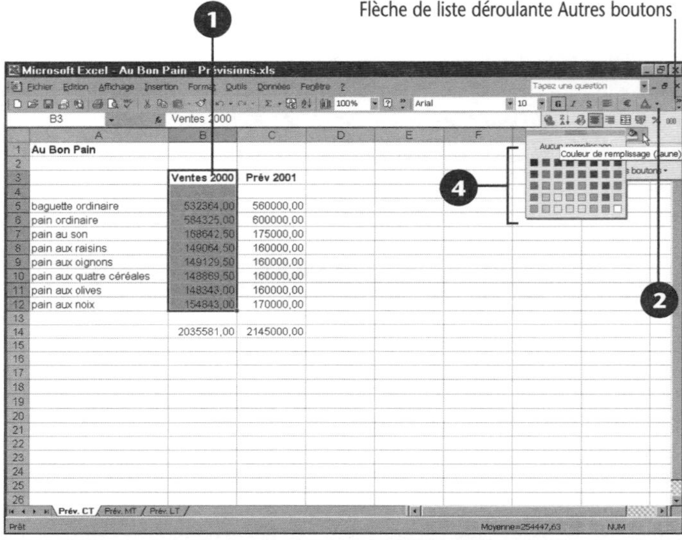

ASTUCE

Gagner du temps grâce au bouton Aperçu de la barre d'outils Standard. *Avant de l'imprimer, affichez l'aperçu de votre feuille de calcul, surtout si vous ne disposez pas d'une imprimante couleurs. Certaines couleurs ou certains motifs peuvent sembler superbes à l'écran, mais nuire à la lecture du texte en noir et blanc.*

Ajouter des bordures aux cellules

Par défaut, Excel n'imprime pas le quadrillage de la feuille de calcul. Pour l'imprimer, cliquez sur Mise en page dans le menu Fichier, puis sur l'onglet Feuille de la boîte de dialogue Mise en page ; cochez alors la case Quadrillage dans la zone Impression et cliquez sur OK.

Il vous appartient d'ajouter les bordures requises dans votre feuille de calcul. Il existe plusieurs méthodes pour cela.

Appliquer une bordure à l'aide de la boîte de dialogue Format de cellule

1. Sélectionnez une cellule ou une plage concernée, ou cliquez sur le bouton Sélectionner tout pour sélectionner la feuille.
2. Dans le menu Format, cliquez sur Cellule.
3. Cliquez sur l'onglet Bordure.
4. Cliquez dans la liste Style pour sélectionner un type de ligne.
5. Cliquez sur la flèche de liste déroulante Couleur et choisissez la couleur de votre bordure.
6. Pour une bordure sur le contour des cellules sélectionnées choisissez l'option Contour, pour un quadrillage à l'intérieur, choisissez Intérieur. Pour effacer une bordure, cliquez sur Aucune.
7. Pour choisir d'autres options, cliquez dans la zone Bordure, là où placer votre bordure ou cliquez sur un des boutons.
8. Cliquez sur OK.

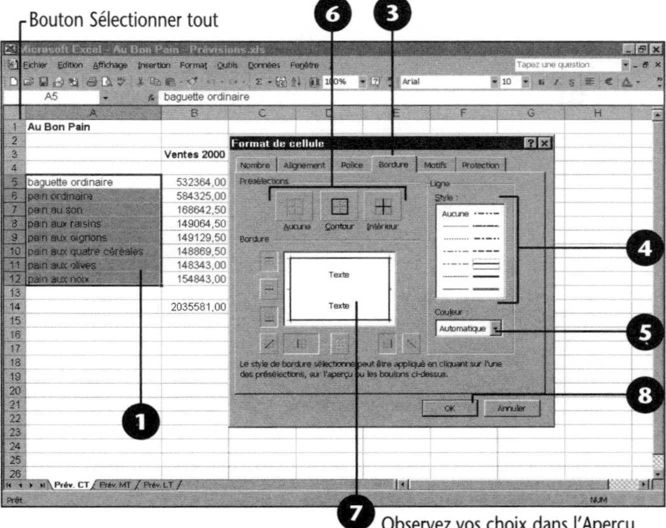

ASTUCE

Mettre en forme une bordure à l'aide de la commande Format de cellule. *Pour appliquer une couleur de bordure autre que le noir (couleur par défaut), sélectionnez la plage concernée. Cliquez dessus avec le bouton droit, puis sur Format de cellule dans le menu contextuel et sur l'onglet Bordure. Sélectionnez dans la palette la couleur souhaitée pour votre bordure, puis cliquez sur Contour et sur OK pour valider.*

Appliquer une bordure à l'aide de la barre d'outils Mise en forme

1. Sélectionnez la cellule ou la plage concernée.
2. Cliquez sur la flèche de liste déroulante Bordures de la barre d'outils Mise en forme ou sur le bouton Bordures pour sélectionner la bordure par défaut. Si nécessaire, cliquez sur la flèche de liste déroulante Autres boutons pour afficher ce bouton.
3. Sélectionnez une bordure dans la palette des bordures disponibles. Votre choix précédent est affiché comme bordure par défaut dans le bouton Bordures de la barre d'outils Mise en forme.

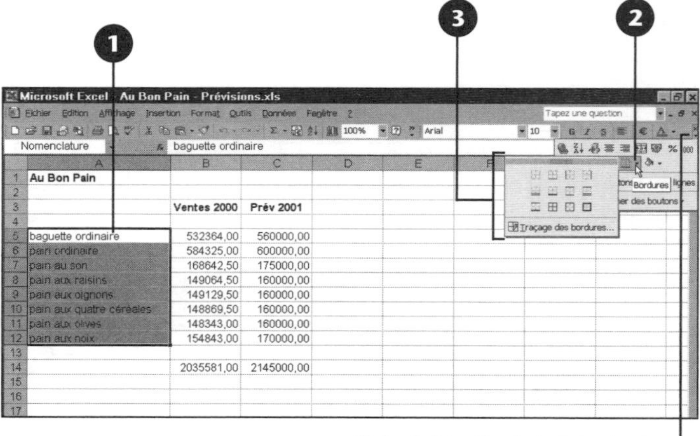

Flèche de liste déroulante Autres boutons

ASTUCE

Tracer rapidement une bordure de cellule. *Cliquez sur la flèche déroulante du bouton Bordure de la barre d'outils Mise en forme. Choisissez l'option Traçage des bordures. Utilisez le crayon fourni pour tracer les bordures souhaitées.*

Mettre les données en forme avec la Mise en forme automatique

Pour accélérer l'opération de mise en forme, Excel propose dix-sept formats automatiques.

Appliquer un format automatique

1. Sélectionnez la cellule ou la plage concernée, ou sautez cette étape si vous voulez laisser Excel « en décider ».
2. Dans le menu Format, cliquez sur Mise en forme automatique.
3. Cliquez dans la liste sur un format automatique. Référez-vous aux exemples pour choisir le type de format.
4. Cliquez sur OK.

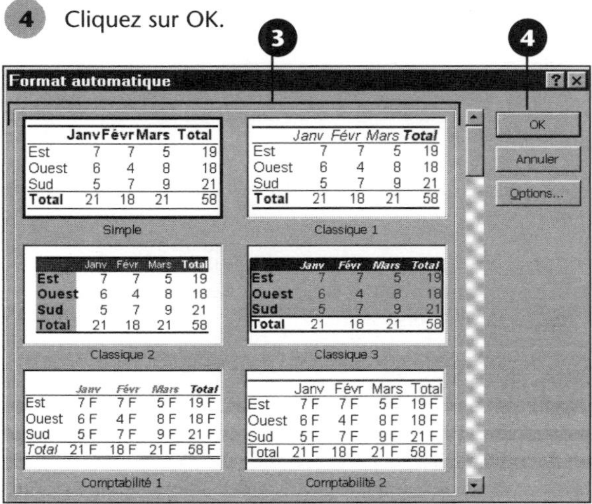

ASTUCE

La Mise en forme automatique efface tout format antérieur. *Lorsque vous appliquez un format automatique, il prend le pas sur toute mise en forme préexistante.*

Modifier un format automatique

Il vous est possible de contrôler chacun des éléments d'un format automatique pour qu'il ne soit pas appliqué à la feuille.

ASTUCE

Laisser Excel choisir la plage à mettre en forme. *Si vous ne sélectionnez pas les cellules concernées par le format automatique, Excel devine lesquelles mettre en forme.*

Modifier un format automatique

1. Sélectionnez une cellule ou une plage dont vous souhaitez modifier le format automatique, ou sautez cette étape pour laisser Excel le faire lui-même.
2. Dans le menu Format, cliquez sur Mise en forme automatique.
3. Cliquez sur le format à modifier.
4. Cliquez sur Options.
   Des options supplémentaires s'affichent au bas de la boîte de dialogue.
5. Cliquez pour sélectionner une ou plusieurs cases à cocher Formats à appliquer et ainsi activer ou désactiver certains éléments de la mise en forme.
6. Cliquez sur OK.

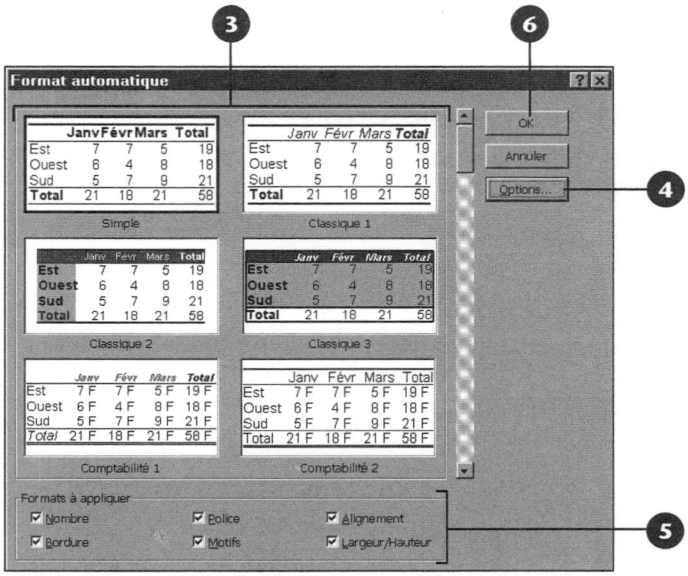

Créer et appliquer un style

Un style est un ensemble de formats définis (police, taille, attributs, format numérique...) que vous enregistrez pour pouvoir ensuite l'appliquer à des cellules.

ASTUCE

Les cases à cocher de la boîte de dialogue Style reflètent vos paramètres. *Elles correspondent aux onglets de la boîte de dialogue Format de cellule. Les modifications apportées dans les onglets s'affichent à droite de la case à cocher.*

Créer un nouveau style

1. Sélectionnez la cellule ou la plage concernée.
2. Dans le menu Format, cliquez sur Style.
3. Entrez un nom pour le nouveau style dans la zone Nom du style, par exemple, Données de ventes.
4. Désactivez les cases à cocher des options à ne pas inclure dans le style.
5. Cliquez sur Modifier pour d'autres changements à ce style.
6. Effectuez vos modifications de format dans tous les onglets de la boîte de dialogue Format de cellule.
7. Cliquez sur OK.
8. Cliquez sur OK.

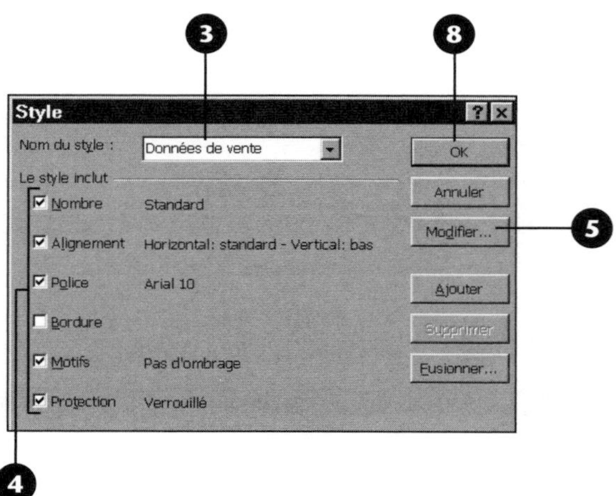

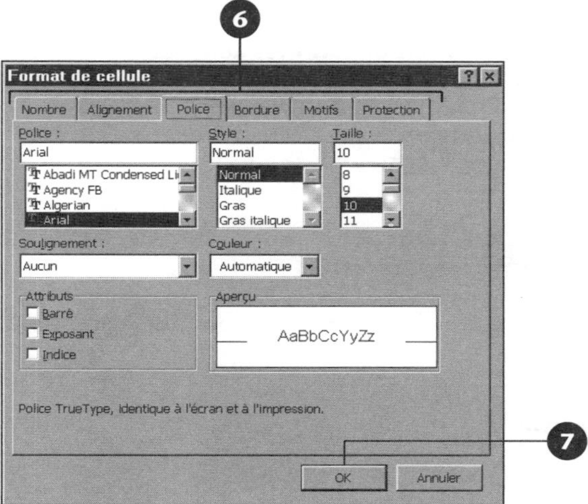

Appliquer un style

1. Sélectionnez la cellule ou la plage concernée.
2. Dans le menu Format, cliquez sur Style.
3. Cliquez sur la flèche de liste déroulante Nom du style et sélectionnez le style voulu.
4. Cliquez sur OK.

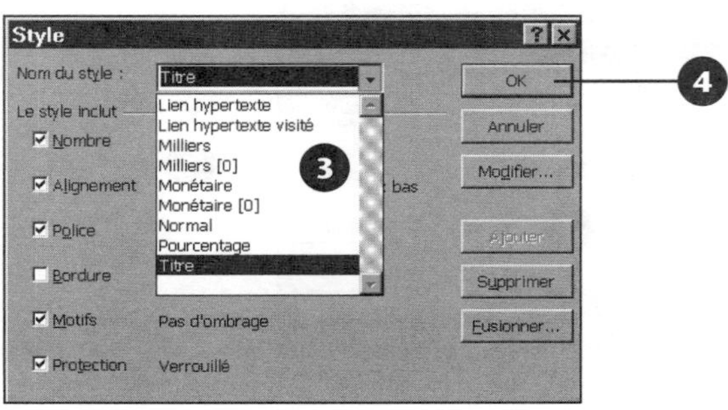

ASTUCE

Appliquer des styles avant de saisir les données. *Si vous avez l'intention de saisir des informations répétitives, comme une liste de prix dans une ligne ou une colonne, il est plus simple d'appliquer le style voulu avant de saisir les données : entrez vos chiffres, Excel les met en forme dès que vous pressez* ENTRÉE.

Modifier un style

Tout style, fourni par Excel ou créé par vous, est susceptible d'être modifié.

Modifier un style

1. Dans le menu Format, cliquez sur Style.
2. Cliquez sur la flèche de liste déroulante Nom du style.
3. Cliquez sur le style à modifier.
4. Cliquez sur Modifier.
5. Effectuez tous vos changements dans la boîte de dialogue Format de cellule.
6. Cliquez sur OK.
7. Cliquez sur OK.

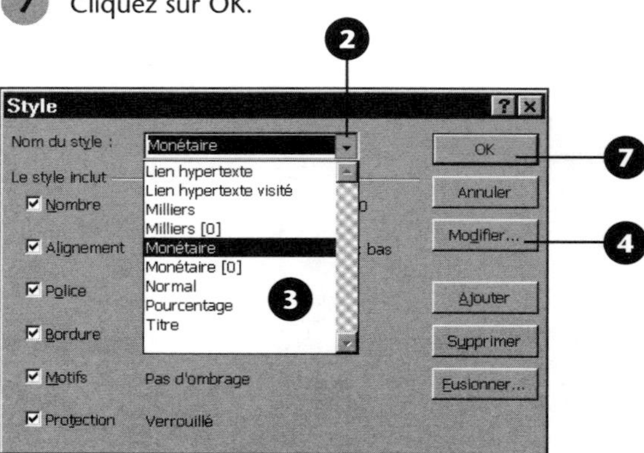

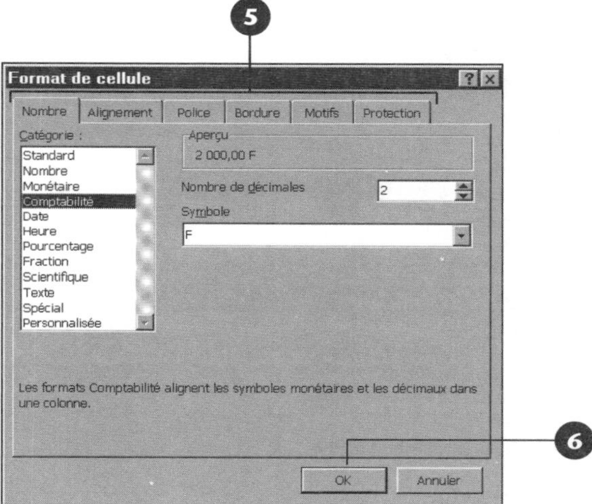

Fusionner des styles

1. Dans le menu Format, cliquez sur Style.
2. Cliquez sur Fusionner.
3. Cliquez sur le classeur contenant les styles à fusionner dans le classeur courant (voir page suivante).
4. Cliquez sur OK.
5. Cliquez sur OK.

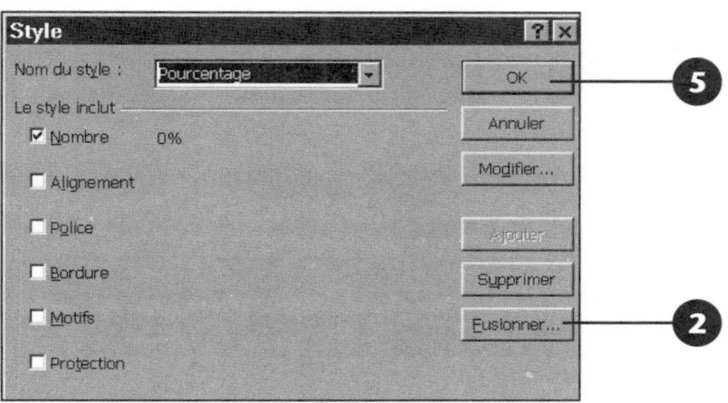

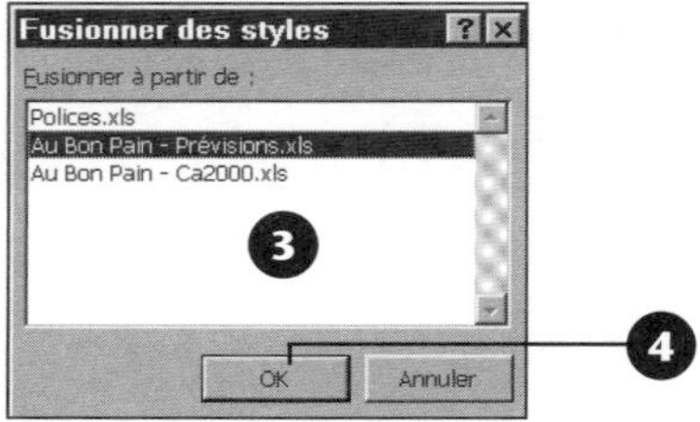

Supprimer un style

1. Dans le menu Format, cliquez sur Style.
2. Cliquez sur la flèche de liste déroulante Nom du style.
3. Cliquez sur le style à supprimer.
4. Cliquez sur Supprimer.
5. Cliquez sur OK.

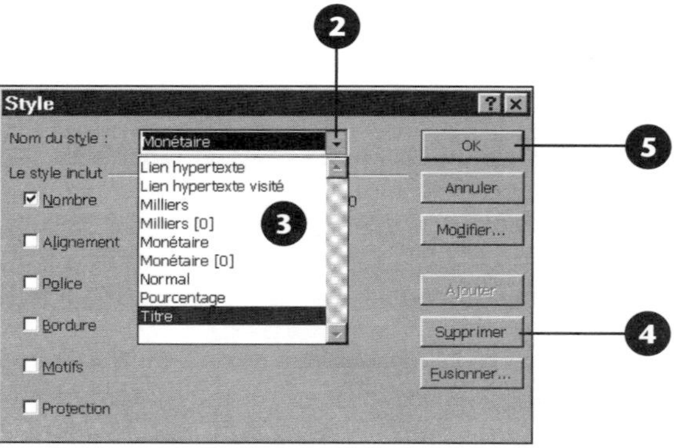

ASTUCE

Créer un nouveau style à partir d'un style existant, à l'aide du bouton Ajouter. *Pour préserver un style d'origine fourni par Excel, modifiez sa mise en forme comme vous l'entendez dans la boîte de dialogue Style mais, ensuite, cliquez sur le bouton Ajouter et renommez le style modifié.*

Changer de langue

Les utilisateurs de Microsoft Office peuvent changer la langue qui s'affiche sur leur écran en modifiant les paramètres de langue par défaut.

Changer de langue

1. Cliquez sur le bouton Démarrer, pointez sur Programmes, puis sur Outils Office, cliquez ensuite sur Paramètres de langue de Microsoft Office.
2. Cochez la case de la langue à installer.
3. Cliquez sur OK.
4. Cliquez sur Oui pour effectuer la modification ou sur Non pour annuler.

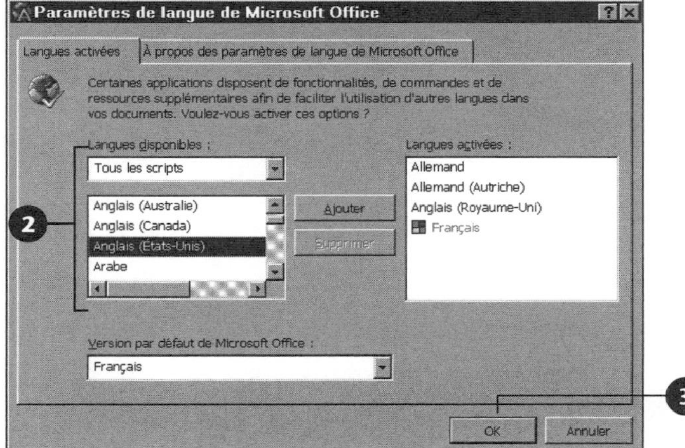

Insérer des images et d'autres objets 6

L'impact visuel d'une feuille de calcul peut être amélioré avec des images en couleurs. Utilisez celles qui sont fournies par Office XP, sinon achetez-les ou créez-les avec un programme graphique. Elles renforcent l'image de marque de votre entreprise, ou illustrent un thème de votre feuille de calcul. Si elles sont pertinentes, elles confèrent à vos documents un aspect professionnel.

Excel vous propose un vaste choix de graphiques : images, textes stylisés ou organigrammes, et donne accès à plusieurs applications Office de création graphique. La Clipart Gallery, ou bibliothèque d'images, contient des éléments graphiques prêts à l'emploi. Par ailleurs, WordArt vous aide à styliser un texte, et l'Organigramme hiérarchique à élaborer des organigrammes. Après insertion, vous modifiez votre graphique pour lui donner l'aspect voulu, le détourer, changer ses couleurs...

Enfin, vous pouvez attacher un commentaire à une cellule, tel un Post-It, en guise de remarque ou de mémo personnel.

Insérer des images

Avec Excel, vous pouvez par exemple insérer le logo de votre entreprise dans votre feuille de calcul.

Insérer un clipart de la bibliothèque d'images

1. Sélectionnez la cellule ou la plage concernée.
2. Dans le menu Insertion, pointez sur Image puis cliquez sur Images Clipart.
3. Dans le volet Office, à la rubrique Eléments à rechercher indiquez dans le champ Rechercher le texte un thème.
4. Cliquez sur Rechercher. Les images disponibles dans la catégorie sélectionnée s'affichent dans la liste.
5. Choisissez une image. Si nécessaire, faites défiler les images proposées.
6. Cliquez à droite de l'image sur la flèche pour faire apparaître le menu des options.
7. Cliquez sur le bouton Insérer. L'image s'insère dans la cellule ou la plage sélectionnée.
8. À l'aide des poignées , vous pouvez déplacer, redimensionner l'image clipart insérée.
8. Cliquez sur le bouton Fermer du volet Office.

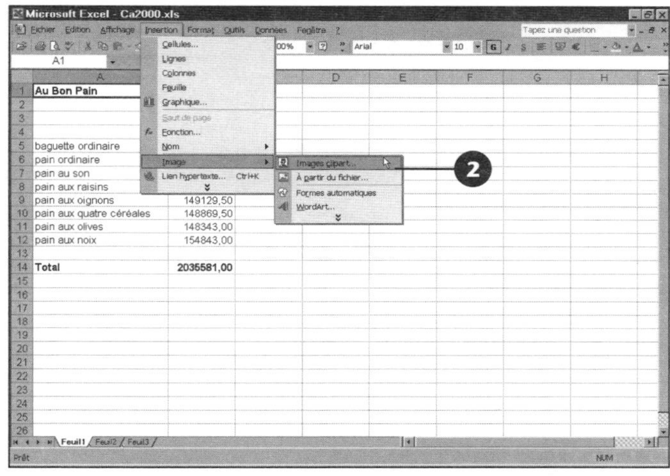
Microsoft Excel - Ca2000.xls
Fichier Edition Affichage Insertion Format Outils Données Fenêtre ?
Tapez une question
A1
Cellules...
Lignes
Colonnes
Feuille
Graphique...
Saut de page
Fonction...
Nom
Image
Lien hypertexte... Ctrl+K
Images clipart...
À partir du fichier...
Formes automatiques
WordArt...
2
Au Bon Pain
baguette ordinaire
pain ordinaire
pain au son
pain aux raisins
pain aux oignons 149129,50
pain aux quatre céréales 148869,50
pain aux olives 148343,00
pain aux noix 154843,00
Total 2035581,00
Feuil1 Feuil2 Feuil3
Prêt
NUM

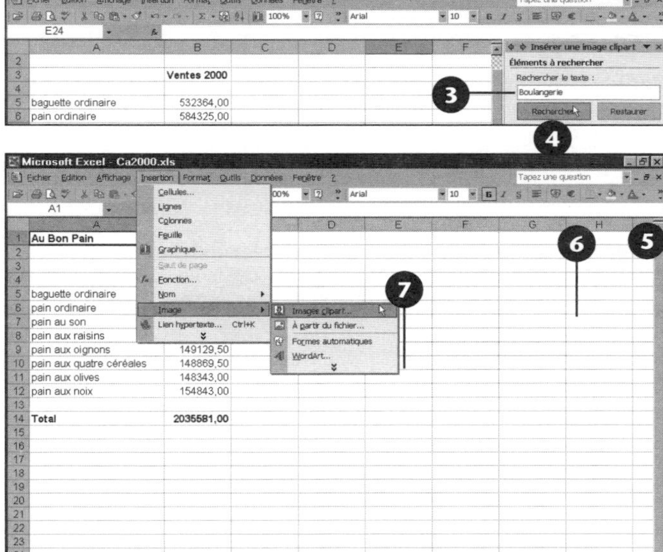
Microsoft Excel - Ca2000.xls
E24
Ventes 2000
baguette ordinaire 532364,00
pain ordinaire 584325,00
Insérer une image clipart
Éléments à rechercher
Rechercher le texte :
Boulangerie
Rechercher
Restaurer
3
4
Microsoft Excel - Ca2000.xls
A1
Cellules...
Lignes
Colonnes
Feuille
Graphique...
Saut de page
Fonction...
Nom
Image
Lien hypertexte... Ctrl+K
Images clipart...
À partir du fichier...
Formes automatiques
WordArt...
7
6
5
Au Bon Pain
baguette ordinaire
pain ordinaire
pain au son
pain aux raisins
pain aux oignons 149129,50
pain aux quatre céréales 148869,50
pain aux olives 148343,00
pain aux noix 154843,00
Total 2035581,00
Feuil1 Feuil2 Feuil3
Prêt
NUM

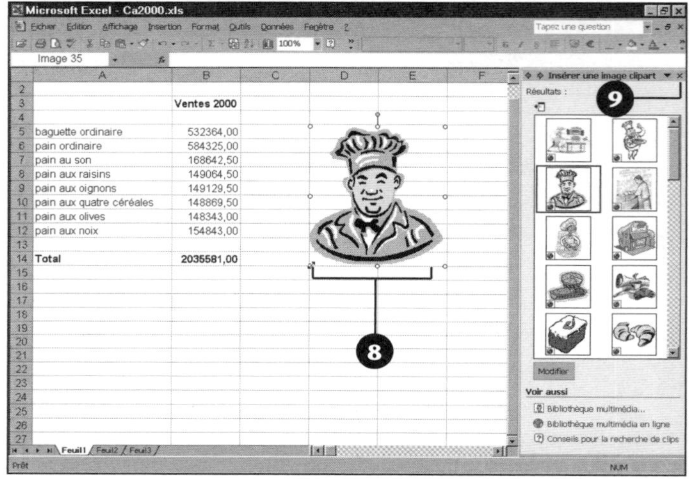

ASTUCE

Redimensionner ou déplacer une image trop encombrante.
Pour redimensionner une image qui masque des données, pointez sur une de ses poignées et faites-la glisser pour réduire ou agrandir l'image. Pour la déplacer, pointez sur une bordure et amenez l'image à un autre emplacement.

Insérer une image provenant d'un fichier existant

1. Sélectionnez la cellule ou la plage concernée.
2. Dans le menu Insertion, pointez sur Image puis cliquez sur À partir du fichier.
3. Cliquez sur la flèche de liste déroulante Regarder dans, sélectionnez l'unité et le dossier où se trouve l'image, puis cliquez sur le fichier de cette image.
4. Éventuellement, cliquez sur la flèche de liste déroulante Affichages et sélectionnez Aperçu pour voir cette image.
5. Cliquez sur Insérer.

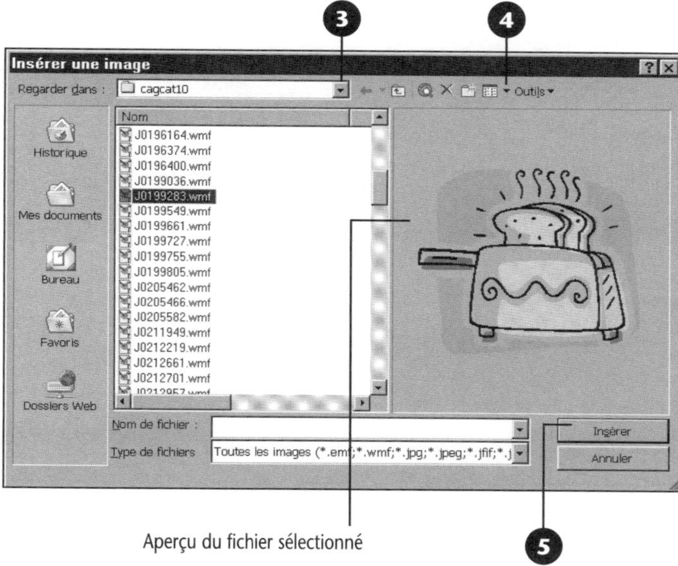

ASTUCE

Afficher la barre d'outils Image. *Lorsque vous sélectionnez une image, la barre d'outils Image s'affiche automatiquement.*

Supprimer une image

1. Cliquez sur l'image pour afficher ses poignées.
   Les petits ronds sur les bords d'un objet sélectionné sont appelés poignées de sélection.
2. Appuyez sur la touche SUPPR.

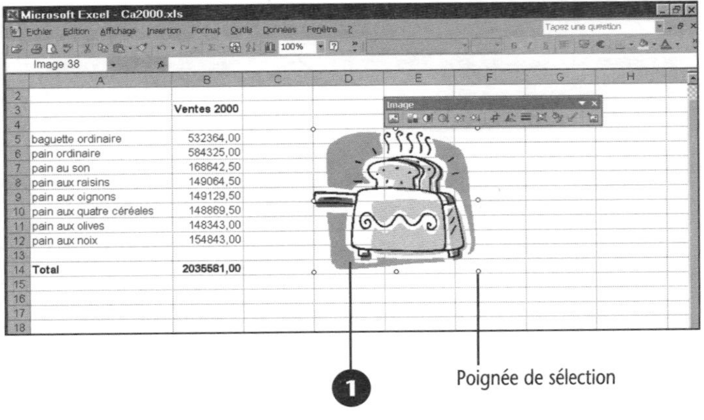

ASTUCE

Ajouter une bordure à une image. *Sélectionnez l'image, cliquez sur le bouton Style de trait de la barre d'outils Image et sur le trait choisi.*

Insérer des clips multimédias

Vous pouvez insérer dans une feuille de calcul des clips de sons ou d'animation accessibles dans la Clip Gallery.

Insérer un son

1. Dans le menu Insertion, pointez sur Image puis cliquez sur Images clipart
2. Dans le volet Office, cliquez sur la flèche de liste déroulante de l'option Plusieurs types de fichiers multimédia.

3. Cochez la catégorie Sons. Cliquez sur Rechercher.

4. Choisissez votre clip, puis cliquez sur le bouton Insérer du menu contextuel (obtenu en cliquant sur la flèche de menu déroulant du clip).

5. Cliquez sur le bouton Fermer de la barre de commande du volet Office.

6. Pour jouer un son, double-cliquez sur l'icône de son.

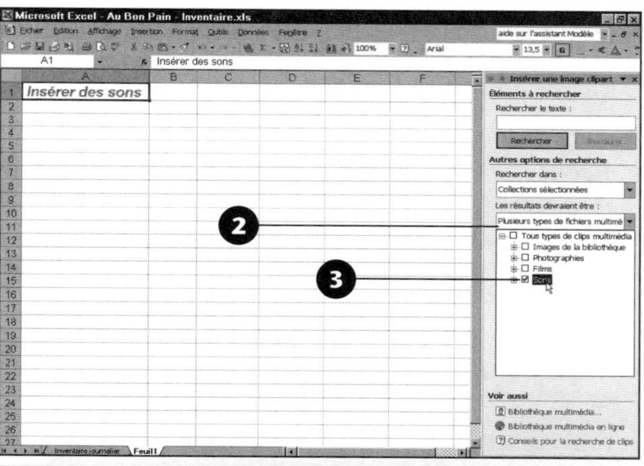

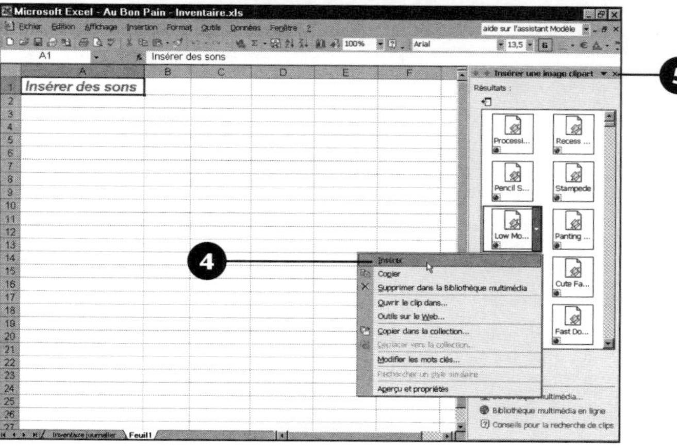

Insérer une image depuis un scanneur ou un appareil photo

1. Installez l'image dans le scanneur ou l'appareil photo.
2. Cliquez sur Insertion, pointez sur Image puis cliquez sur À partir d'un scanneur ou un appareil photo numérique.
3. Cliquez sur la flèche de liste déroulante de Périphérique, et sélectionnez celui à utiliser.
4. Choisissez l'option de résolution :
   - Qualité Web si votre feuille est destinée à être affichée à l'écran.
   - Qualité Impression pour l'imprimer.
5. Cliquez sur la méthode d'insertion :
   - Insérer si vous utilisez un scanneur et souhaitez conserver les paramètres prédéfinis pour numériser votre image.
   - Insertion personnalisée si vous utilisez un scanneur et souhaitez modifier les paramètres de l'image, ou si vous utilisez un appareil photo.

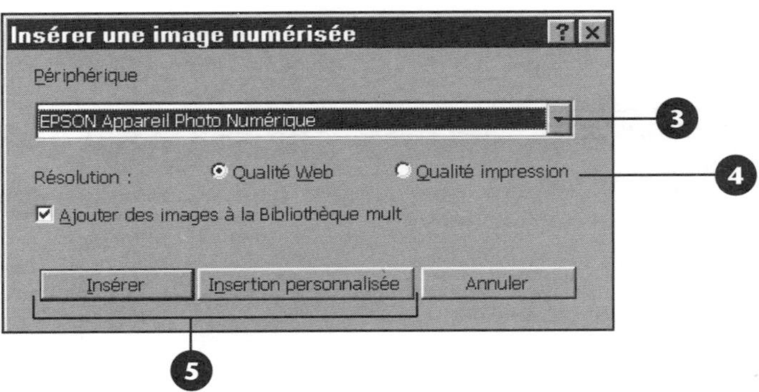

ASTUCE

Accéder à d'autres clips sur le Web. *Dans le volet Office, cliquez sur Bibliothèque multimédia en ligne pour ouvrir votre navigateur Web et vous connecter à un site Web de clips afin d'en télécharger des fichiers.*

Agrémenter un texte avec WordArt

Le logiciel Microsoft WordArt propose un grand choix de styles prédéfinis et d'effets et motifs dynamiques à appliquer à votre texte.

Insérer un WordArt

Créer un objet WordArt

1. Dans le menu Insertion, pointez sur Image et cliquez sur WordArt.
2. Choisissez un effet WordArt.
3. Cliquez sur OK.
4. Entrez le texte dans la boîte de dialogue Modification du texte WordArt.
5. Pour changer de police, cliquez sur la flèche de liste déroulante Police. Pour changer la taille des lettres cliquez sur Taille.
6. Éventuellement, cliquez sur Gras, Italique ou les deux.
7. Cliquez sur OK.
8. Si vous le souhaitez, poursuivez vos modifications à l'aide des boutons de la barre d'outils WordArt.
9. Pour désélectionner l'objet WordArt, cliquez n'importe où dans la feuille de calcul ou appuyez sur ÉCHAP.

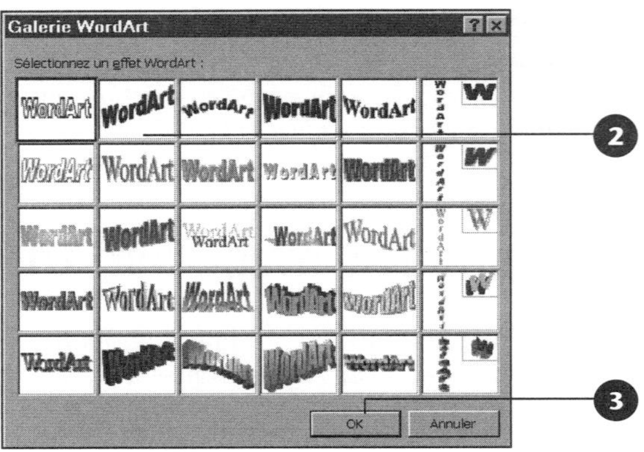
Galerie WordArt
Sélectionnez un effet WordArt :
2
3
OK
Annuler

4
5
6
Modification du texte WordArt
Police :
Taille :
36
G
I
Texte :
La grande casse
7
OK
Annuler

La grande casse
9
WordArt
Modifier le texte...
8

LES BOUTONS DE LA BARRE D'OUTILS WORDART		
Bouton	**Nom**	**Description**
	Insérer un objet WordArt	Crée un nouvel objet WordArt.
Modifier le texte...	Modifier le texte	Modifie le texte de l'objet WordArt.
	Effets prédéfinis	Choisit un nouveau style pour l'objet.
	Format de l'objet WordArt	Change les attributs de l'objet WordArt.
Abc	Forme WordArt	Modifie la forme de l'objet WordArt.
Aa	Même hauteur	Affecte la même hauteur aux majuscules et minuscules.
Ab	Texte vertical	Dispose le texte verticalement.
	Alignement WordArt	Modifie l'alignement de l'objet WordArt.
AV	Espacement	Change l'espacement des caractères.

Modifier un texte WordArt

Outre les mises en formes prédéfinies, vous pouvez créer vos propres effets dans WordArt.

ASTUCE

Fermer WordArt. *Lorsque vous avez terminé, cliquez n'importe où dans la feuille de calcul, ou sur le bouton Fermer, afin de fermer la barre d'outils WordArt.*

Modifier la forme d'un texte WordArt

1. Cliquez dans l'objet WordArt.
2. Cliquez sur le bouton Forme WordArt de la barre d'outils WordArt.
3. Choisissez la forme à appliquer à votre texte.
4. Cliquez sur une zone vierge de la feuille de calcul pour désélectionner l'objet WordArt.

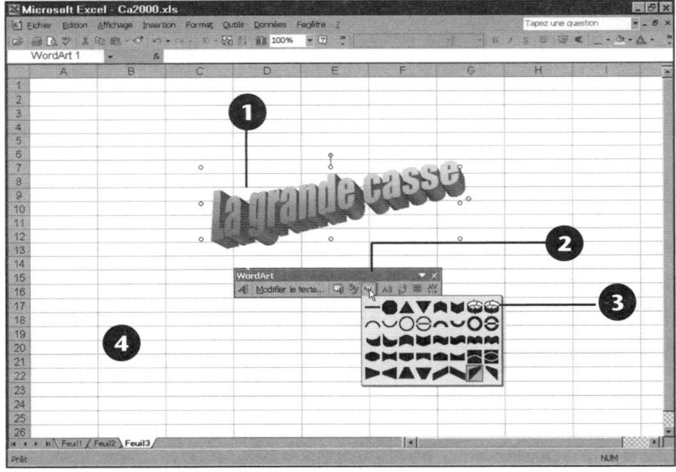

Appliquer une rotation à un texte WordArt

1. Cliquez dans l'objet WordArt.
2. Glissez le pointeur de la souris sur la poignée de Rotation libre de l'objet WordArt. (petit rond de couleur)
3. Bouton gauche de la souris enfoncé, faites tourner cette poignée de rotation afin de faire pivoter l'objet dans la direction voulue.

4. Relâchez le bouton de la souris et glissez le pointeur de la souris hors de la poignée de rotation pour la désactiver.

5. Cliquez sur une zone vierge de la feuille de calcul pour désélectionner l'objet WordArt.

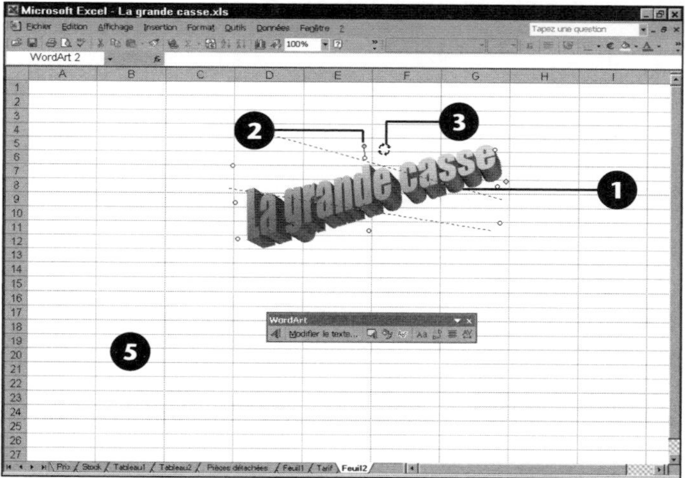

Mettre en couleur un texte WordArt

1. Cliquez dans l'objet WordArt.

2. Cliquez sur le bouton Format de l'objet WordArt dans la barre d'outils WordArt.

3. Cliquez sur l'onglet Couleurs et traits.

4. Cliquez sur la flèche de liste déroulante du remplissage Couleur, et choisissez une couleur ou un effet de remplissage.

5. Cliquez sur OK.

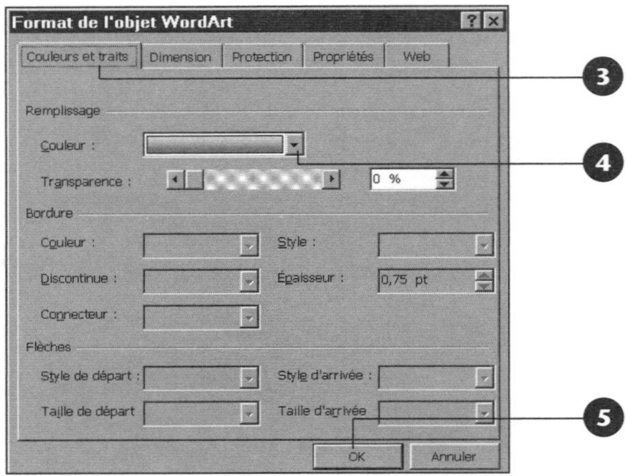

6 Cliquez sur une zone vierge de la feuille de calcul pour désélectionner l'objet WordArt.

Modifier ou mettre en forme un texte WordArt

1 Cliquez dans l'objet WordArt.

2 Cliquez sur le bouton Modifier le texte de la barre d'outils WordArt.

3 Cliquez dans la zone Texte pour placer le point d'insertion, puis modifiez votre texte ou mettez-le en forme.

4 Cliquez sur OK.

de calcul pour

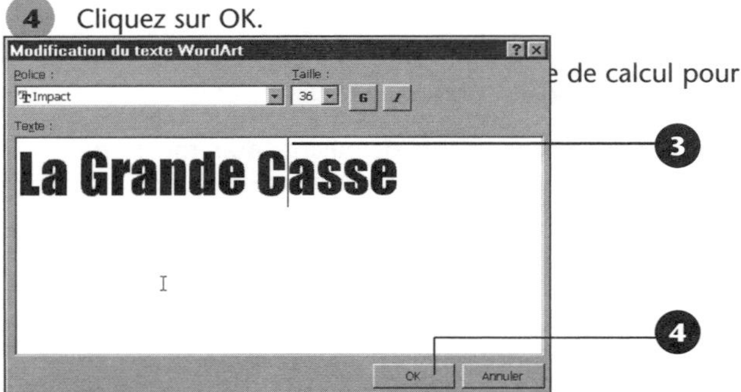

Appliquer des effets de texte WordArt

Des effets de texte appliqués à vos objets WordArt affectent la hauteur des lettres, la justification ou l'espacement.

Définir une hauteur commune pour toutes les lettres

1. Cliquez dans l'objet WordArt.
2. Cliquez sur le bouton Hauteur identique de la barre d'outils WordArt.
3. Cliquez sur une zone vierge de la feuille de calcul pour désélectionner l'objet WordArt.

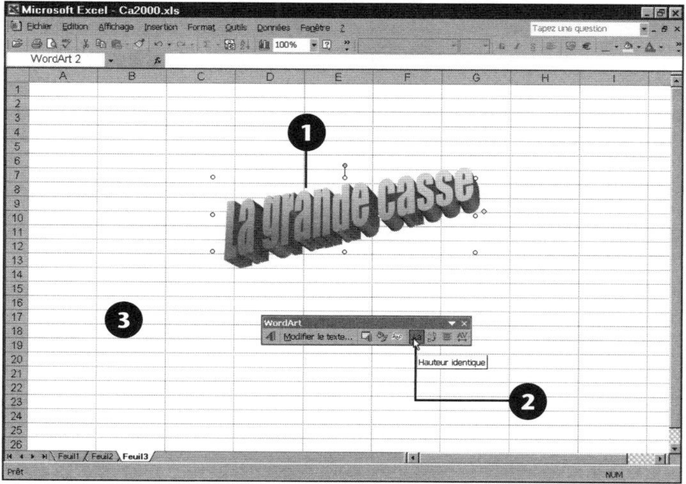

Présenter le texte verticalement

1. Cliquez dans l'objet WordArt.
2. Cliquez sur le bouton Texte vertical de la barre d'outils WordArt (si nécessaire, cliquez de nouveau sur ce bouton pour replacer le texte dans sa position initiale).

3 Cliquez sur une zone vierge de la feuille de calcul pour désélectionner l'objet WordArt.

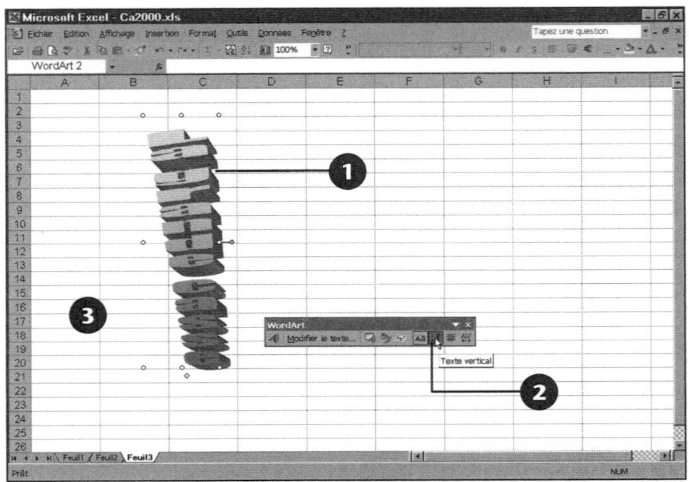

ASTUCE

Imprimer un essai de votre document WordArt. *Un objet WordArt à l'écran peut différer à l'impression, surtout si vous n'avez pas d'imprimante couleur. Essayez de l'imprimer pour vous assurer que le résultat correspond à vos attentes.*

Aligner un objet WordArt

1 Cliquez dans l'objet WordArt.

2 Cliquez sur le bouton Alignement WordArt de la barre d'outils WordArt.

3 Choisissez un alignement.

4 Cliquez sur une zone vierge de la feuille de calcul pour désélectionner l'objet WordArt.

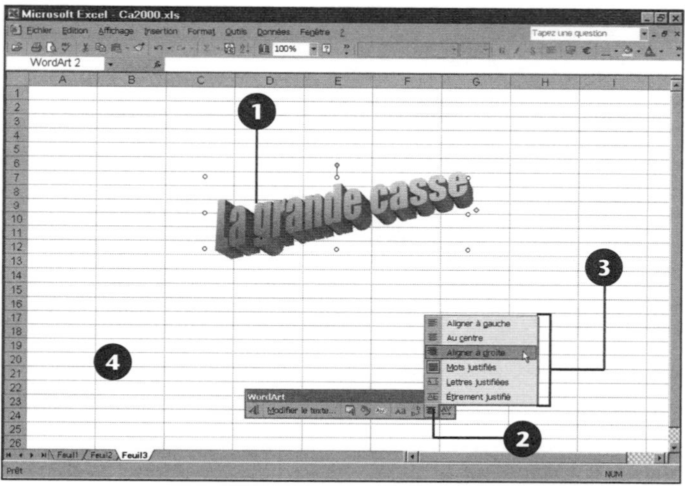

Ajuster l'espacement des caractères

1. Cliquez dans l'objet WordArt.
2. Cliquez sur le bouton Espacement de la barre d'outils WordArt.
3. Cliquez sur un bouton de définition d'espacement ou cliquez sur Personnalisé et tapez un pourcentage.
4. Activez ou désactivez l'option Espacement intelligent pour ajuster l'espace entre les caractères.
5. Cliquez sur une zone vierge de la feuille de calcul pour désélectionner l'objet WordArt.

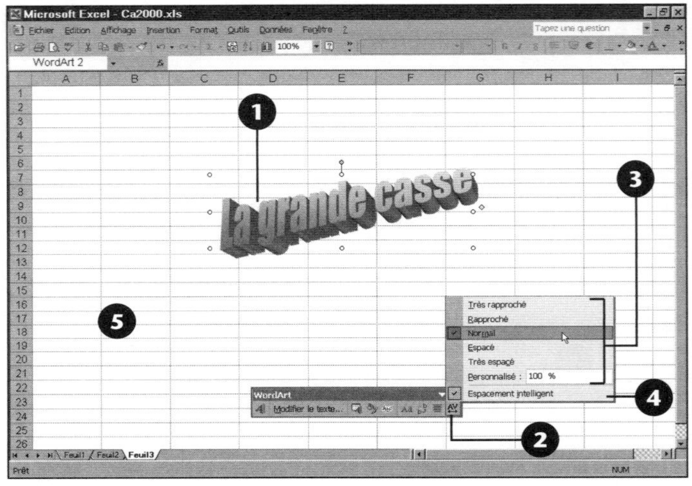

Insérer un organigramme

Insérez-le dans une feuille de calcul à l'aide de l'Organigramme hiérarchique.

Créer un organigramme

1. Dans le menu Insertion, cliquez sur Image, puis sur Organigramme hiérarchique ; la barre d'outils Organigramme hiérarchique apparaît en même temps qu'un modèle d'organigramme type.

2. Cliquez dans une boîte d'organigramme, puis entrez votre texte.

3. Pour ajouter subordonnés ou collègues, utilisez la barre d'outils Organigramme hiérarchique : cliquez sur la flèche de liste déroulante du bouton Insérer une forme, puis sur le type de personne à rattacher.

4 Pour valider votre travail et revenir dans votre feuille de calcul, cliquez à l'écran en dehors du périmètre de l'organigramme.

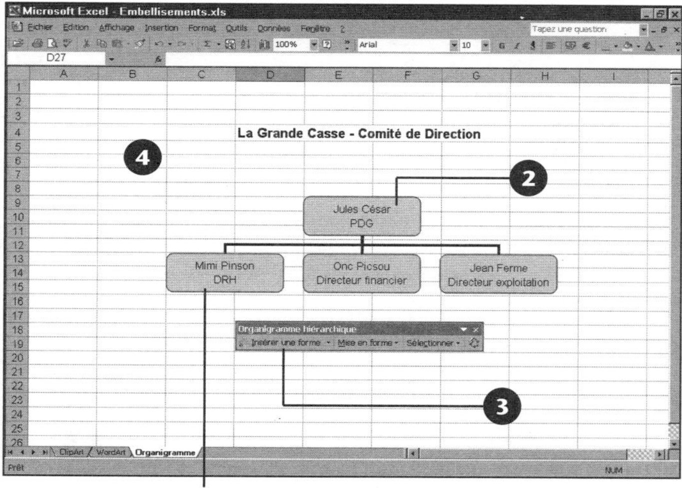

Chaque boîte, où vous pouvez rentrer jusqu'à quatre lignes d'informations, représente une personne ou un groupe dans la structure de votre organisme.

Entrer un texte dans une boîte

1 Cliquez sur la boîte concernée. (Lorsque l'Organigramme hiérarchique s'ouvre, la première boîte est sélectionnée et il vous suffit de saisir votre texte.)

2 Entrez le nom d'une personne et appuyez sur ENTRÉE.

3. Saisissez son titre et appuyez sur ENTRÉE.
4. Entrez une ou deux lignes de commentaires. Si vous n'en voulez pas, ignorez ces zones.
5. Lorsque vous avez terminé, cliquez hors de la boîte.

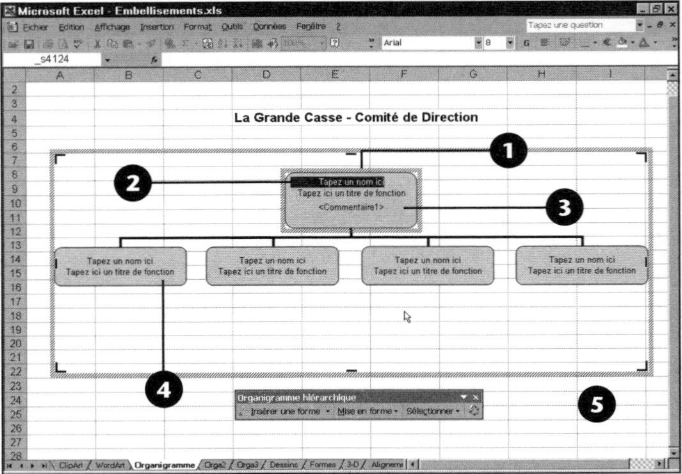

ASTUCE

Obtenir de l'aide sur l'Organigramme hiérarchique. *Ouvrez ou créez un organigramme. Dans le menu ?, cliquez sur Index.*

Modifier un organigramme

Dans la plupart des entreprises, les structures de la direction et du personnel changent fréquemment. Il vous est facile de répercuter ces changements dans votre organigramme.

Ajouter une boîte d'organigramme

1. Activez l'organigramme à modifier puis une boîte de l'organigramme située au niveau où vous voulez intervenir
2. Dans la barre d'outils Organigramme hiérarchique, cliquez sur la flèche de liste déroulante de l'option Insérer une forme ; cliquez sur le type de boîte à ajouter, par exemple Subordonné , Collègue ou Assistant.
3. Entrez les informations de la nouvelle boîte.
4. Cliquez hors de cette boîte.

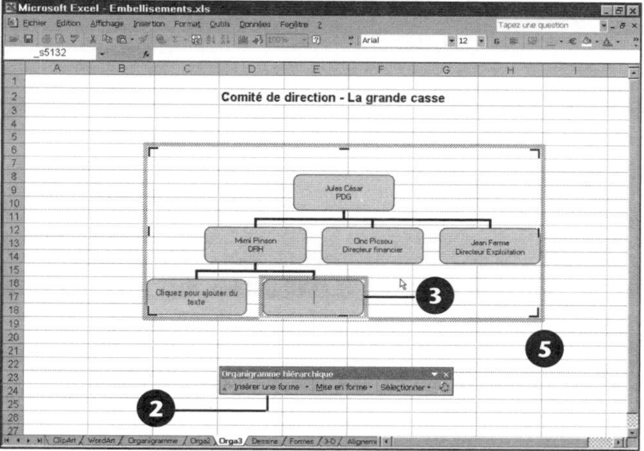

Changer le style de l'organigramme

1. Sélectionnez l'organigramme dont vous souhaitez changer le style.
2. Cliquez sur le bouton Mise en forme automatique de la barre d'outils Organigramme hiérarchique
3. Sélectionner un type de diagramme et cliquez sur le bouton Appliquer.

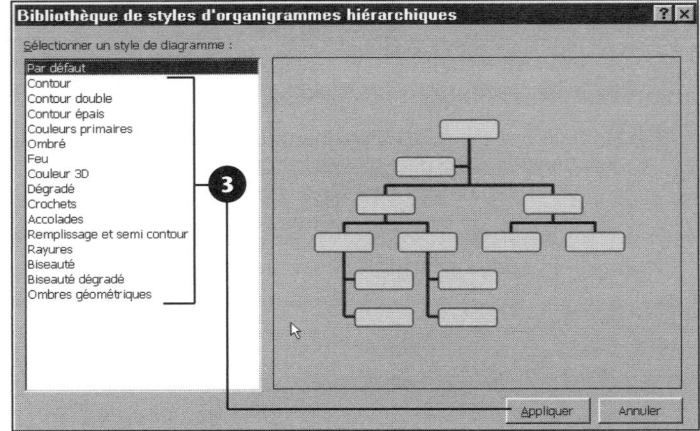

ASTUCE

Modifier l'épaisseur, le style ou la couleur des traits. *Double-cliquez sur un trait de boîte. Cliquez sur l'onglet Couleurs et traits et faites vos choix dans le cadre Bordure puis cliquez sur OK.*

ASTUCE

Modifier l'épaisseur, le style ou la couleur de l'encadrement d'un organigramme. *Double-cliquez dans la zone de l'organigramme. Cliquez sur l'onglet Couleurs et traits et faites vos choix dans le cadre Bordure puis cliquez sur OK.*

Déplacer une boîte d'organigramme

1. Veillez à désélectionner la boîte à déplacer.
2. Placez le curseur sur le bord externe de la boîte à déplacer. Le pointeur se transforme en flèche à quatre pointes.
3. Faites glisser la boîte dans la direction et à l'emplacement voulu. Vous constatez que les connexions se transforment en lignes pointillées et respectent la logique de l'organigramme au fur et à mesure du déplacement.
4. Relâchez le bouton de la souris lorsque la boîte à déplacer se trouve à la position voulue.

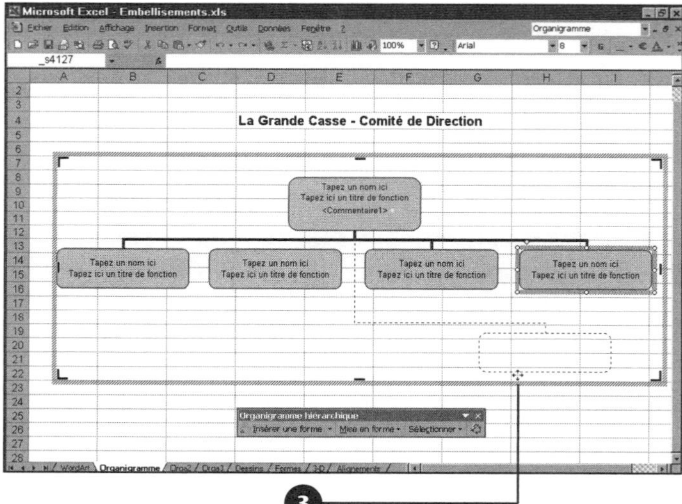

3 Ce pointeur apparaît lorsque vous déplacez la boîte au-dessous de la boîte sélectionnée.

ASTUCE

Changer la couleur, l'ombre ou la bordure d'une boîte. *Sélectionnez la boîte à modifier et double-cliquez sur la bordure de celle-ci. Définissez, à l'onglet Couleurs et traits, les paramètres de la couleur de fond dans le cadre Remplissage ainsi que la couleur et le style de la bordure dans le cadre Bordure, cliquez sur OK.*

Créer et lire un commentaire de cellule

Par défaut, les commentaires sont masqués et ne s'affichent que lorsque vous placez votre pointeur de souris sur le triangle rouge.

Ajouter un commentaire

1. Cliquez sur la cellule à laquelle joindre un commentaire.
2. Dans le menu Insertion, cliquez sur Commentaire.

3. Entrez votre texte dans la zone de commentaire.
4. Lorsque vous avez terminé, cliquez hors de cette zone, ou appuyez sur ÉCHAP pour la fermer.

Un triangle rouge signale un commentaire dans cette cellule.

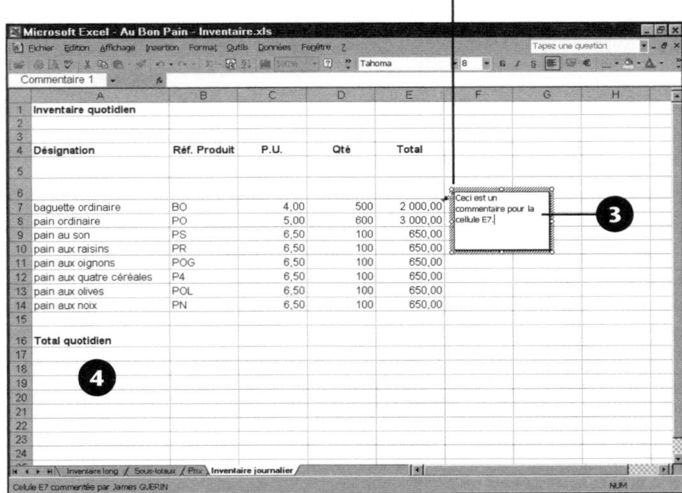

Lire un commentaire

1. Placez le pointeur de votre souris sur le triangle rouge d'une cellule pour lire son commentaire.
2. Placez le pointeur hors de la cellule pour masquer ce commentaire.
   Pour afficher tous les commentaires d'une feuille, dans le menu Affichage, cliquez sur Commentaires. La barre de Révision s'affiche, avec le bouton Afficher tous les commentaires sélectionné.

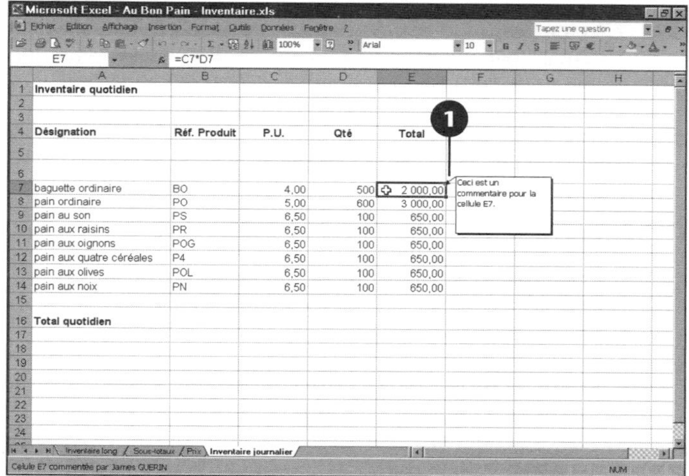

Modifier et supprimer un commentaire de cellule

Un commentaire de cellule se modifie, se supprime ou se met en forme aussi facilement que toute autre donnée d'une feuille de calcul.

ASTUCE

Mettre rapidement un commentaire en forme. *Cliquez avec le bouton droit sur la cellule contenant le commentaire, puis cliquez sur Gras, Italique, Souligné, ou sur un bouton d'alignement de la barre d'outils Mise en forme.*

Modifier un commentaire

1. Cliquez avec le bouton droit dans la cellule contenant le commentaire.
2. Cliquez sur Modifier le commentaire dans le menu contextuel.

3 Effectuez vos modifications à l'aide des outils de modification habituels, par exemple, les touches RET. ARR ou SUPPR ainsi que les boutons de la barre d'outils Mise en forme.

4 Appuyez deux fois sur ÉCHAP pour fermer la zone de commentaire.

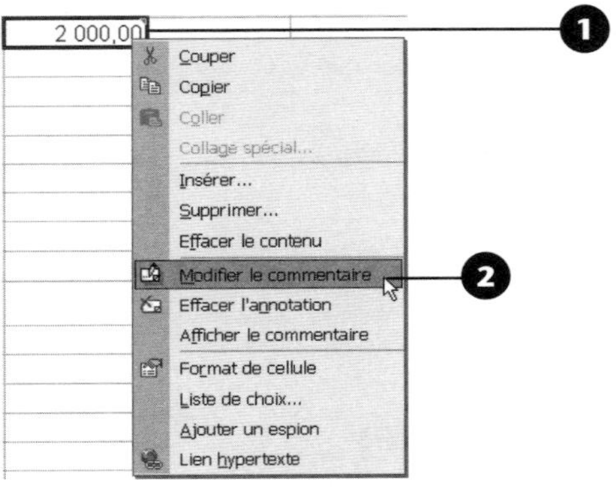

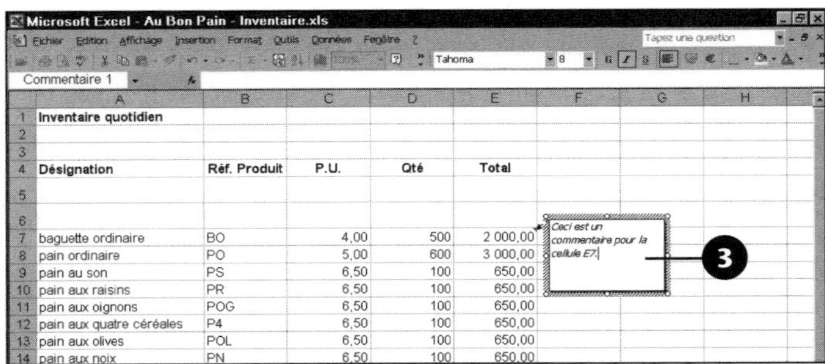

Supprimer un commentaire

1. Cliquez avec le bouton droit dans la cellule contenant le commentaire à supprimer.
2. Cliquez sur Effacer l'annotation.

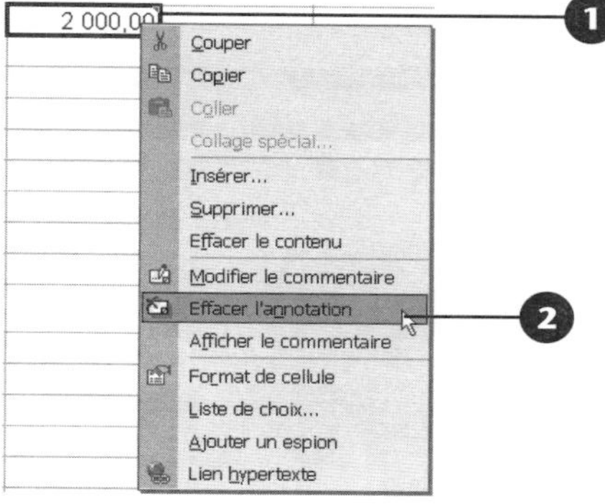

Modifier des images

Si vous avez inséré une image, vous pouvez la détourer, la couper ou modifier sa couleur.

ASTUCE

Régler le contraste et la luminosité d'une image. *Sélectionnez l'image, puis cliquez dans la barre d'outils Image sur les boutons Contraste plus accentué, Contraste moins accentué, Luminosité plus accentuée ou Luminosité moins accentuée pour obtenir l'effet désiré.*

 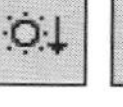  

Rogner une image

1. Cliquez sur l'image à rogner.
2. Cliquez sur le bouton Rogner de la barre d'outils Image.
3. Faites glisser les poignées de dimensionnement jusqu'à ce que les bordures entourent la zone à rogner.

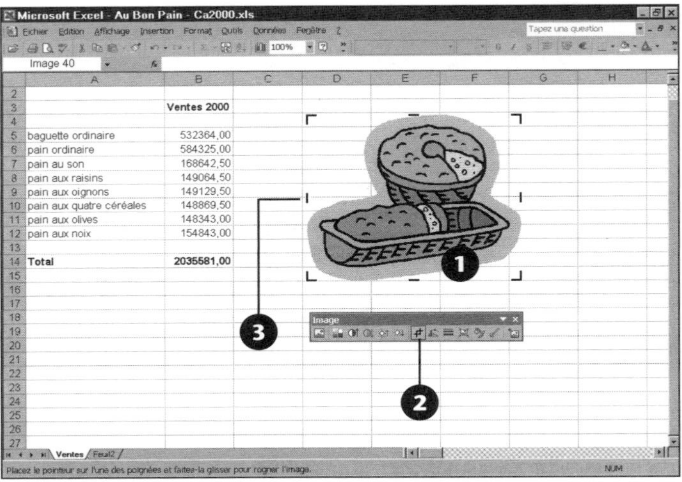

ASTUCE

Rendre transparente une image en couleurs. *Sélectionnez une image et cliquez sur le bouton Couleur transparente dans la barre d'outils Image.*

Choisir un type de couleur

1. Cliquez sur l'image dont vous souhaitez modifier la couleur.
2. Cliquez sur le bouton Couleur de la barre d'outils Image.
3. Choisissez une option de contrôle de l'image :
   - Automatique (couleur par défaut).
   - Nuances de gris (gris, blancs et noirs).
   - Noir et blanc.
   - Filigrane (blancs et couleurs très claires).

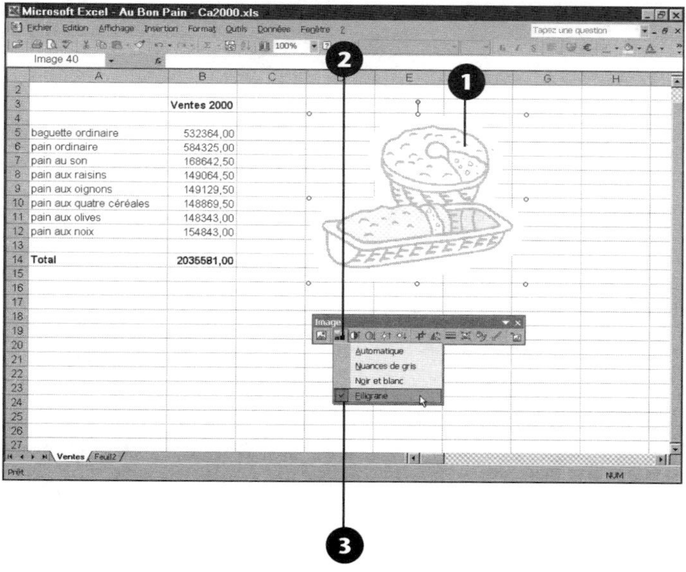

Dessiner et modifier des objets

7

Avec Excel 2002, créez des images personnalisées pour vos feuilles de calcul. Faites votre choix parmi un ensemble de formes prédessinées ou dessinez et modifiez vos propres formes à l'aide des outils proposés : vous avez la possibilité de contrôler le tracé et le positionnement de vos objets sur votre feuille de calcul, et de combiner plusieurs dessins simples pour un effet plus recherché.

Les objets dessinés

Les objets dessinés se classent en trois catégories : *lignes*, *formes automatiques* et *formes libres*. Les lignes sont de simples traits ou des courbes (arcs) reliant deux points. Les formes automatiques sont des objets prédéfinis : étoiles, cercles ou ellipses. Une forme libre est une courbe irrégulière ou un polygone que vous créez librement. Pour obtenir une forme n'existant pas dans les formes automatiques, concevez-la comme une forme libre.

Une fois votre dessin créé, vous pouvez lui appliquer au choix une rotation, des couleurs ou un autre style. Excel propose également des commandes de mise en forme pour contrôler plus précisément la présentation des objets dessinés.

Tracer des lignes et des flèches

Les dessins les plus élémentaires que vous puissiez exécuter sont les lignes et les flèches.

> **ASTUCE**
>
> **Afficher la barre d'outils Dessin.** *Si cette barre n'est pas affichée, dans le menu Affichage, pointez sur Barre d'outils et cliquez sur Dessin.*

Tracer une ligne droite

1. Cliquez sur le bouton Trait de la barre d'outils Dessin.
2. Faites glisser votre pointeur pour tracer le trait sur votre feuille.
3. Relâchez le bouton de la souris lorsque le trait atteint la longueur requise.
   Les extrémités de ce trait sont déterminées par les positions initiale et finale du pointeur.

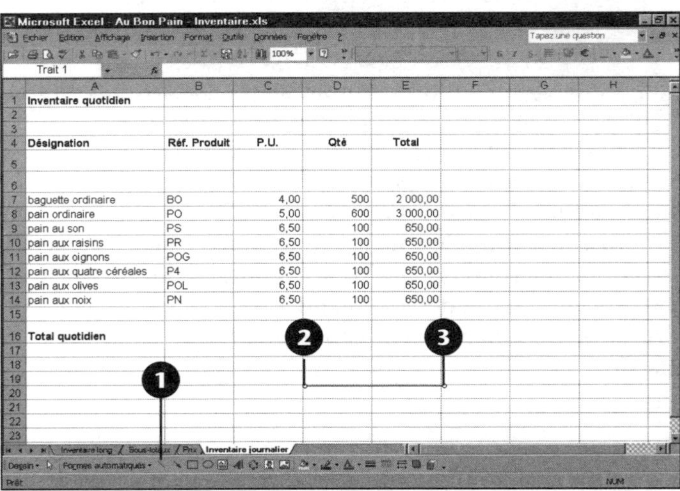

Modifier un trait

1. Cliquez sur le trait concerné.
2. Cliquez sur le bouton Style de trait de la barre d'outils Dessin pour choisir une épaisseur de trait.
3. Cliquez sur le bouton Style de ligne de la barre d'outils Dessin pour choisir un pointillé.
4. Cliquez sur le bouton Couleur du contour dans la barre d'outils Dessin pour choisir une couleur de trait.
5. Faites glisser la poignée de l'une des extrémités du trait vers un autre emplacement pour modifier sa taille ou son inclinaison.

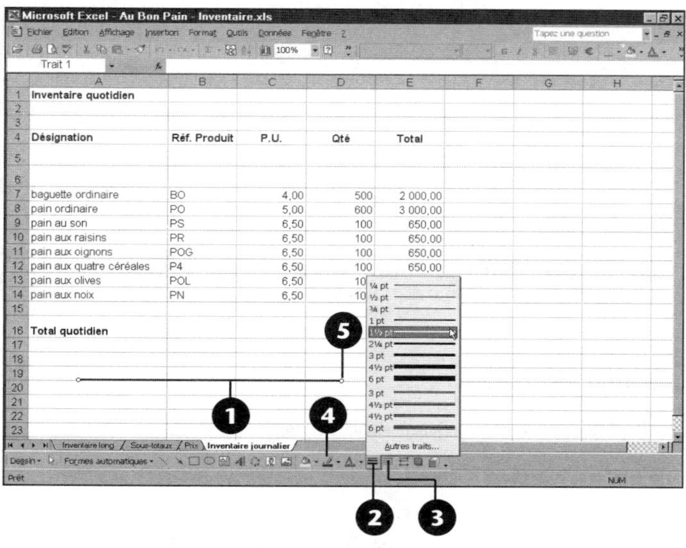

ASTUCE

Contrôler le tracé d'une flèche avec le clavier. *Maintenez enfoncée la touche* MAJ *tout en faisant glisser le pointeur pour faire varier l'inclinaison du trait de 15° en 15°. Maintenez enfoncée la touche* CTRL *tout en faisant glisser le pointeur pour tracer la ligne à partir du centre plutôt que d'une extrémité.*

Tracer une flèche

1. Cliquez sur le bouton Flèche de la barre d'outils Dessin.
2. Faites glisser le pointeur de la base vers la pointe de la flèche.
3. Relâchez le bouton de la souris lorsque la longueur et l'angle de la flèche sont corrects.

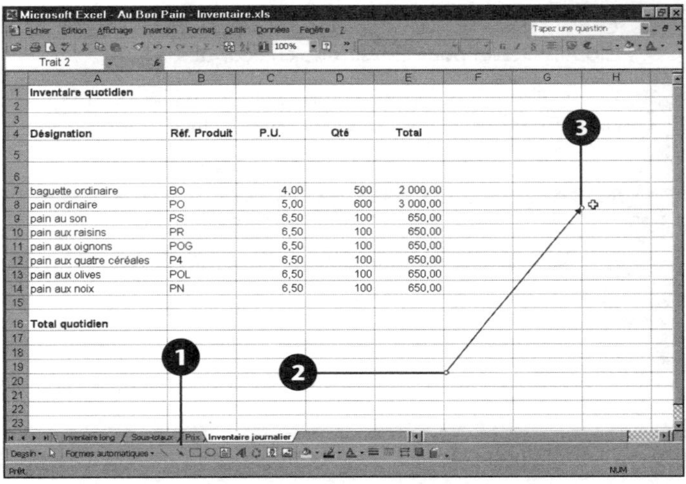

Modifier une flèche

1. Cliquez sur la flèche à modifier.
2. Cliquez sur le bouton Style de flèche de la barre d'outils Dessin.
3. Choisissez un type de flèche ou cliquez sur Autres flèches.
4. Dans ce dernier cas, modifiez comme vous l'entendez le type de flèche dans la boîte de dialogue Format de la forme automatique, puis validez par OK.

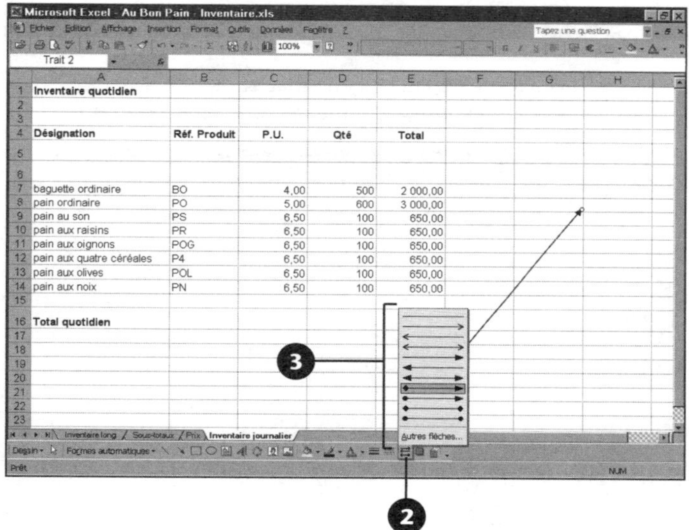

Tracer des formes automatiques

Pour agrémenter vos feuilles de calcul, Excel vous propose nombre de formes automatiques. Une fois la forme insérée, modifiez sa taille à l'aide des poignées de redimensionnement.

ASTUCE

Dessiner un carré ou un cercle parfaits. *Cliquez sur le bouton Rectangle ou Ellipse et maintenez la touche* MAJ *enfoncée tout en traçant la forme.*

Dessiner un rectangle ou une ellipse

1. Cliquez sur Ellipse ou Rectangle de la barre d'outils Dessin.
2. Faites glisser votre pointeur dans la feuille de calcul pour tracer l'objet.

3 Relâchez le bouton de la souris lorsque l'objet a pris la forme voulue.
Celle-ci adopte les couleurs de trait et de remplissage définies dans la mise en forme de votre feuille de calcul.

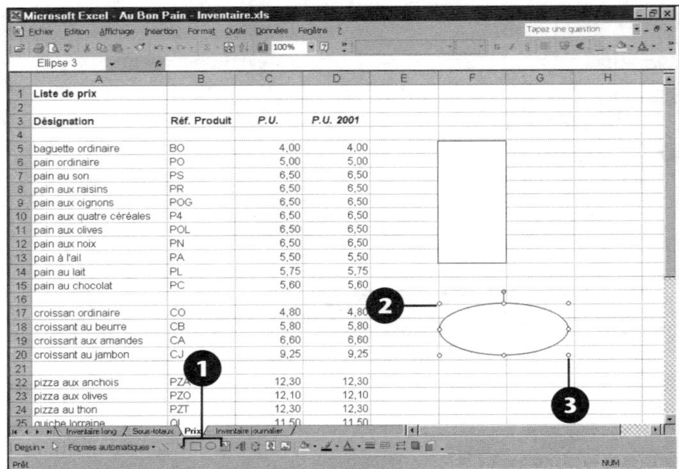

Tracer une forme automatique

1 Dans le menu Formes automatiques de la barre d'outils Dessin, pointez sur une catégorie de formes.

2 Sélectionnez un des symboles affichés.

3 Faites glisser le pointeur sur votre feuille de calcul pour donner à l'objet la forme et la taille souhaitées.

ASTUCE

Remplacer une forme automatique. *Cliquez sur la forme à remplacer, puis sur le bouton Dessin de la barre d'outils Dessin, pointez sur Modifier la forme, puis choisissez une nouvelle forme.*

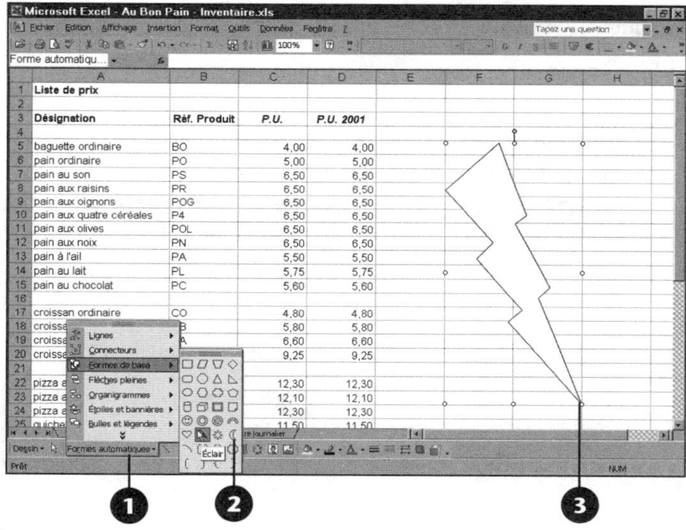

Ajuster une forme automatique

1. Cliquez sur la forme à ajuster.
2. Cliquez sur une de ses poignées d'ajustement (losange jaune) puis faites glisser cette poignée pour modifier la forme.

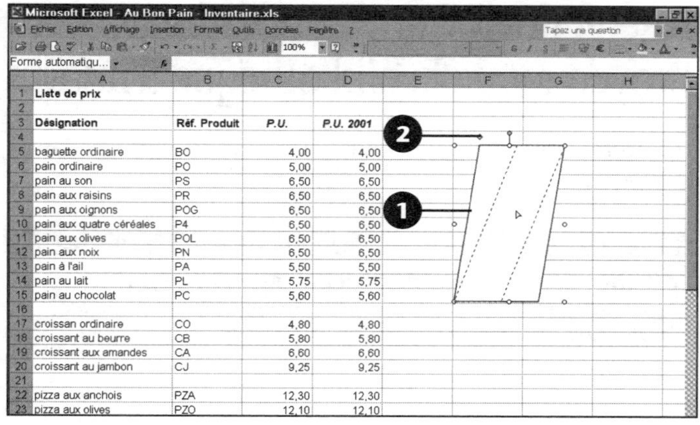

Redimensionner une forme automatique

1. Cliquez sur la forme à redimensionner.
2. Cliquez sur une de ses poignées de redimensionnement (un rond blanc) puis faites glisser cette poignée pour modifier la taille de la forme.

Microsoft Excel - Au Bon Pain - Inventaire.xls

	A	B	C	D
1	**Liste de prix**			
2				
3	**Désignation**	**Réf. Produit**	*P.U.*	***P.U. 2001***
4				
5	baguette ordinaire	BO	4,00	4,00
6	pain ordinaire	PO	5,00	5,00
7	pain au son	PS	6,50	6,50
8	pain aux raisins	PR	6,50	6,50
9	pain aux oignons	POG	6,50	6,50
10	pain aux quatre céréales	P4	6,50	6,50
11	pain aux olives	POL	6,50	6,50
12	pain aux noix	PN	6,50	6,50
13	pain à l'ail	PA	5,50	5,50
14	pain au lait	PL	5,75	5,75
15	pain au chocolat	PC	5,60	5,60
16				
17	croissan ordinaire	CO	4,80	4,80
18	croissant au beurre	CB	5,80	5,80
19	croissant aux amandes	CA	6,60	6,60
20	croissant au jambon	CJ	9,25	9,25
21				
22	pizza aux anchois	PZA	12,30	12,30
23	pizza aux olives	PZO	12,10	12,10
24	pizza au thon	PZT	12,30	12,30
25	quiche lorraine	QL	11,50	11,50

Insérer des formes automatiques provenant de la bibliothèque d'images

Des formes automatiques sont également disponibles dans la bibliothèque d'images.

ASTUCE

Afficher toute la boîte de dialogue Autres formes automatiques. *Cliquez sur le bouton Remplacer par une grande fenêtre dans la barre d'outils.*

Insérer une forme automatique de la bibliothèque d'images

1. Dans le menu Formes automatiques de la barre d'outils Dessin, cliquez sur Autres formes automatiques pour faire apparaître le volet Office.
2. Si nécessaire, cliquez sur la flèche de défilement vers le bas pour afficher d'autres formes.
3. Cliquez sur la flèche à droite de la forme sélectionnée ; dans le menu contextuel, cliquez sur Insérer. Si nécessaire, repositionnez la forme insérée dans votre feuille de calcul.
4. Lorsque vous avez terminé, cliquez sur le bouton Fermer du volet Office.

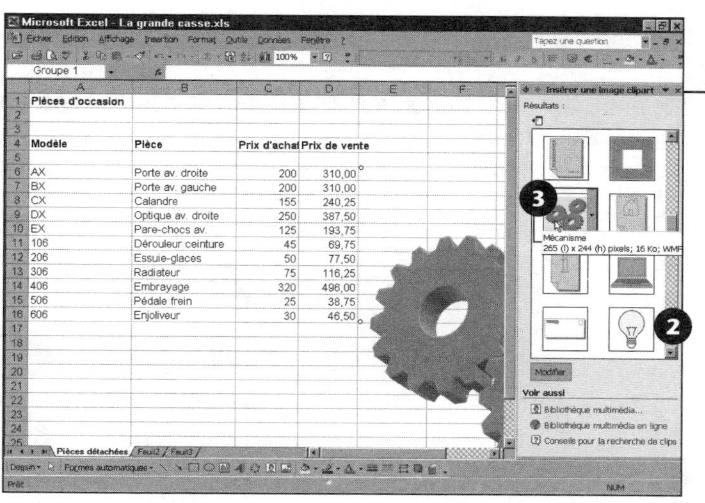

Trouver des formes automatiques similaires dans la bibliothèque d'images

1. Dans le menu Formes automatiques de la barre d'outils Dessin, cliquez sur Autres formes automatiques.
2. Dans le volet Office, cliquez sur la flèche à droite d'une forme du même genre que celle recherchée pour afficher le menu des options.
3. Cliquez sur l'option Rechercher un style similaire.
4. Si nécessaire, cliquez sur le bouton Toutes les collections pour afficher à nouveau tous les clips de la bibliothèque.
5. Lorsque vous avez terminé, cliquez sur le bouton de fermeture du volet Office

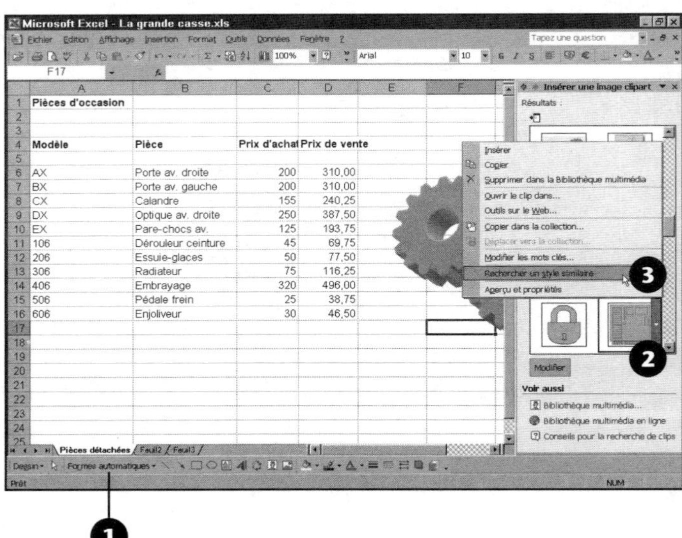

Dessiner une forme libre

Pour créer une forme personnalisée, utilisez les outils de forme libre.

Forme libre

Tracer un polygone irrégulier

1. Dans le menu Formes automatiques de la barre d'outils Dessin, pointez sur Lignes.
2. Cliquez sur le bouton Forme libre.
3. Cliquez dans la feuille de calcul, là où vous souhaitez placer le premier sommet du polygone.
4. Placez votre pointeur à l'endroit du deuxième sommet du polygone, puis cliquez. Un trait relie les deux points.
5. Continuez à déplacer le pointeur et à cliquer pour créer les autres côtés de votre polygone.
6. Pour fermer le polygone, cliquez près du point de départ.

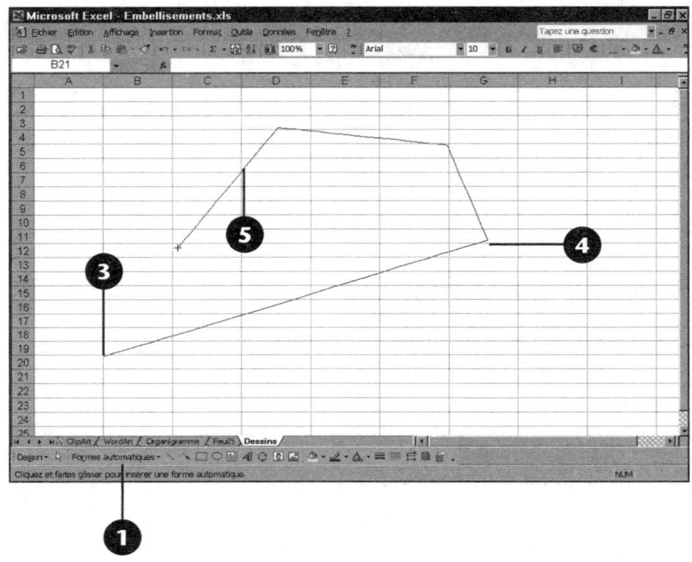

Tracer une courbe irrégulière

1 Dans le menu Formes automatiques de la barre d'outils Dessin, pointez sur Lignes.

2 Cliquez sur le bouton Courbe.

3 Cliquez dans votre feuille de calcul, là où vous souhaitez placer le point de départ de la courbe.

4 Placez le pointeur, là où vous souhaitez que votre ligne s'incurve, puis cliquez. Répétez cette étape autant de fois que vous voulez de courbures.

5 Terminez votre courbe.

- Pour une courbe fermée, cliquez près du point de départ.
- Pour une courbe ouverte, double-cliquez sur le dernier point de la courbe.

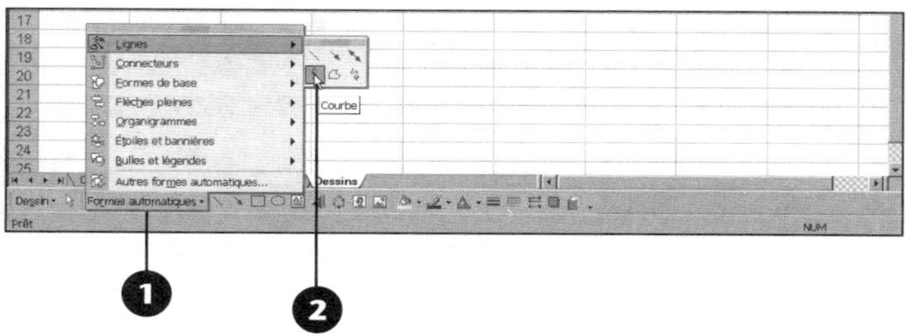

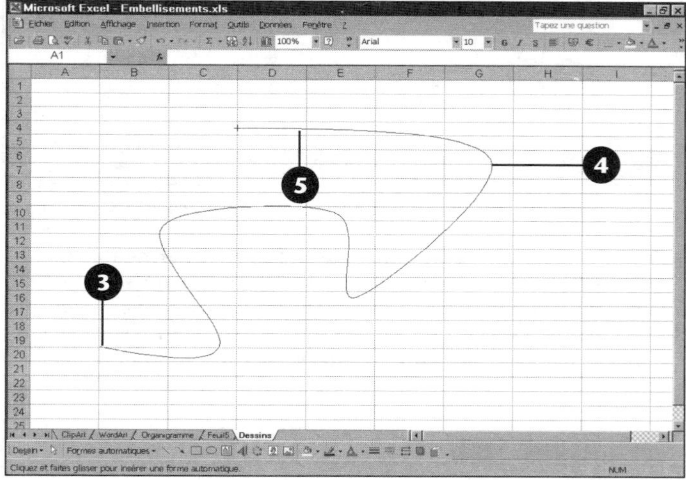

Dessiner à main levée

1. Dans le menu Formes automatiques de la barre d'outils Dessin, pointez sur Lignes.
2. Cliquez sur le bouton Dessin à main levée.
3. Bouton de la souris enfoncé, faites glisser votre pointeur sur la feuille pour dessiner librement.
4. Relâchez la souris lorsque vous avez terminé.

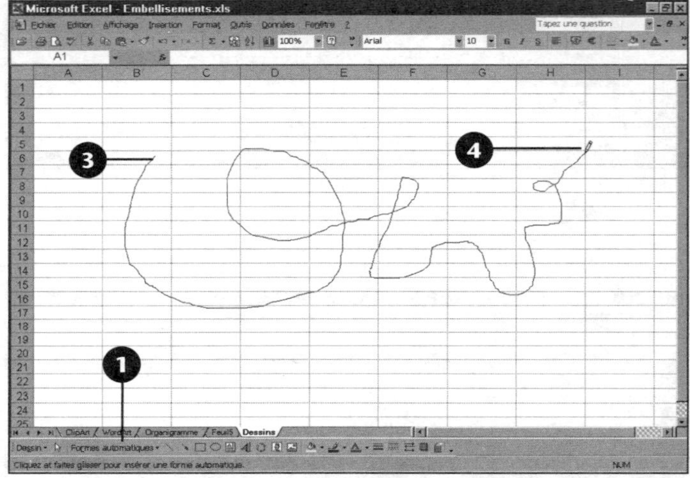

ASTUCE

Transformer une courbe ouverte en courbe fermée et *vice versa.* *Cliquez avec le bouton droit sur un dessin exécuté en forme libre. Pour basculer d'une courbe ouverte à une courbe fermée, cliquez sur Fermer la trajectoire dans le menu contextuel ; pour basculer d'une courbe fermée vers une courbe ouverte, cliquez sur Ouvrir la trajectoire.*

Modifier une forme libre

Modifiez une forme libre par les sommets qui la constituent à l'aide de la commande Modifier les points.

Déplacer un sommet dans une forme libre

1. Cliquez sur un objet de forme libre.
2. Dans le menu Dessin de la barre d'outils Dessin, cliquez sur Modifier les points.
3. Faites glisser un des sommets vers un nouvel emplacement.
4. Cliquez hors de la forme libre lorsque vous avez terminé.

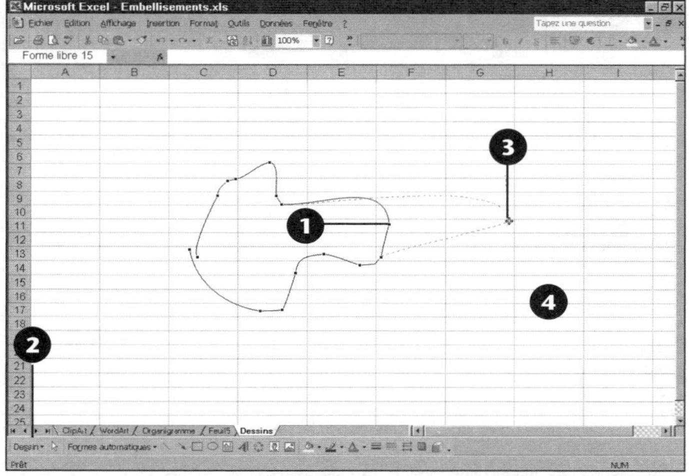

ASTUCE

Modifier les sommets. *Lorsque vous modifiez une forme libre, les poignées de sélection se transforment en petits carrés noirs.*

Insérer un sommet dans une forme libre

1. Cliquez sur la forme libre.
2. Dans le menu Dessin de la barre d'outils Dessin, cliquez sur Modifier les points.
3. Placez le pointeur sur la courbe ou sur un côté du polygone (pas sur un sommet) puis faites-le glisser vers l'emplacement du nouveau sommet (ou d'une courbure supplémentaire).
4. Cliquez hors de la forme pour fixer le nouveau contour.

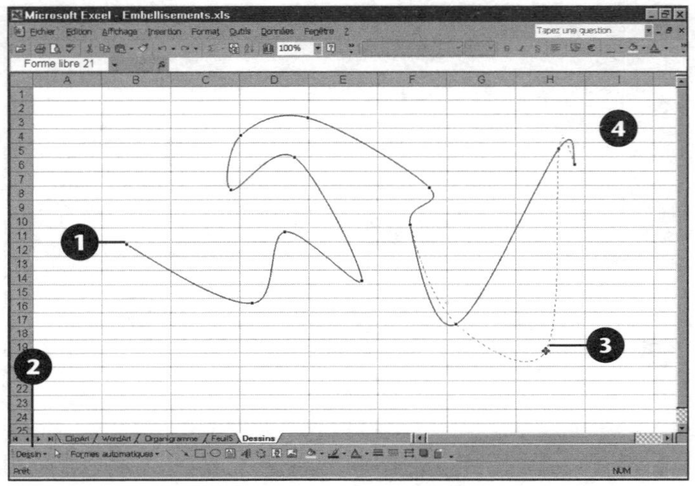

ASTUCE

Contrôler une forme libre. *Cliquez sur Modifier les points, puis avec le bouton droit sur un sommet. Excel affiche dans un menu contextuel des options pour d'autres types de sommets vous permettant d'affiner votre forme libre.*

Supprimer un sommet de forme libre

1. Cliquez sur l'objet de forme libre.
2. Dans le menu Dessin de la barre d'outils Dessin, cliquez sur Modifier les points.
3. Pressez CTRL tout en cliquant sur le sommet à supprimer.
4. Cliquez hors de la forme libre pour fixer son contour.

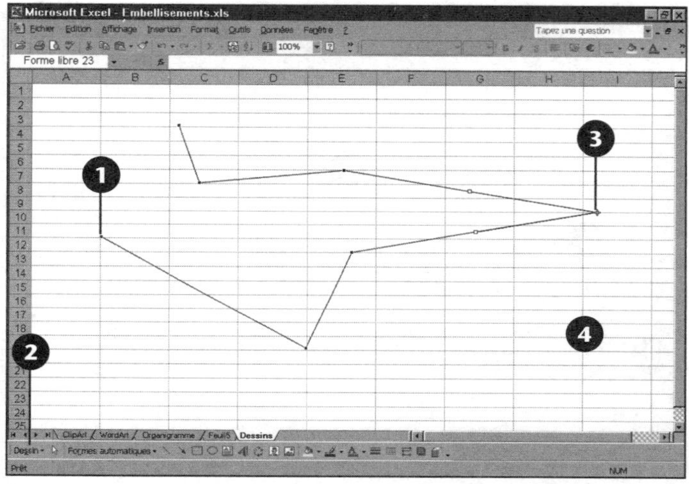

Modifier l'angle d'un sommet

1. Cliquez sur l'objet en forme libre.
2. Dans le menu Dessin de la barre d'outils Dessin, cliquez sur Modifier les points.
3. Cliquez avec le bouton droit sur un sommet, puis sur Point lisse, Point symétrique ou Point d'angle. Des poignées de définition d'angle apparaissent.
4. Faites glisser une poignée pour modifier le tracé du segment de part et d'autre du sommet.
5. Cliquez hors de l'objet pour fixer sa nouvelle forme.

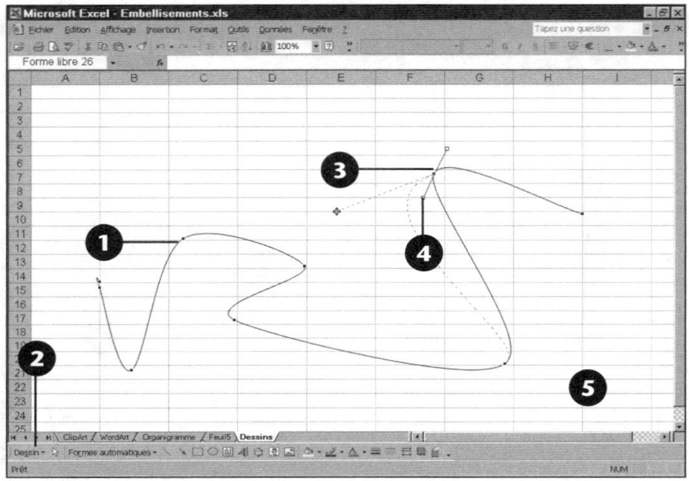

Déplacer et redimensionner un objet

Après avoir créé un dessin, il vous faudra peut-être modifier sa taille ou son emplacement.

ASTUCE

Décaler légèrement un objet sélectionné à l'aide du clavier. *Après l'avoir sélectionné, vous pouvez décaler un objet en appuyant sur l'une des touches de direction tout en enfonçant la touche* CTRL.

Déplacer un objet

1. Placez votre pointeur sur l'objet à déplacer; il prend la forme d'une flèche à quatre pointes.
2. Faites glisser l'objet à un nouvel emplacement de votre feuille. Attention, ne faites pas glisser une poignée de dimensionnement ou d'ajustement.
3. Si vous travaillez en forme libre en mode Modifier les points, faites glisser l'intérieur de l'objet, pas sa bordure, sinon vous allez modifier sa taille ou sa forme, et non le déplacer.

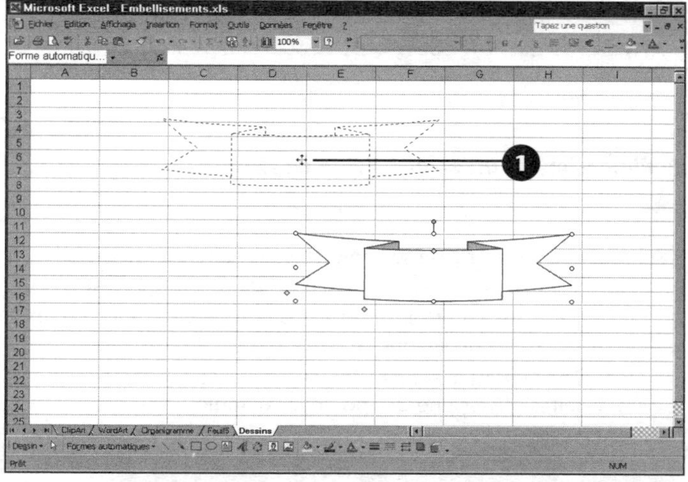

Décaler légèrement un objet

1. Cliquez sur l'objet à décaler.
2. Dans le menu Dessin de la barre d'outils Dessin, pointez sur Déplacer puis cliquez sur Haut, Bas, Gauche ou Droite.

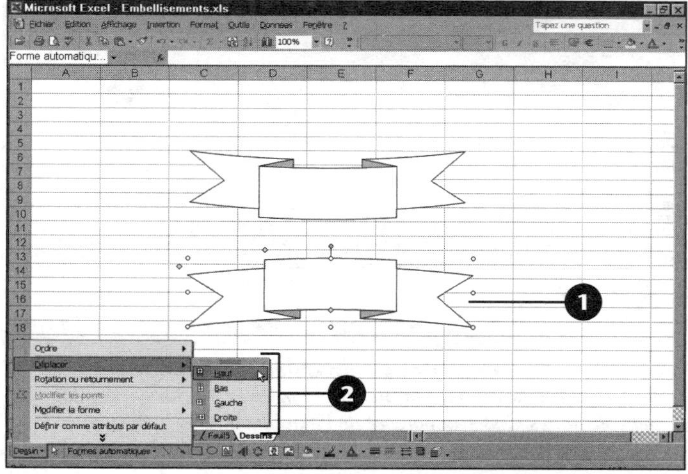

ASTUCE

Afficher la barre d'outils Dessin. *Si la barre d'outils Dessin n'est pas visible, dans le menu Affichage, pointez sur Barres d'outils et cliquez sur Dessin.*

Redimensionner un objet à l'aide de la souris

1. Cliquez sur l'objet à redimensionner.
2. Faites glisser une de ses poignées de dimensionnement.
   - Pour redimensionner l'objet en direction horizontale ou verticale, faites glisser une des poignées au milieu d'un des côtés de la zone de sélection.
   - Pour redimensionner l'objet dans les deux directions, faites glisser une des poignées d'angle.

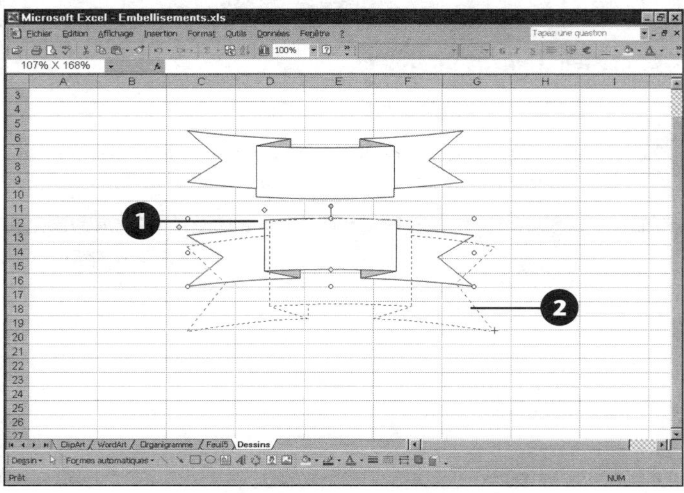

ASTUCE

Conserver les proportions d'un objet en cours de redimensionnement. *Maintenez enfoncée la touche* MAJ *pendant que vous faites glisser la poignée de l'objet pour le redimensionner.*

Redimensionner avec précision un objet

1. Cliquez sur l'objet à redimensionner.
2. Dans le menu Format, cliquez sur Forme automatique.
3. Dans l'onglet Dimension, cliquez sur les flèches haut ou bas des zones Échelle, Hauteur et Largeur, pour spécifier la taille de l'objet.
4. Cliquez sur OK.

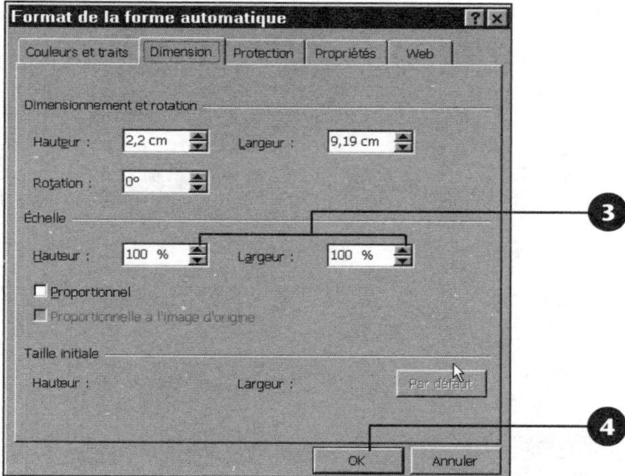

Faire pivoter ou retourner un objet

Pour modifier l'orientation d'un objet, faites-le pivoter ou retournez-le.

ASTUCE

Faire pivoter un objet de 90°. *Pour faire pivoter un objet de 90° vers la droite, cliquez sur Faire pivoter à droite ; vers la gauche, cliquez sur Faire pivoter à gauche.*

Faire librement pivoter

1. Cliquez sur l'objet à faire pivoter.
2. Cliquez sur la poignée de rotation (rond bleu)
3. Déplacez la poignée de rotation pour faire pivoter l'objet dans le sens désiré.
4. Cliquez hors de l'objet pour valider la rotation.

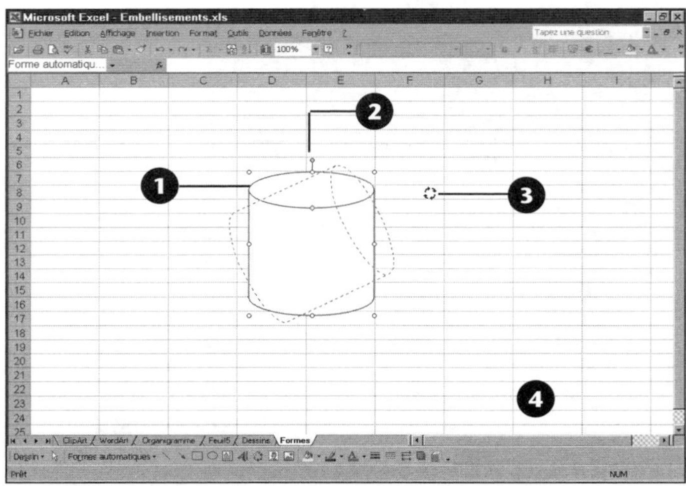

Faire pivoter ou retourner un dessin par incréments prédéfinis

1. Cliquez sur l'objet à faire pivoter.
2. Cliquez sur le menu Dessin de la barre d'outils Dessin.
3. Pointez sur Rotation ou retournement, puis choisissez une des commandes proposées.

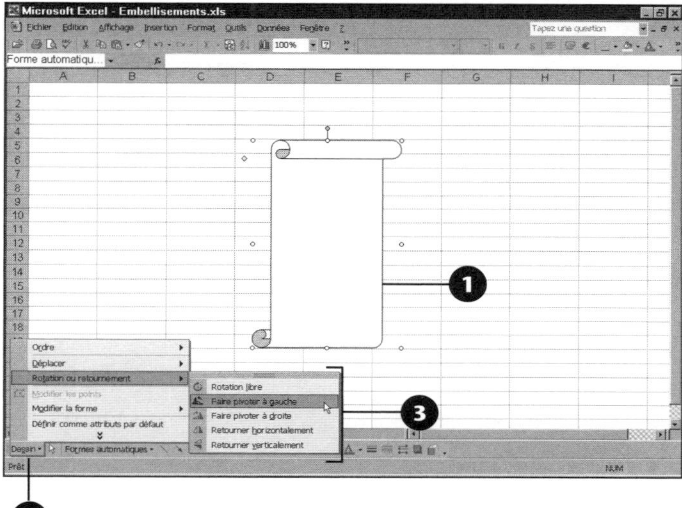

ASTUCE

Restreindre la rotation par incréments de 15°. *Maintenez enfoncée la touche* MAJ *tout en faisant pivoter l'objet.*

Faire pivoter un objet autour d'un point fixe

1. Cliquez sur l'objet à faire pivoter.
2. Cliquez sur la poignée de rotation (rond bleu).
3. Déplacez la poignée de rotation dans le sens désiré pour faire pivoter l'objet autour de son axe central. Maintenez enfoncée la touche CTRL, tout en déplaçant la poignée de rotation pour faire pivoter l'objet autour de l'axe de rotation à l'opposé de la poignée.
4. Cliquez hors de l'objet pour le fixer.

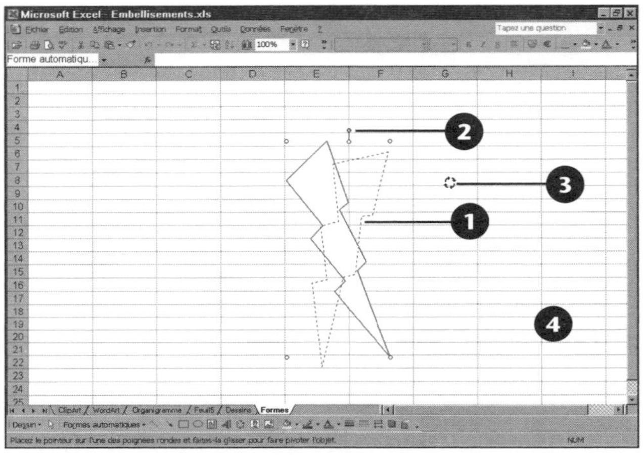

Faire pivoter un dessin avec précision

1. Cliquez sur l'objet à faire pivoter.
2. Dans le menu Format, cliquez sur Forme automatique.
3. Cliquez sur l'onglet Dimension.
4. Entrez un angle de rotation dans le champ Rotation.
5. Cliquez sur OK.

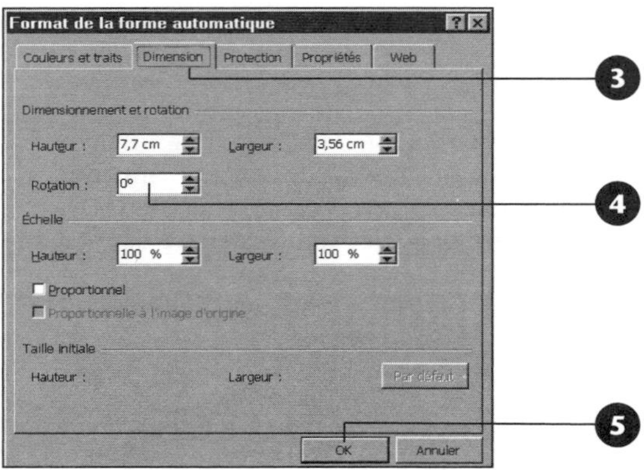

Choisir des couleurs pour un objet

Lorsque vous créez des formes fermées, affectez-leur une couleur de remplissage et de trait.

ASTUCE

Définir la couleur et le style de trait d'un objet comme paramètres par défaut des futurs objets. *Cliquez avec le bouton droit sur l'objet, puis dans le menu contextuel sur Définir comme attributs par défaut. Tout nouvel objet créé adopte les mêmes attributs.*

Changer la couleur de remplissage d'un objet dessiné

1. Cliquez sur l'objet dont vous souhaitez changer la couleur de remplissage.
2. Cliquez sur la flèche de menu déroulant Couleur de remplissage de la barre d'outils Dessin.
3. Choisissez la couleur, le motif ou la texture.

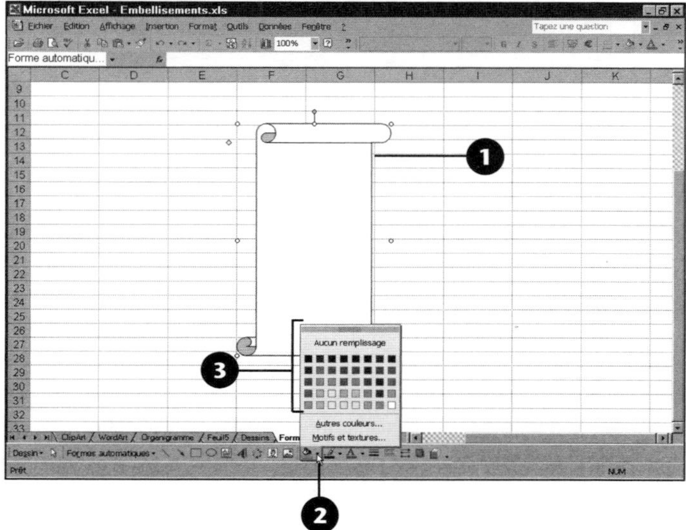

Changer les couleurs et les traits dans la boîte de dialogue Format de la forme automatique

1. Cliquez sur l'objet à modifier.
2. Dans le menu Format, cliquez sur Forme automatique.
3. Cliquez sur l'onglet Couleurs et traits.
4. Choisissez les options de remplissage, de bordure et de flèches.
5. Cliquez sur OK.

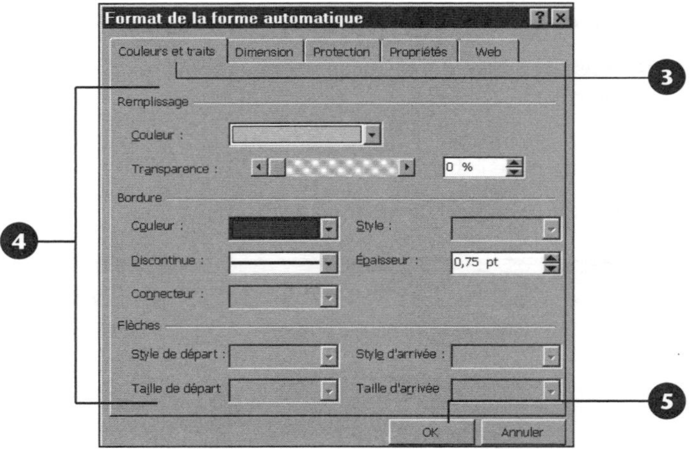

Créer un motif de trait

1. Cliquez sur l'objet à modifier.
2. Dans le menu Format, cliquez sur Forme automatique.
3. Cliquez sur l'onglet Couleurs et traits ; dans Bordure, cliquez sur la flèche de liste déroulante Couleur, puis sélectionnez Lignes avec motif.
4. Cliquez sur la flèche de liste déroulante Premier plan, et choisissez une couleur pour le premier plan.

5 Cliquez sur la flèche de liste déroulante Arrière-plan, et choisissez une couleur pour l'arrière-plan.

6 Cliquez sur le motif voulu dans la grille Motif.

7 Cliquez sur OK.

8 Cliquez sur OK.

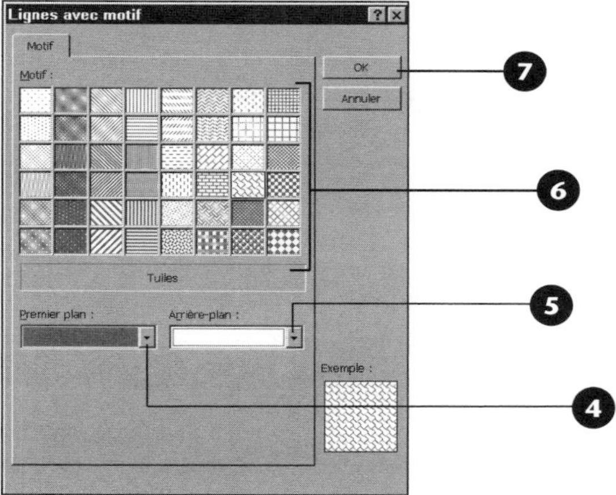

Créer un dégradé

1 Cliquez sur l'objet à modifier.

2 Dans le menu Format, cliquez sur Forme automatique.

3 Cliquez sur l'onglet Couleurs et traits ; dans Remplissage, cliquez sur la flèche de liste déroulante Couleur, puis sélectionnez Motifs et textures.

4 Cliquez sur l'onglet Dégradé

5 Dans la zone Couleurs, cliquez sur la flèche de liste déroulante Couleur 1 et choisissez une couleur.

6 Dans la zone Transparence, réglez si nécessaire la transparence du dégradé.

7. Choisissez un type de dégradé.
8. Cliquez sur OK.
9. Cliquez sur OK.

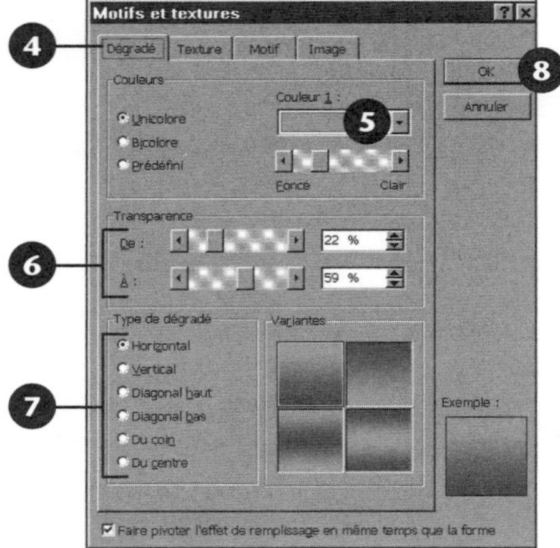

Ombrer un objet

Une ombre donne du relief aux objets de votre feuille de calcul.

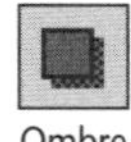

Ombre

Appliquer une ombre prédéfinie

1. Cliquez sur l'objet concerné.
2. Cliquez sur le bouton Ombre de la barre d'outils Dessin.
3. Choisissez un des vingt styles d'ombres prédéfinis.

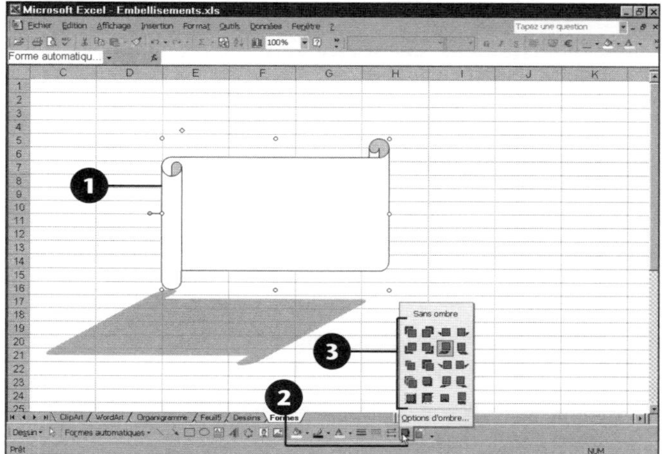

Déplacer une ombre

1. Cliquez sur l'objet dont vous voulez modifier l'ombre.
2. Cliquez sur le bouton Style Ombre de la barre d'outils Dessin, puis sur Options d'ombre.
3. Choisissez un effet dans la barre d'outils Options d'ombre.

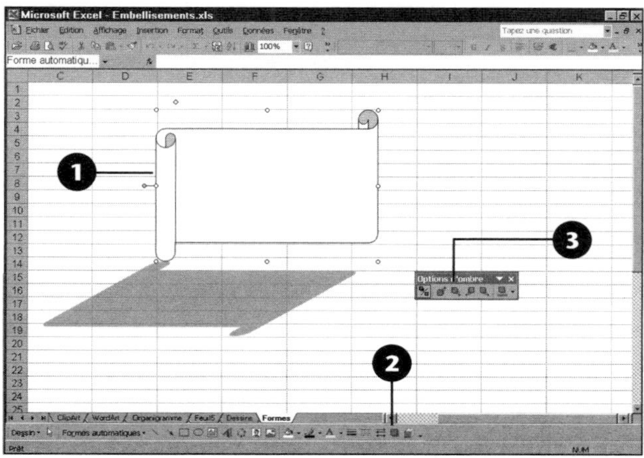

ASTUCE

Déplacer légèrement une ombre vers le haut, le bas, la droite ou la gauche. *Cliquez sur le bouton Ombre de la barre d'outils Dessin, puis sur Options d'ombre. Cliquez sur un des boutons d'ajustement de la barre d'outils Options d'ombre.*

Changer la couleur d'une ombre

1. Cliquez sur l'objet dont vous voulez modifier l'ombre.
2. Cliquez sur le bouton Style Ombre de la barre d'outils Dessin, puis sur Options d'ombre.
3. Cliquez sur la flèche de liste déroulante Couleur de l'ombre dans la barre d'outils Options d'ombre, et choisissez une nouvelle couleur.

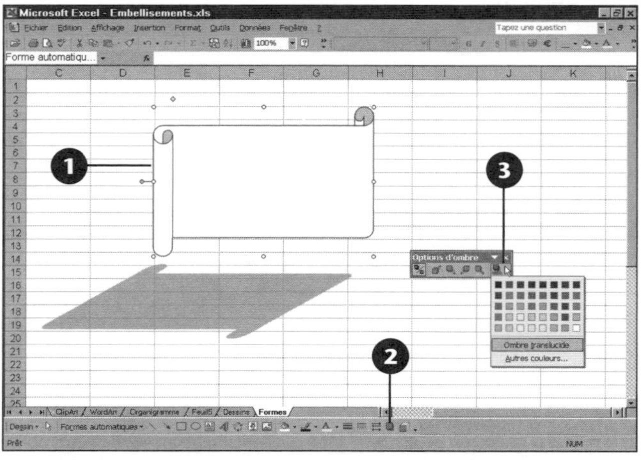

ASTUCE

Afficher ou masquer une ombre. *Cliquez sur le bouton Ombre de la barre d'outils Dessin, puis sur Options d'ombre. Cliquez sur le bouton Afficher/Masquer l'ombre de la barre d'outils Options d'ombre.*

Créer un objet 3D

Pour donner un effet de profondeur à votre feuille, Excel vous propose également des outils 3D.

3D

Appliquer un style 3D prédéfini

1. Cliquez sur l'objet à mettre en 3D.
2. Cliquez sur le bouton Style 3D de la barre d'outils Dessin.
3. Choisissez l'un des vingt styles prédéfinis.

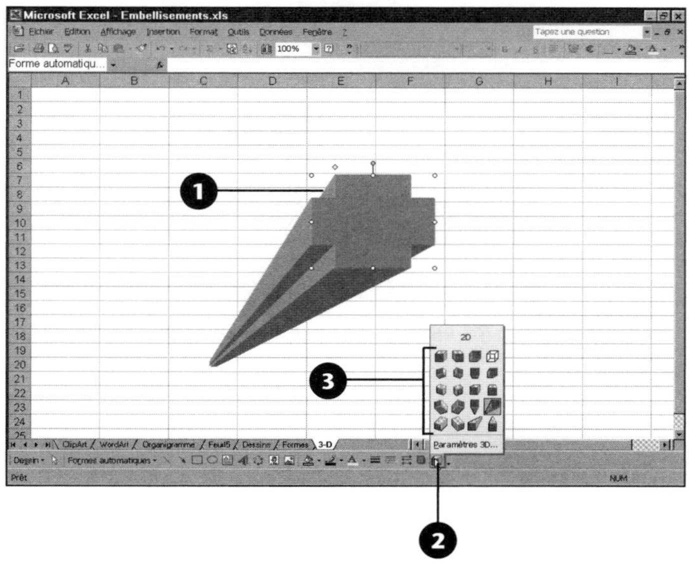

Faire pivoter un objet 3D

1. Cliquez sur l'objet 3D à faire pivoter.
2. Cliquez sur le bouton Style 3D de la barre d'outils Dessin, puis cliquez sur Paramètres 3D.
3. Sélectionnez un bouton de rotation.

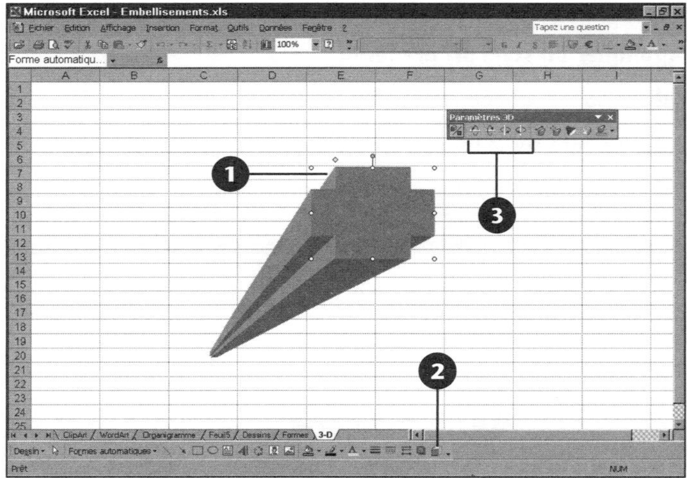

ASTUCE

Restrictions sur les ombres et les effets 3D. *Vous ne pouvez combiner les effets d'ombre et 3D sur un même objet.*

Définir l'éclairage d'un objet 3D

1. Cliquez sur l'objet 3D.
2. Cliquez sur le bouton Style 3D de la barre d'outils Dessin, puis cliquez sur Paramètres 3D.
3. Cliquez sur le bouton Éclairage.
4. Cliquez sur le spot produisant l'effet souhaité.

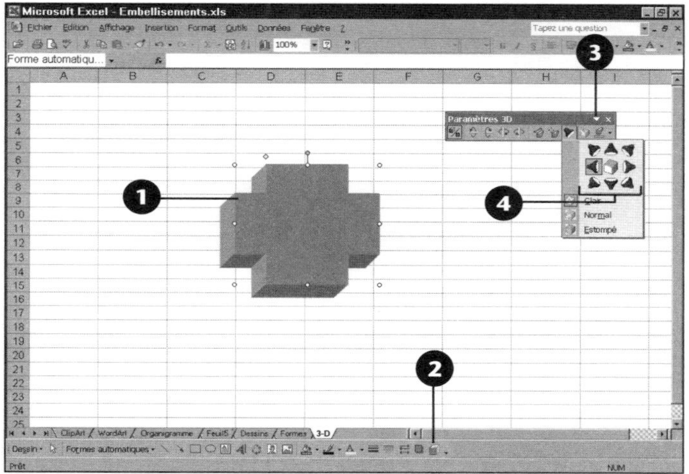

ASTUCE

Définir la surface d'un objet 3D. *Dans la barre d'outils Paramètres 3D, cliquez sur le bouton Surface, et optez pour un type de surface (Maquette, Mat, Plastique ou Métal).*

Définir la profondeur de l'objet

1. Cliquez sur l'objet 3D.
2. Cliquez sur le bouton Style 3D de la barre d'outils Dessin, puis sur Paramètres 3D.
3. Cliquez sur le bouton Profondeur.
4. Cliquez sur un paramètre de profondeur exprimé en points, ou entrez un nombre exact de points dans la zone Personnalisé.

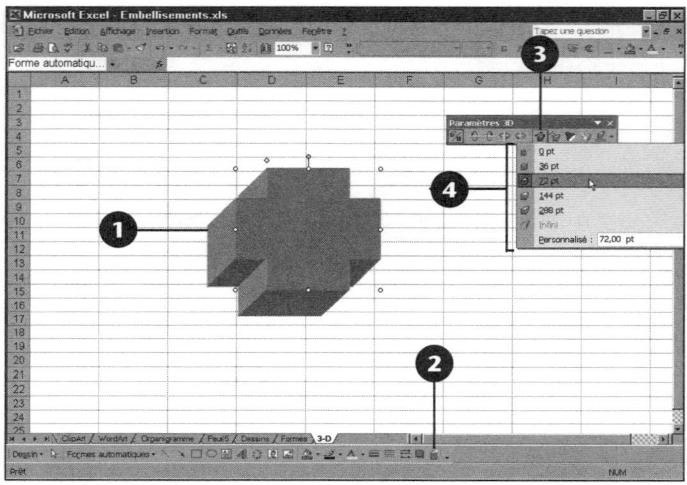

ASTUCE

Définir la direction d'un objet 3D. *Dans la barre d'outils Paramètres 3D, cliquez sur le bouton Orientation et retenez une option. Vous pouvez également choisir un point de vue en perspective ou en parallèle.*

Aligner et répartir des objets

Excel possède des commandes de répartition horizontale ou verticale dans l'espace occupé, ou pour toute la feuille de calcul.

ASTUCE

Ouvrir la barre d'outils Dessin. *Si la barre d'outils Dessin n'est pas affichée, dans le menu Affichage, pointez sur Barres d'outils et cliquez sur Dessin.*

Aligner des objets

1. Maintenez enfoncée la touche MAJ tout en cliquant sur les objets à aligner.

2. Cliquez sur le menu Dessin dans la barre d'outils Dessin, puis pointez sur Aligner ou répartir.

3. Choisissez une option d'alignement.
   - Aligner à gauche : aligne les bordures de gauche des objets sélectionnés.
   - Centrer : aligne verticalement les centres des objets sélectionnés.
   - Aligner à droite : aligne les bordures de droite des objets sélectionnés.
   - Aligner en haut : aligne les bordures supérieures des objets sélectionnés.
   - Aligner au milieu : aligne horizontalement les centres des objets sélectionnés.
   - Aligner en bas : aligne les bordures inférieures des objets sélectionnés.

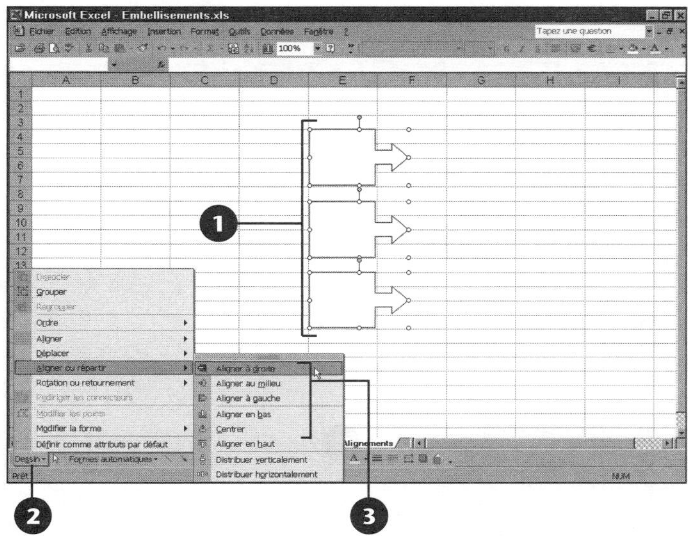

ASTUCE

Aligner automatiquement un objet sur une grille ou une forme. *Lorsque vous faites glisser un objet, vous pouvez demander à Excel de l'aligner automatiquement sur un autre objet ou sur un quadrillage invisible de votre feuille de calcul. Dans le menu Dessin de la barre d'outils Dessin, pointez sur Aligner puis cliquez sur Sur la grille ou Sur la forme.*

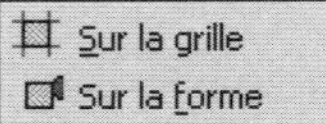

Répartir des objets

1. Maintenez enfoncée la touche MAJ tout en sélectionnant les objets à répartir.
2. Dans le menu Dessin de la barre d'outils Dessin, pointez sur Aligner ou répartir.
3. Choisissez une option Répartir :
   - Distribuer horizontalement, pour répartir régulièrement les objets en largeur.
   - Distribuer verticalement, pour répartir régulièrement les objets en hauteur.

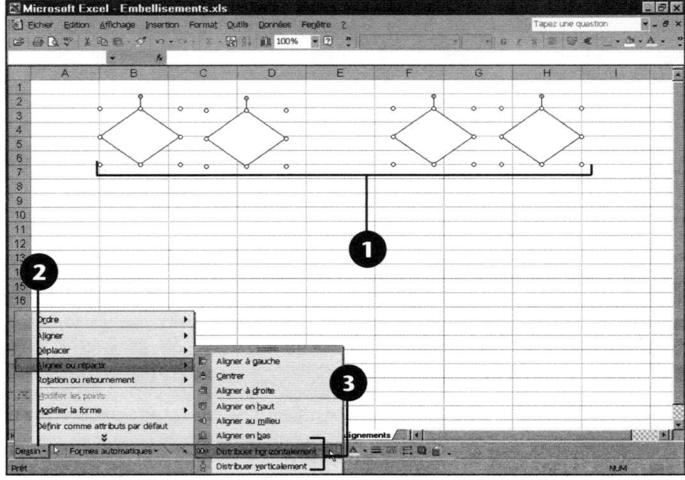

Ordonner et grouper des objets

Si votre feuille de calcul contient de nombreux objets, veillez à leur ordonnancement.

Organiser une pile d'objets

1. Cliquez sur l'objet à positionner.
2. Dans le menu Dessin de la barre d'outils Dessin, pointez sur Ordre.
3. Cliquez sur l'option d'empilage de votre choix :
   - Mettre au premier plan ou Mettre en arrière-plan, pour placer l'objet sur le dessus ou le dessous de la pile.
   - Avancer ou Reculer, pour faire remonter ou redescendre l'objet d'un rang dans la pile.

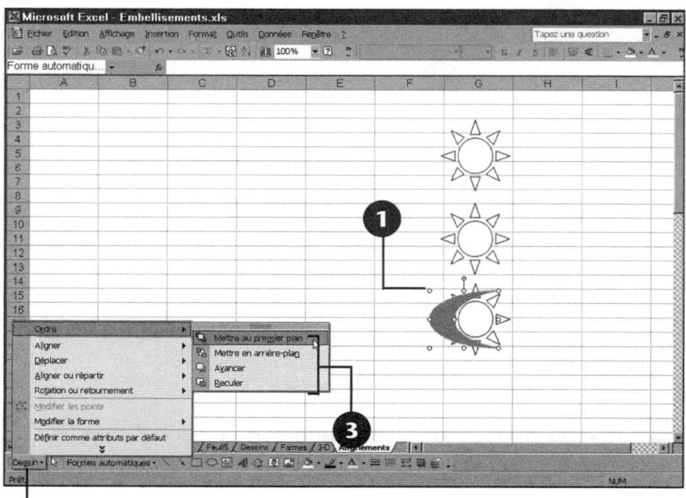

Grouper des objets

1. Maintenez enfoncée la touche MAJ tout en cliquant sur chaque objet à grouper.
2. Cliquez sur le menu Dessin de la barre d'outils Dessin.
3. Cliquez sur Grouper.

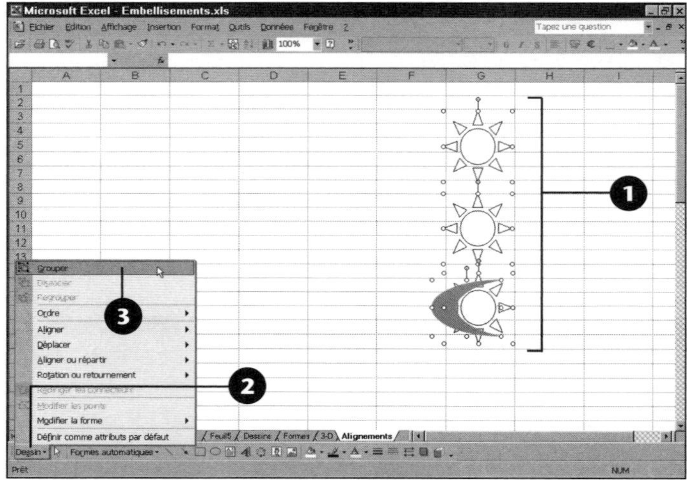

ASTUCE

Aligner des objets avant de les grouper. *Pour un meilleur effet visuel, commencez par aligner vos objets avant de les grouper.*

Dissocier un groupe d'objets

1. Sélectionnez les objets à dissocier.
2. Cliquez sur le menu Dessin de la barre d'outils Dessin.
3. Cliquez sur Dissocier.

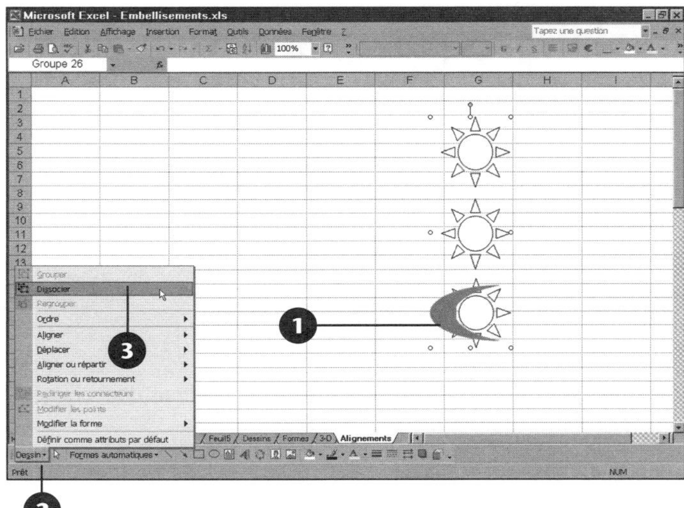

Regrouper des objets dissociés

1. Cliquez sur un ou plusieurs objets de l'ancien groupe.
2. Cliquez sur le menu Dessin dans la barre d'outils Dessin.
3. Cliquez sur Regrouper.

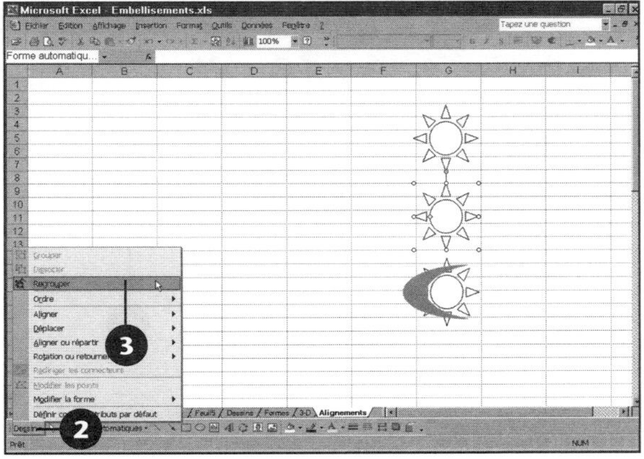

Modifier les paramètres d'affichage d'un objet

Modifiez les paramètres d'affichage afin de masquer ou afficher les objets de vos feuilles de calcul.

Modifier les paramètres d'affichage des objets

1. Dans le menu Outils, cliquez sur Options.
2. Cliquez sur l'onglet Affichage.
3. Dans la section Objets, sélectionnez les options d'affichage.
4. Cliquez sur OK.

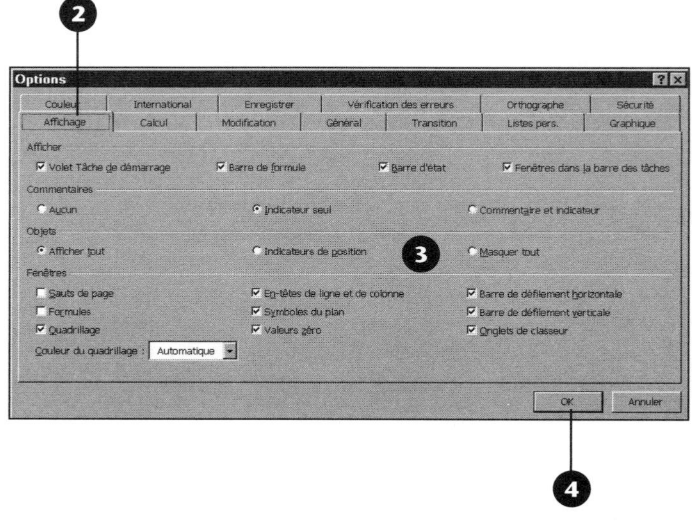

Réaliser des graphiques

8

Si vous êtes enfin prêt à transmettre vos données, la feuille de calcul n'est peut-être pas le support de communication idéal. Une page remplie de nombres, même présentée avec soin, peut se révéler austère voire difficile à comprendre. Afin de produire des présentations plus efficaces, Excel 2002 vous propose des graphiques et des cartes que vous pouvez créer et modifier à partir des données de votre feuille de calcul.

Créer des graphiques

Un *graphique*, ou *diagramme*, est une représentation visuelle de données sélectionnées dans votre feuille de calcul. Bien conçu, il attire l'attention du lecteur sur les données importantes, en illustrant des tendances et en mettant en évidence des liens intéressants entre les chiffres. Excel génère des graphiques à partir des données que vous sélectionnez. Avec l'Assistant Graphique, il vous est facile de choisir le meilleur type de graphique, les éléments de présentation et les améliorations de mise en forme appropriées.

La terminologie des graphiques

Marqueur de données
Objet graphique, tel qu'un cercle, un point ou un carré, qui signale un point de données.

Titre
Texte facultatif indiquant le sujet du graphique.

Poignées
Petites cases noires s'affichant autour d'un objet sélectionné, indiquant que vous pouvez déplacer, redimensionner, copier ou supprimer l'objet.

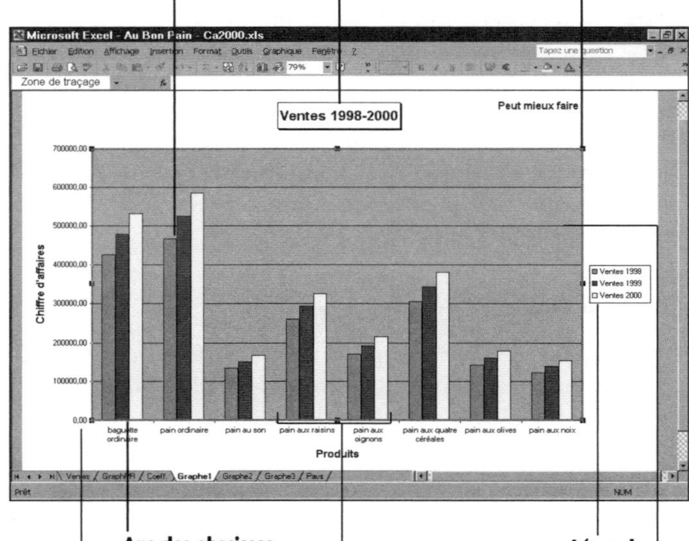

Axe des abscisses
Axe horizontal du graphique.

Axe des ordonnées
Axe vertical du graphique.

Série de données
Plage de points apparentés dans un graphique, représentée par une barre, une colonne ou un secteur.

Légende
Explication de la signification des couleurs, motifs ou symboles utilisés dans le graphique.

Quadrillage
Lignes verticales et horizontales apparaissant à l'arrière-plan d'un graphique pour en faciliter la lecture.

Bien choisir son graphique

Excel propose un choix important de graphiques. Chacun interprète différemment les données que vous lui soumettez. Ainsi, un graphique en secteurs, ou camembert, constitue la représentation idéale pour les parties d'un tout, par exemple la part de chaque article dans un chiffre d'affaires global, tandis qu'un histogramme traduit bien l'évolution d'un chiffre sur une période déterminée.

Lorsque vous générez un graphique, il vous appartient de décider du type de graphique le mieux adapté, et de choisir une mise en forme susceptible de clarifier les informations plutôt que de les compliquer. Tantôt un graphique 3D très coloré et complexe vous permettra d'attirer l'attention sur une tendance importante, tantôt il ne sera que source de confusion.

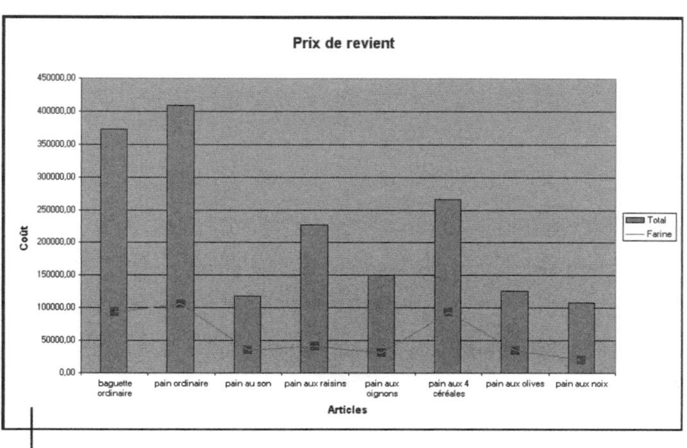

Un graphique composite contient des données d'échelles différentes.

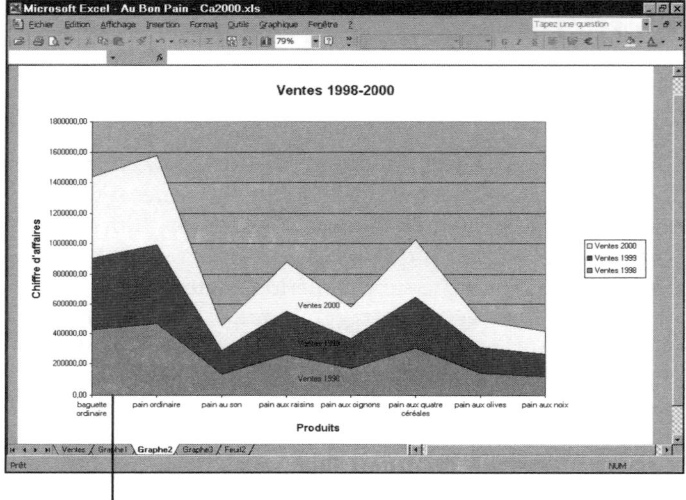

Un graphique en aires met en valeur l'évolution de volumes dans le temps.

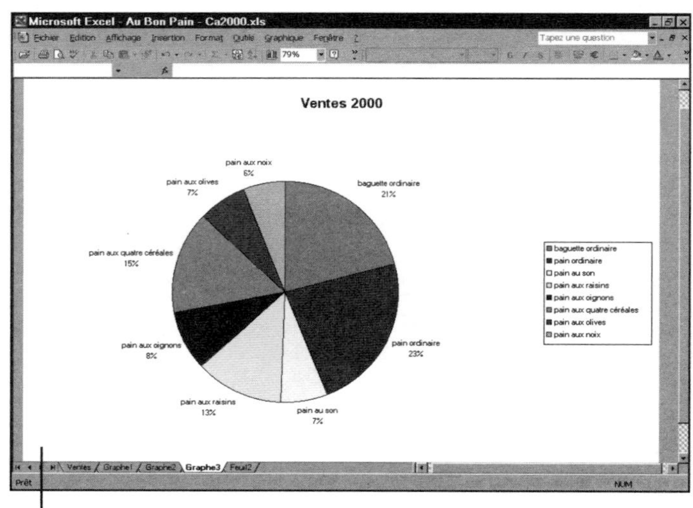

Un graphique à secteurs compare des parties à un tout.

Créer un graphique

L'Assistant Graphique est constitué d'une série de boîtes de dialogue qui vous guident dans les étapes de création d'un graphique efficace qui retient l'attention.

Créer un graphique à l'aide de l'Assistant Graphique

1. Sélectionnez la plage de données à traduire en graphique, y compris les étiquettes de colonnes et de lignes, qui seront automatiquement intégrées au graphique.
2. Cliquez sur le bouton de l'Assistant Graphique de la barre d'outils Standard.
3. Cliquez sur un type de graphique.
4. Cliquez sur un sous-type de graphique.
5. Pour afficher un aperçu du résultat, cliquez sur le bouton Maintenir appuyé pour visionner.
6. Cliquez sur Suivant.

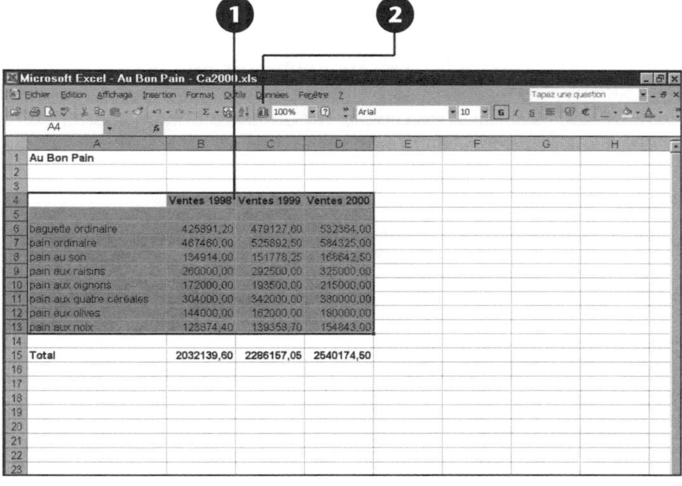

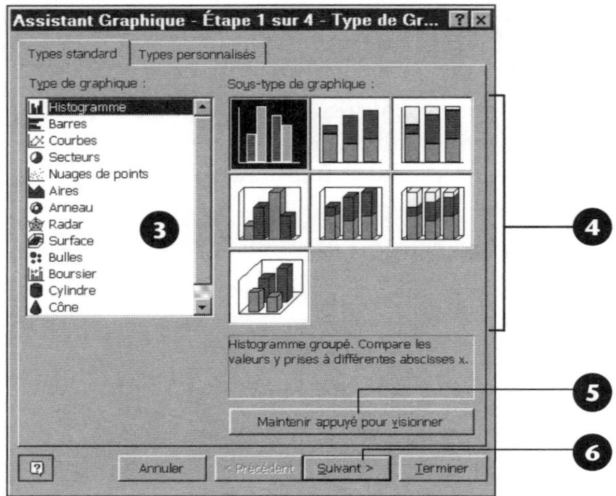

7 Vérifiez que vous avez sélectionné la bonne plage de données.

8 Activez l'option appropriée pour tracer la série de données en lignes ou en colonnes.

9 Cliquez sur Suivant.

10 Entrez des titres dans les zones de texte appropriées pour identifier chaque catégorie de données.
Si vous le souhaitez, cliquez sur un autre onglet pour choisir d'autres options de graphique.

11 Cliquez sur Suivant.

12 Choisissez de placer votre graphique sur une nouvelle feuille de calcul ou dans la feuille active.

13 Cliquez sur Terminer.

ASTUCE

Changer d'avis en cours de travail dans l'Assistant Graphique. *Cliquez sur le bouton Précédent pour revenir aux boîtes de dialogue précédentes, puis sur Suivant pour reprendre votre progression.*

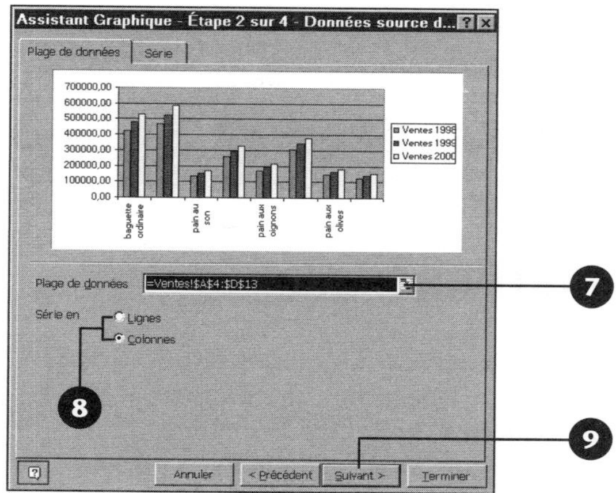
Assistant Graphique - Étape 2 sur 4 - Données source d...
Plage de données
Série
Ventes 1998
Ventes 1999
Ventes 2000
baguette ordinaire
pain au son
pain aux oignons
pain aux olives
Plage de données
=Ventes!$A$4:$D$13
Série en
Lignes
Colonnes
Annuler
< Précédent
Suivant >
Terminer
7
8
9

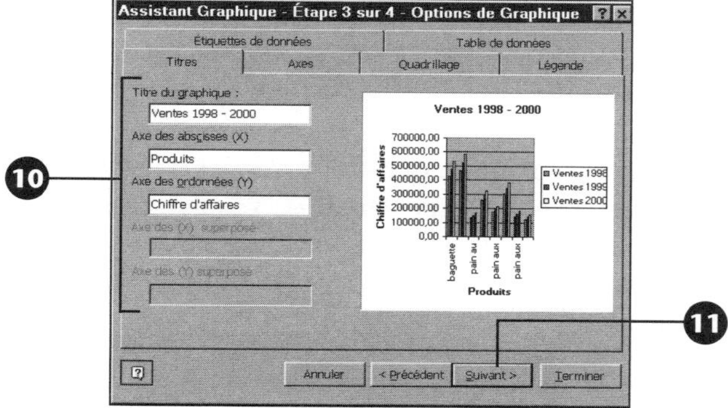
Assistant Graphique - Étape 3 sur 4 - Options de Graphique
Étiquettes de données
Table de données
Titres
Axes
Quadrillage
Légende
Titre du graphique :
Ventes 1998 - 2000
Axe des abscisses (X)
Produits
Axe des ordonnées (Y)
Chiffre d'affaires
Axe des (X) superposé
Axe des (Y) superposé
Ventes 1998 - 2000
Chiffre d'affaires
Produits
Annuler
< Précédent
Suivant >
Terminer
10
11

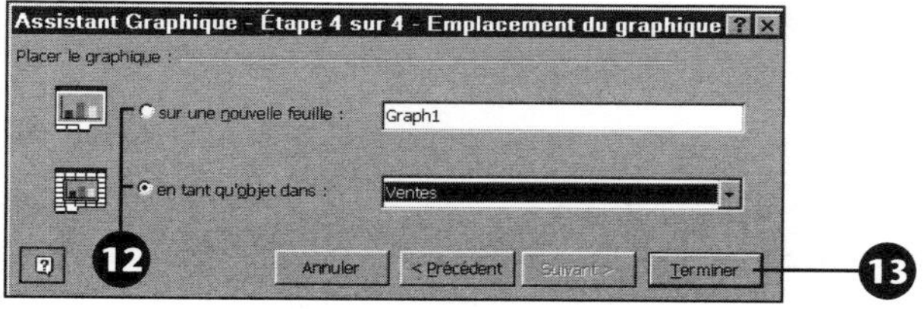
Assistant Graphique - Étape 4 sur 4 - Emplacement du graphique
Placer le graphique :
sur une nouvelle feuille :
Graph1
en tant qu'objet dans :
Ventes
Annuler
< Précédent
Suivant >
Terminer
12
13

ASTUCE

Qu'est-ce qu'un graphique incorporé ? *Si vous décidez de placer le graphique dans votre feuille de calcul plutôt que sur une nouvelle feuille, ce graphique devient un objet incorporé. Vous pouvez alors le redimensionner ou le déplacer comme vous le feriez avec n'importe quel objet graphique.*

Travailler un graphique

Travailler un graphique, c'est modifier certaines de ses caractéristiques, et ce, de la sélection des données jusqu'aux éléments de mise en forme. Pour changer le type d'un graphique ou l'un de ses éléments, commencez par le sélectionner. Des poignées apparaissent autour de la fenêtre du graphique, et la barre d'outils Graphique s'affiche. Comme l'illustre la figure ci-après, en pointant sur un élément du graphique vous affichez son descriptif. En sélectionnant un objet, son nom s'affiche dans la zone de liste Objets du graphique de la barre d'outils Graphique et vous pouvez alors le modifier.

En modifiant un graphique, vous n'affectez pas les données sources. Lorsque vous modifiez vos données, ne vous souciez pas de la mise à jour du graphique correspondant : Excel s'en charge automatiquement.

Le seul élément du graphique que vous pourriez devoir modifier est la plage des données. Si vous décidez de prendre en compte une plage plus vaste ou plus réduite, sélectionnez simplement cette plage dans la feuille de calcul, comme le montre la figure du bas ci-contre, et faites glisser le rectangle de sélection pour inclure dans le graphique la plage voulue.

Changez les données à inclure dans le graphique en faisant glisser le rectangle de sélection.

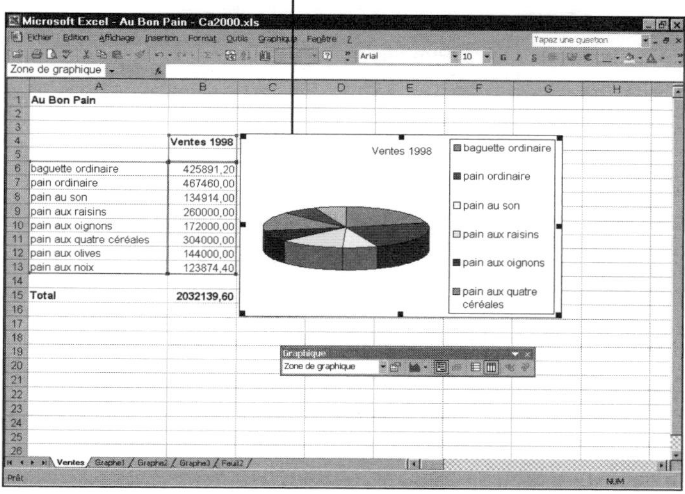

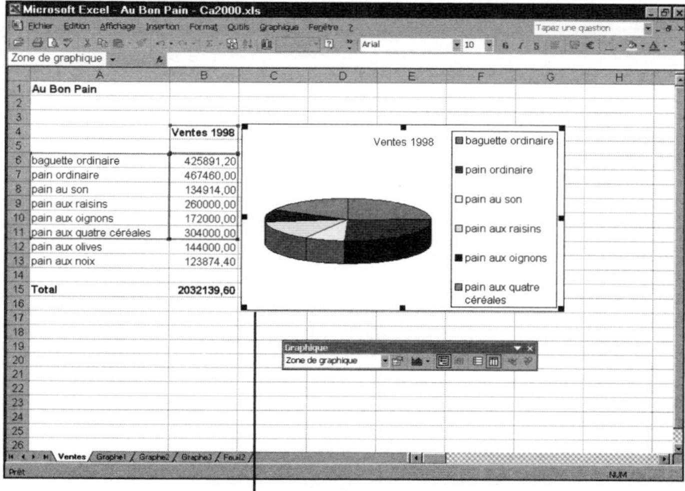

Pour modifier les données prises en compte, faite glisser le rectangle de sélection.

Sélectionner un graphique

Avant de pouvoir déplacer, redimensionner ou mettre en forme un objet graphique, vous devez le sélectionner.

Sélectionner et désélectionner un objet du graphique

1. Sélectionnez un graphique.
   La barre d'outils Graphique apparaît.
2. Placez votre pointeur sur l'un des objets du graphique, puis cliquez pour le sélectionner; ou bien, cliquez sur la flèche de liste déroulante Objets du graphique de la barre d'outils Graphique, puis cliquez sur le nom de l'objet à sélectionner.
3. Cliquez sur une autre zone du graphique ou pressez ÉCHAP pour désélectionner un objet du graphique.

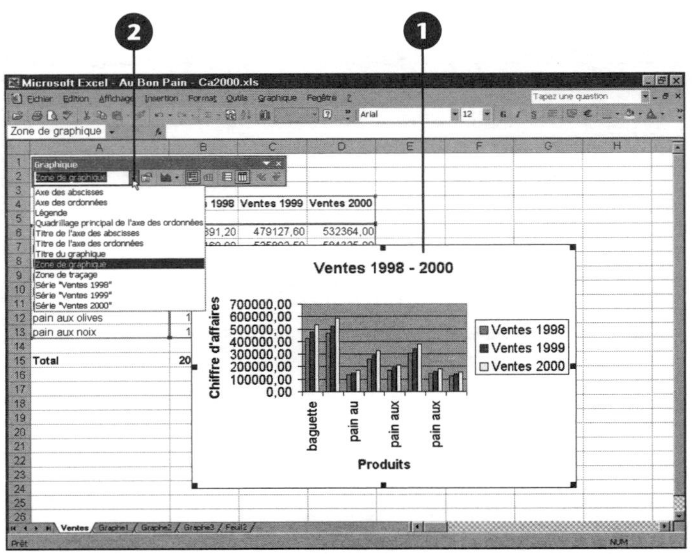

ASTUCE

Obtenir des informations sur un objet grâce aux info-bulles.
Si vous avez oublié le nom de l'objet graphique que vous souhaitez mettre en forme, placez dessus le pointeur de votre souris : une info-bulle apparaît.

Changer de type de graphique

Par défaut, Excel compose les graphiques en histogrammes, mais vous pouvez choisir parmi d'autres types de graphiques.

Changer rapidement de type de graphique

1. Sélectionnez un graphique.
2. Cliquez sur la flèche de liste déroulante Type de graphique de la barre d'outils Graphique.
3. Sélectionnez un type différent. Lorsque vous relâchez le bouton de la souris, le graphique est automatiquement modifié.

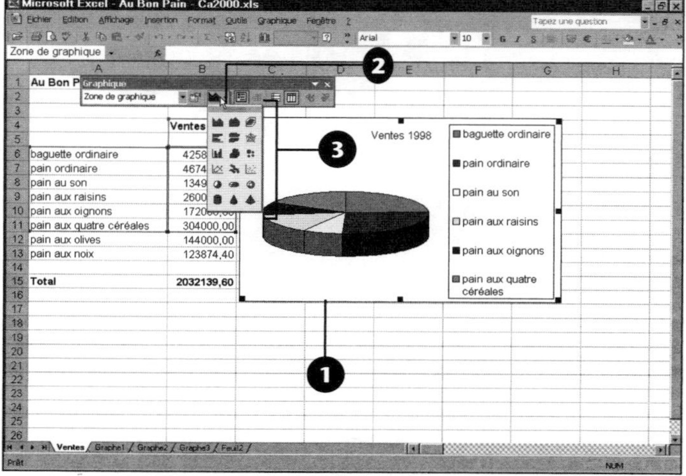

ASTUCE

Changer de type de graphique à l'aide de l'Assistant Graphique. *Si vous n'aimez pas le graphique que vous venez de créer, cliquez pour le sélectionner, puis sur le bouton Assistant Graphique de la barre d'outils Standard afin de choisir un autre type de graphique.*

Changer de type de graphique avec la boîte de dialogue Type de graphique

1. Sélectionnez un graphique.
2. Dans le menu Graphique, cliquez sur Type de graphique.
3. Cliquez sur un nouveau type.
4. Cliquez sur un nouveau sous-type de graphique.
5. Pour afficher un aperçu de la nouvelle présentation, cliquez sur le bouton Maintenir appuyé pour visionner.
6. Cliquez sur OK.

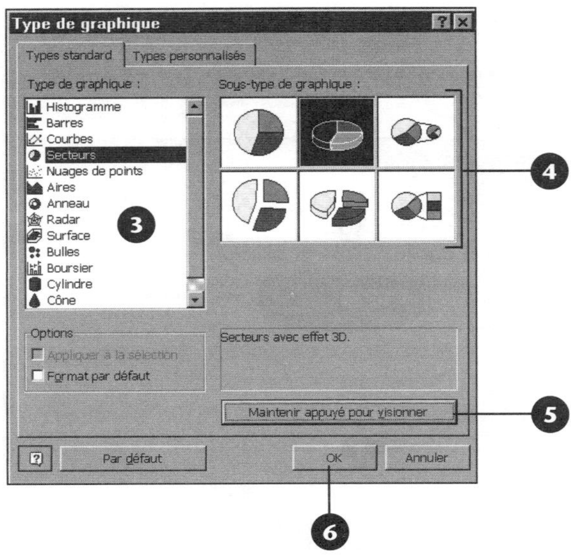

Déplacer et redimensionner un graphique

Dans une feuille indépendante, la dimension et l'emplacement d'un graphique incorporé sont déterminés par les marges de la feuille.

Déplacer un graphique incorporé

1. Sélectionnez un graphique à déplacer.
2. Placez le pointeur de votre souris sur une zone vierge du graphique puis faites glisser pour déplacer la bordure du graphique.
3. Relâchez le bouton de la souris.

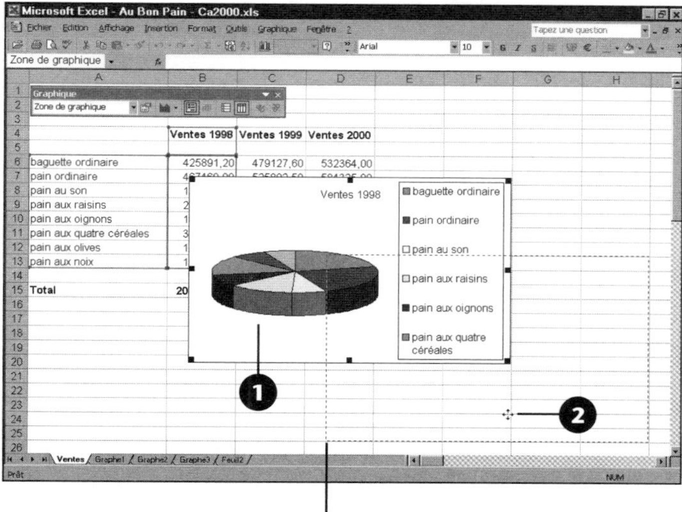

Cette bordure pointillée indique la nouvelle position.

ASTUCE

Éviter de cliquer sur les poignées d'un graphique. *Cliquer et faire glisser la poignée d'un graphique aboutit à le redimensionner. Si vous le faites accidentellement, appuyez sur* CTRL+Z *pour annuler cette modification.*

Redimensionner un graphique incorporé

1. Sélectionnez un graphique à redimensionner.
2. Placez votre pointeur sur l'une des poignées.
3. Faites glisser cette poignée jusqu'à obtenir la dimension désirée.
4. Relâchez le bouton de la souris.

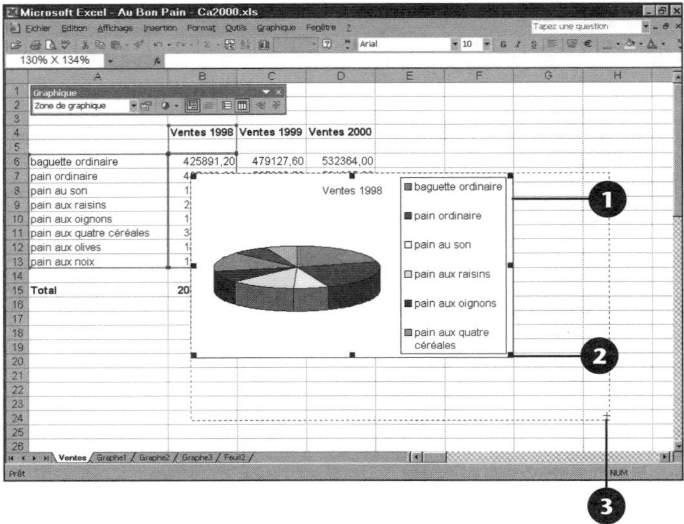

Extraire un secteur de graphique

Pour attirer l'attention sur un secteur particulier, détachez-le des autres secteurs.

Détacher une part de camembert

1. Sélectionnez un graphique à secteurs.
2. Cliquez pour sélectionner la part à détacher.
3. Faites-la glisser hors du camembert.
4. Relâchez le bouton de la souris.

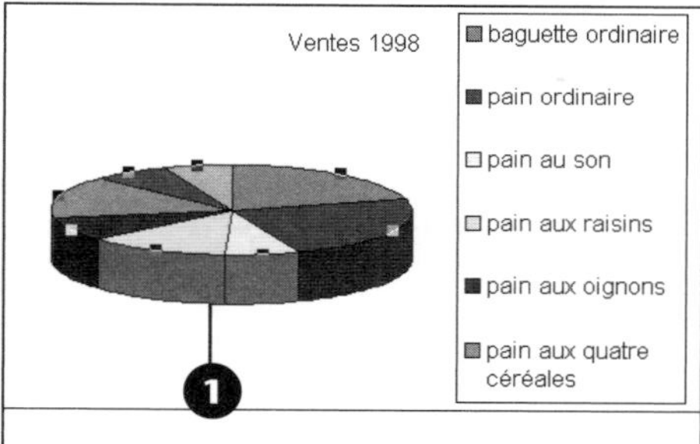

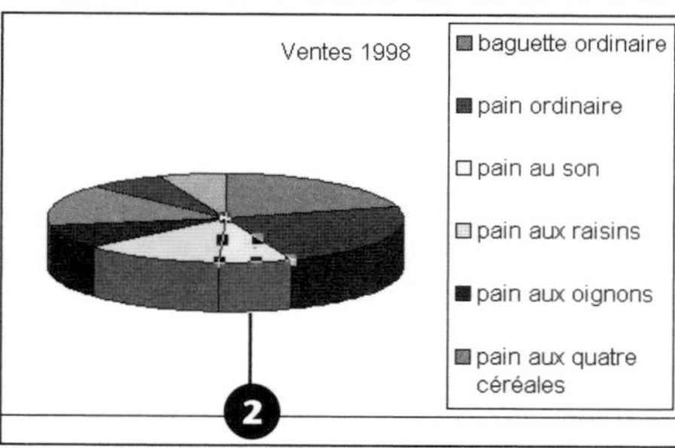

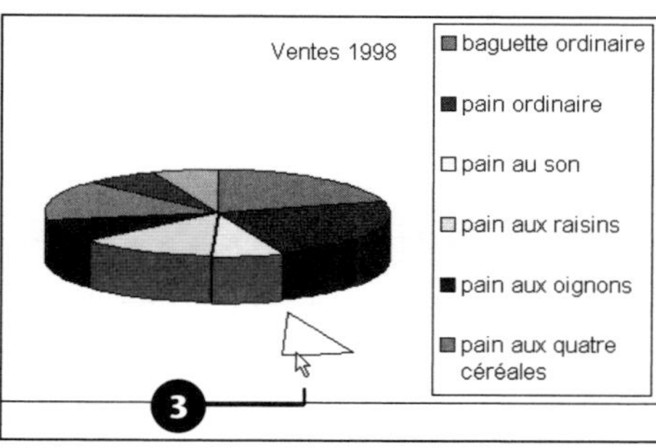

ASTUCE

Sélectionner un secteur du camembert. *Un camembert ne comportant qu'une seule série de données, en cliquant sur un secteur vous sélectionnez tout le camembert. Pour sélectionner un secteur spécifique, vous devez cliquer une seconde fois.*

Détacher tous les secteurs

1. Sélectionnez un graphique à secteurs.
2. Faites glisser un secteur pour l'écarter du centre du graphique.
3. Relâchez le bouton de la souris.

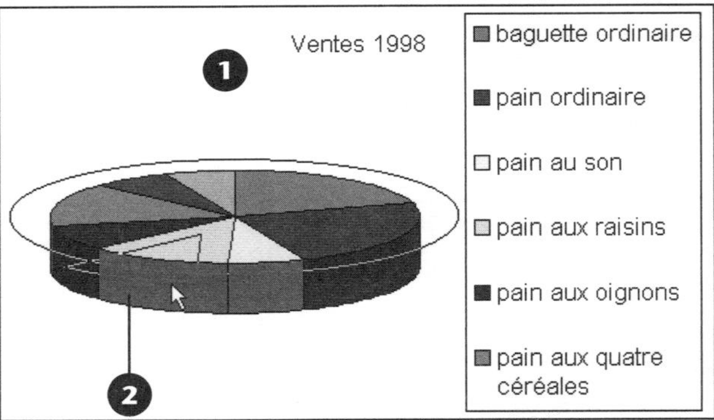

ASTUCE

Identifier un objet du graphique à l'aide de son info-bulle. *Lorsque vous placez votre pointeur sur une zone ou un objet du graphique, une info-bulle vous indique son nom.*

Rassembler les secteurs

1. Sélectionnez un graphique à secteurs.
2. Faites glisser un secteur pour le rapprocher du centre du graphique.
3. Relâchez le bouton de la souris.

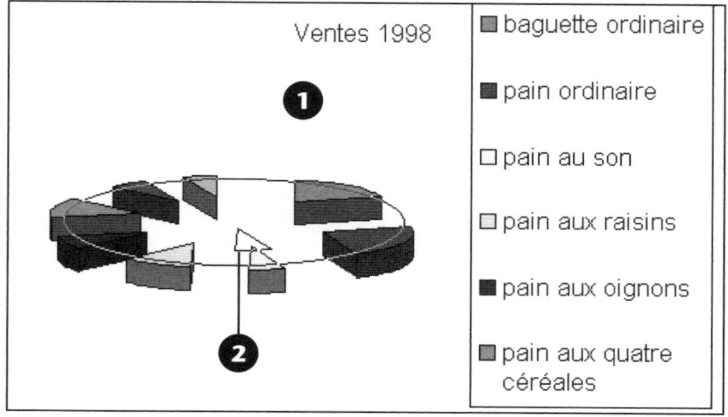

Ajouter et supprimer des séries de données

Chaque plage de données représentée par une barre, une colonne ou un secteur constitue une série de données.

Ajouter rapidement une série de données dans un graphique

1. Sélectionnez la plage contenant les données à ajouter au graphique.
2. Faites glisser cette plage vers le graphique existant.
3. Relâchez le bouton de la souris.

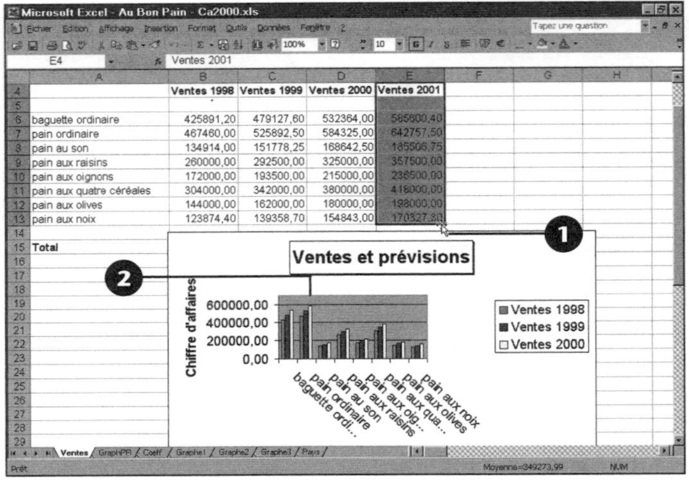

Ajouter une série de données avec la boîte de dialogue Ajouter des données

1. Sélectionnez le graphique où ajouter une série de données.
2. Dans le menu Graphique, cliquez sur Ajouter des données.
3. Entrez les références de la plage dans la zone Plage, sinon cliquez sur le bouton Masquer la boîte de dialogue et faites glisser votre pointeur sur la plage de données à ajouter. Lorsque vous relâchez le bouton de la souris, la boîte de dialogue Ajouter des données s'affiche à nouveau.
4. Cliquez sur OK.

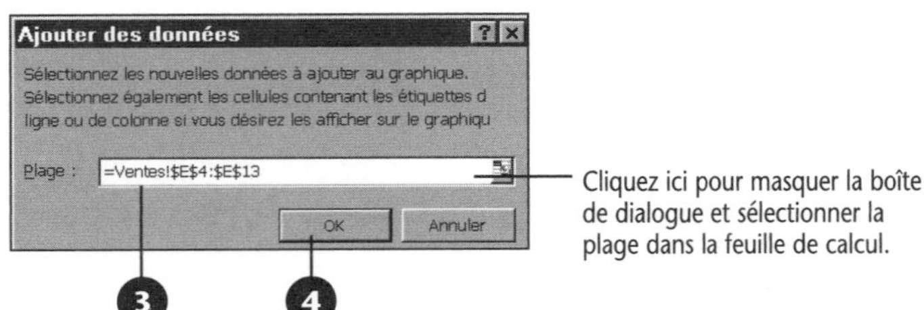

Cliquez ici pour masquer la boîte de dialogue et sélectionner la plage dans la feuille de calcul.

ASTUCE

Effacer un point de donnée dans un graphique. *Pour supprimer une donnée dans un graphique, mais conserver le reste de la série de données, cliquez sur le point de donnée deux fois, pour qu'il soit seul sélectionné, puis appuyez sur la touche suppr.*

Effacer une série de données

1. Sélectionnez le graphique contenant la série de données à effacer.
2. Cliquez sur n'importe quel point dans la série de données à effacer.
3. Appuyez sur SUPPR.

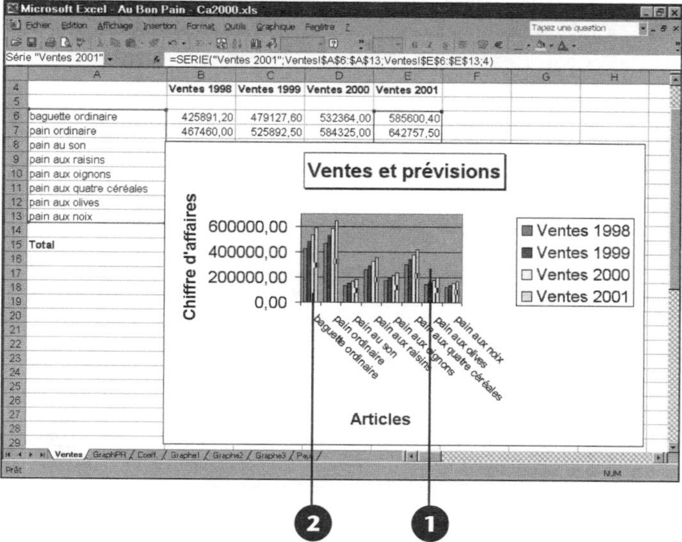

ASTUCE

Sélectionner des éléments du graphique à l'aide de la barre d'outils Graphique. *Sélectionnez un élément du graphique en cliquant sur la flèche de liste déroulante Objets du graphique. Une fois l'élément sélectionné, double-cliquez dessus afin d'ouvrir une boîte de dialogue Format pour cet élément.*

Changer l'ordre des séries de données

1. Sélectionnez le graphique contenant la série de données à ordonner.
2. Double-cliquez sur n'importe quel point de la série.
3. Cliquez sur l'onglet Ordre des séries.
4. Cliquez sur la série à déplacer.
5. Cliquez sur Déplacer vers le haut ou Déplacer vers le bas.
6. Cliquez sur OK.

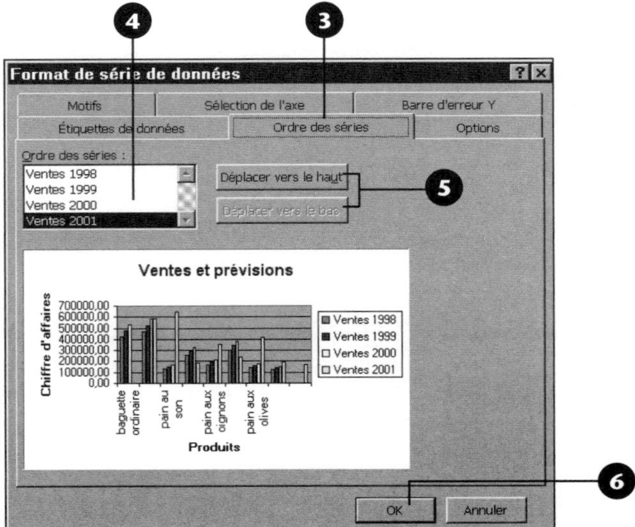

Améliorer des séries de données

Lorsque vous réalisez un graphique avec l'assistant, Excel décide seul des couleurs à utiliser.

ASTUCE

Mettre rapidement en forme un objet de graphique. *Double-cliquez sur un objet pour ouvrir une boîte de dialogue Format le concernant : vous pouvez y modifier les attributs de l'objet. Les options de mise en forme proposées dépendent de l'objet sélectionné.*

Modifier la couleur ou le motif d'une série de données

1. Cliquez dans une série pour la sélectionner.
2. Double-cliquez sur un point de données de la série que vous venez de sélectionner.
3. Cliquez sur l'onglet Motifs.
4. Cliquez sur une couleur dans la palette de la section Aires. La couleur sélectionnée s'affiche dans la zone Aperçu.
5. Pour ajouter des effets, comme des textures, motifs, dégradés ou images, cliquez sur Motifs et textures.
6. Cliquez sur l'onglet Dégradé, Texture ou Motif pour modifier l'aspect de la série de données.
7. Lorsque vous avez terminé, cliquez sur OK.
8. Cliquez sur OK si vous êtes satisfait du résultat affiché dans l'Aperçu.

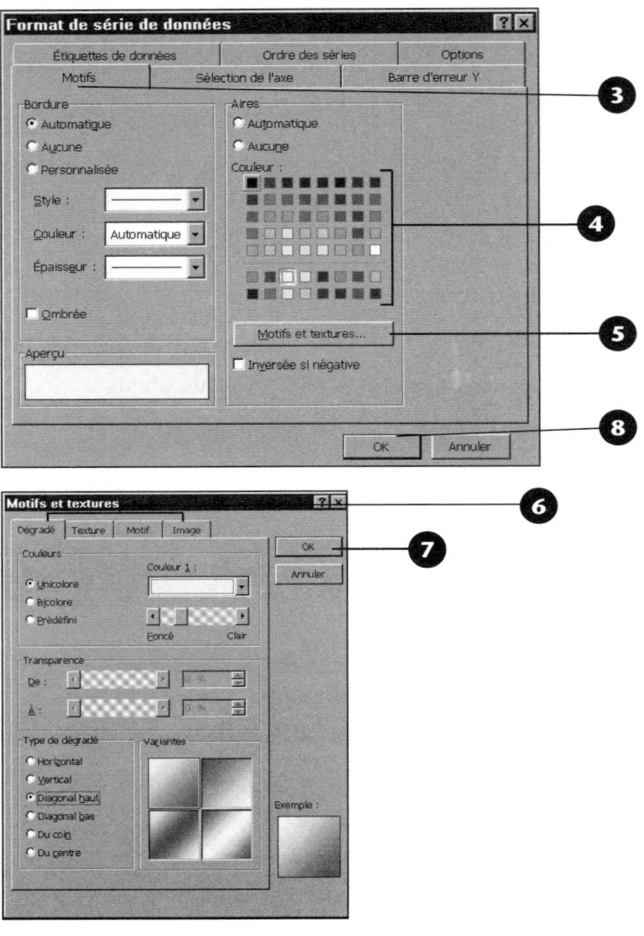

Ajouter une image dans une série de données

1. Sélectionnez une série de données.
2. Double-cliquez sur un point dans la série sélectionnée.
3. Cliquez sur Motifs et textures.

4 Cliquez sur l'onglet Image.

5 Cliquez sur Sélectionner une image.

6 Recherchez et sélectionnez le fichier image voulu.

7 Cliquez sur Insérer.

8 Si vous souhaitez que l'image soit étirée le long de la barre, choisissez l'option Étirer ; si vous préférez dupliquer l'image autant de fois qu'il le faut pour remplir la barre, choisissez Empiler.

9 Cliquez sur OK.

10 Cliquez sur OK.

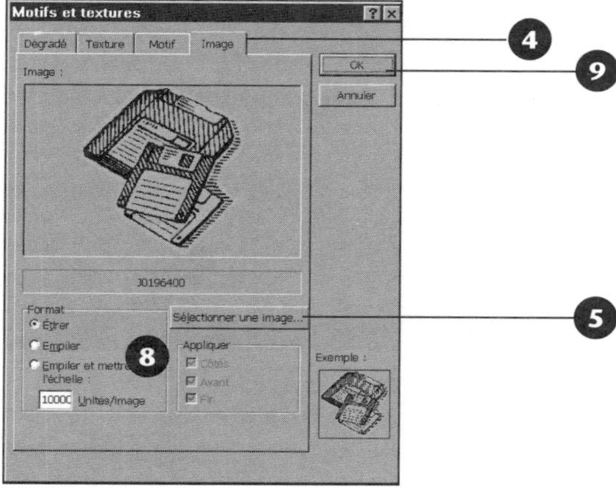

Améliorer un graphique

Pour améliorer la présentation et l'efficacité de votre graphique, ajoutez des objets de graphique, tels que titres, légendes et annotations, et des options de graphique telles qu'un quadrillage.

Ajouter un titre

1. Sélectionnez un graphique auquel ajouter un ou plusieurs titres.
2. Dans le menu Graphique, cliquez sur Options du graphique.
3. Cliquez sur l'onglet Titres.
4. Entrez un texte pour le titre du graphique.
5. Pour donner un titre à l'axe des abscisses, appuyez sur la touche de tabulation puis saisissez votre texte.
6. Procédez de la même façon pour donner un titre à l'axe des ordonnées.
7. S'il vous faut une ligne de plus pour ces titres, appuyez sur TAB pour accéder aux zones Axe des (X) superposé et Axe des (Y) superposé (si elles sont activées), et entrez la suite.
8. Vérifiez vos titres dans la zone d'aperçu.
9. Cliquez sur OK.

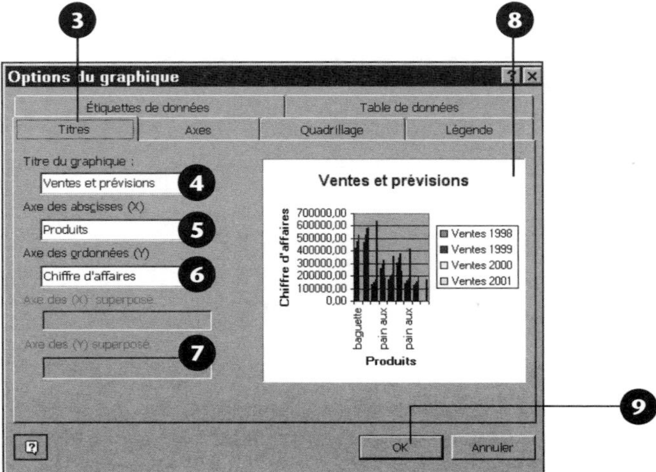

Ajouter ou supprimer une légende

1. Sélectionnez le graphique où ajouter ou supprimer une légende.
2. Cliquez sur le bouton Légende de la barre d'outils Graphique. Faites ensuite glisser la légende vers un autre emplacement.

ASTUCE

Redimensionner la zone de texte pour un titre de plusieurs lignes. *Entrez le texte du titre, puis redimensionnez la zone de texte.*

Ajouter une annotation

1. Sélectionnez le graphique à annoter.
2. Tapez le texte du commentaire dans la barre de formules, puis pressez ENTRÉE. Une zone contenant votre texte apparaît dans la zone du graphique.
3. Placez votre pointeur sur la zone de texte jusqu'à ce qu'il change de forme.
4. Replacez la zone de texte à un emplacement approprié.
5. Appuyez sur ÉCHAP pour désélectionner la zone de texte.

ASTUCE

Quadrillage principal ou secondaire. *Le quadrillage principal comporte une ligne pour chaque valeur portée sur un axe; le quadrillage secondaire ajoute des lignes entre les valeurs.*

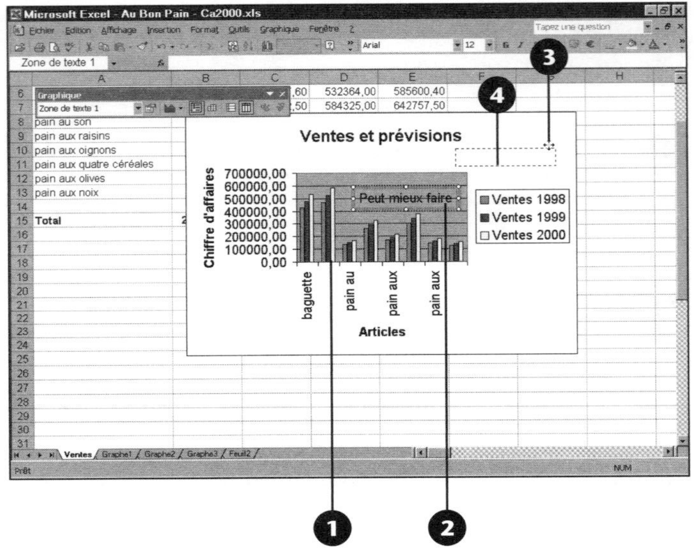

Ajouter un quadrillage

1. Sélectionnez un graphique auquel ajouter un quadrillage.
2. Dans le menu Graphique, cliquez sur Options du graphique.
3. Cliquez sur l'onglet Quadrillage.
4. Sélectionnez un type de quadrillage pour les abscisses et les ordonnées.
5. Cliquez sur OK.

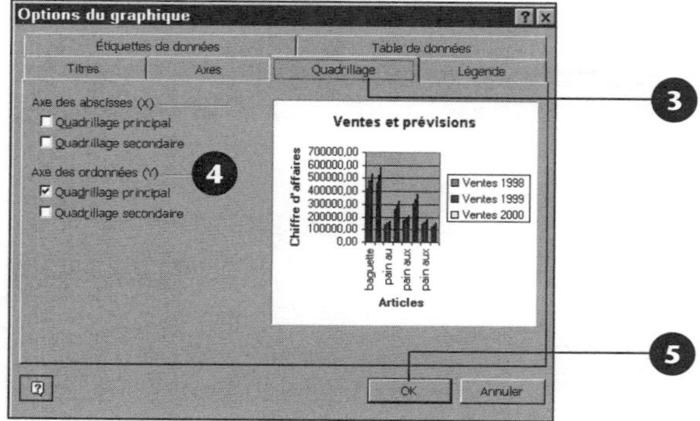

Dessiner sur un graphique

Vous avez ajouté des titres et du texte, vous avez amélioré votre graphique, peut-être souhaitez-vous valoriser certaines informations à l'aide des outils de la barre Dessin.

Ombrer une annotation

1. Sélectionnez un graphique dont vous souhaitez modifier les annotations.
2. Sélectionnez une annotation dans ce graphique.
3. Cliquez sur le bouton Dessin de la barre d'outils Standard.
4. Cliquez sur le bouton Style Ombre de la barre d'outils Dessin.
5. Sélectionnez une ombre en fonction de l'effet voulu. Faites des essais avant de choisir.

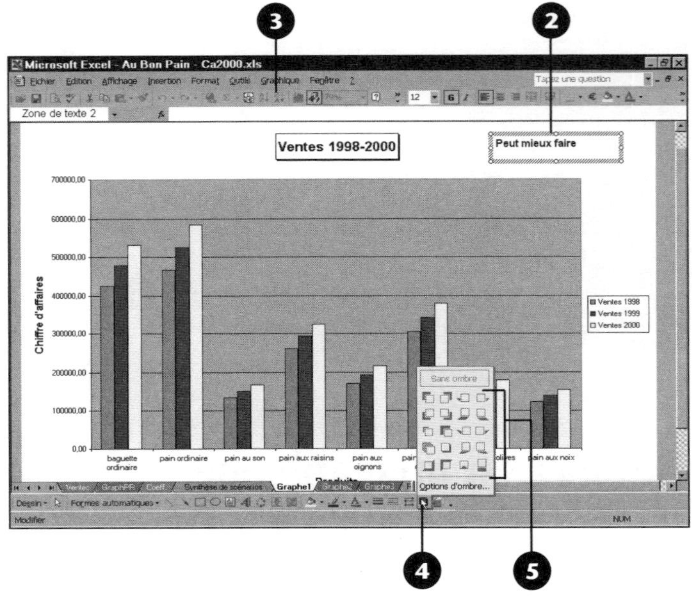

ASTUCE

Tracer des lignes droites à l'aide de la touche MAJ. *Pour tracer une flèche verticale, horizontale ou diagonale, maintenez enfoncée la touche MAJ tout en faisant glisser votre pointeur.*

Ombrer le titre d'un graphique

1. Sélectionnez le graphique.
2. Double-cliquez sur le titre.
3. Cliquez sur l'onglet Motifs, si nécessaire.
4. Cochez la case Ombrée.
5. Cliquez sur OK.

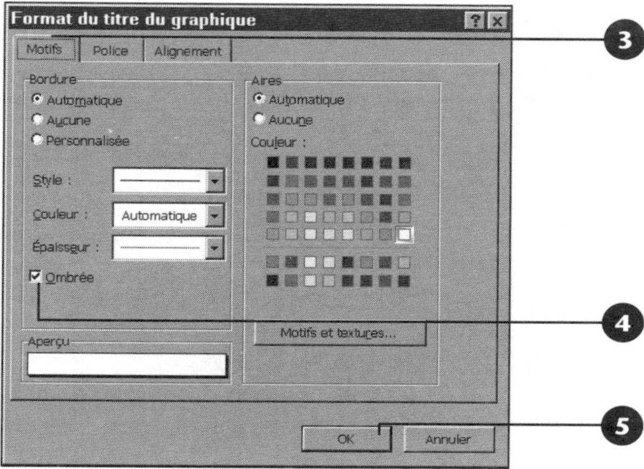

ASTUCE

Modifier une flèche à l'aide de la barre d'outils Dessin. *Cliquez sur le bouton Style de trait, Style de ligne ou Style de flèche de la barre d'outils Dessin pour modifier votre flèche.*

Tracer une flèche dans un graphique

1. Sélectionnez le graphique.
2. Si nécessaire, cliquez sur le bouton Dessin de la barre d'outils Standard pour afficher la barre de Dessin.
3. Cliquez sur le bouton Flèche de la barre d'outils Dessin.
4. Placez votre pointeur près de l'objet point de départ, ou base, de la flèche.
5. Cliquez et faites glisser le pointeur de l'objet base vers un autre objet. La pointe de la flèche apparaît à côté du second objet.

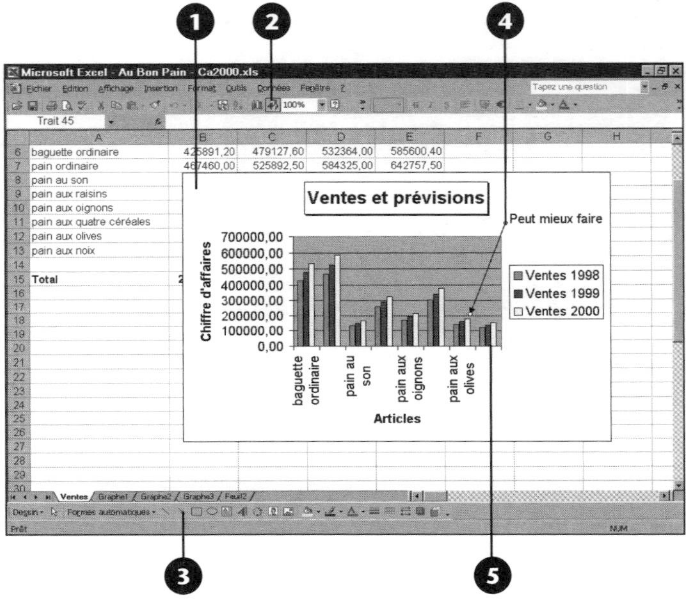

Mettre en forme les éléments d'un graphique

Des objets comme les annotations, les étiquettes de données et les titres constituent le texte du graphique. Pour en faciliter la lecture, formatez-les.

ASTUCE

Modifier l'alignement du texte d'un graphique. *Cliquez sur le texte. Double-cliquez sur le cadre du texte à modifier, cliquez sur l'onglet Alignement, modifiez l'orientation et cliquez sur OK.*

Mettre en forme le texte d'un graphique

1. Sélectionnez le graphique concerné.

2 Double-cliquez sur l'objet contenant le texte. Une boîte de dialogue Format apparaît.

3 Cliquez sur l'onglet Police.

4 Choisissez une police, un style et une taille.

5 Combinez à votre guise les options Soulignement, Couleur, Arrière-plan et Attributs.

6 Cliquez sur OK.

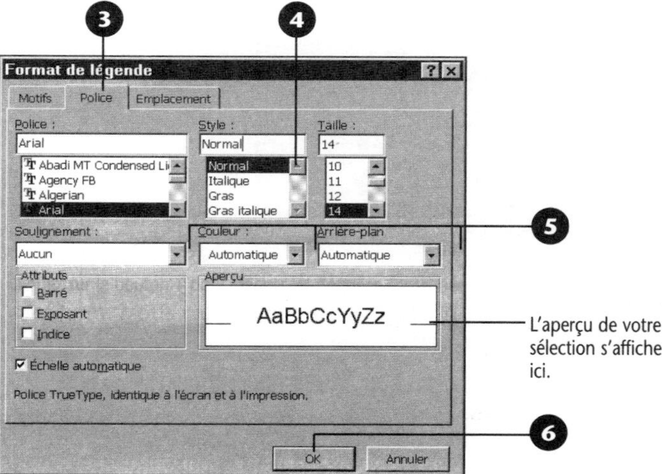

ASTUCE

Changer les motifs d'un axe. *Double-cliquez sur l'axe à modifier, cliquez sur l'onglet Motifs, modifiez le style de trait, le type des graduations principales et secondaires et des étiquettes de graduation, puis cliquez sur OK.*

Mettre en forme un axe de graphique

1 Sélectionnez le graphique concerné.

2 Double-cliquez sur l'axe vertical ou horizontal pour afficher une boîte de dialogue Format de l'axe

3 Cliquez sur l'onglet Échelle.

4 Choisissez l'échelle et les unités d'affichage.

5 Pour modifier le format des nombres, cliquez sur l'onglet Nombre et sélectionnez le format numérique approprié.

6 Cliquez sur OK.

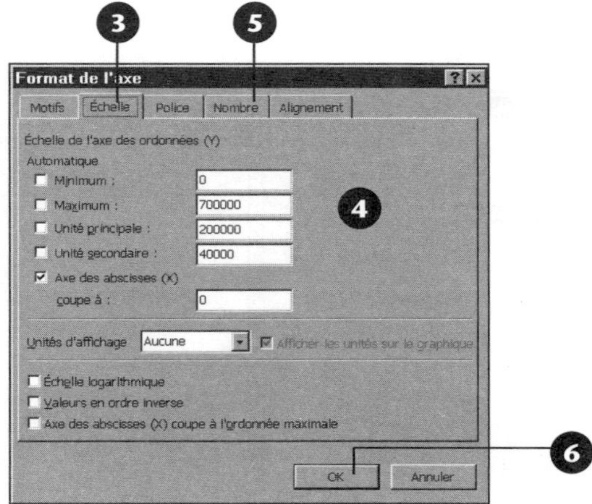

Analyser les données d'une feuille de calcul

9

Outre les calculs de valeurs, une feuille de calcul permet également de gérer et d'analyser une liste d'informations, parfois nommée *base de données*. Avec Excel 2002, vous tenez aussi bien un inventaire, un carnet scolaire ou une base de vos clients. Excel possède toutes sortes d'outils qui facilitent l'actualisation de vos listes et leur analyse, en procurant rapidement les informations demandées : nombre d'articles manquant en stock ou liste des meilleurs clients, par exemple.

Outils d'analyse des données

Les outils d'analyse de données d'Excel sont constitués de programmes de classement alphanumérique (*tri*), d'affichage d'informations selon certains critères (*filtrage*) et de récapitulation de données en tableaux (*tableau croisé dynamique*). Vous procédez à ces analyses directement dans une feuille de calcul, ou avec une *grille de données*. Avec cet outil de saisie de données à l'écran comparable à un formulaire, vous saisissez des données dans des zones de texte vierges, puis les ajoutez à la liste. Vous déterminez ainsi votre chiffre d'affaires sur une durée donnée, voire les vendeurs les plus performants.

La terminologie des listes

Une base de données est une collection d'enregistrements de même nature : carnet d'adresses, liste de clients, inventaire ou annuaire téléphonique, par exemple. Dans Excel, une base de données est appelée liste.

Nom de champ
Titre donné à un champ. Dans une liste Excel, la première ligne contient le nom de chaque champ. Un nom de champ peut comporter jusqu'à 255 caractères, en majuscules, minuscules et espaces.

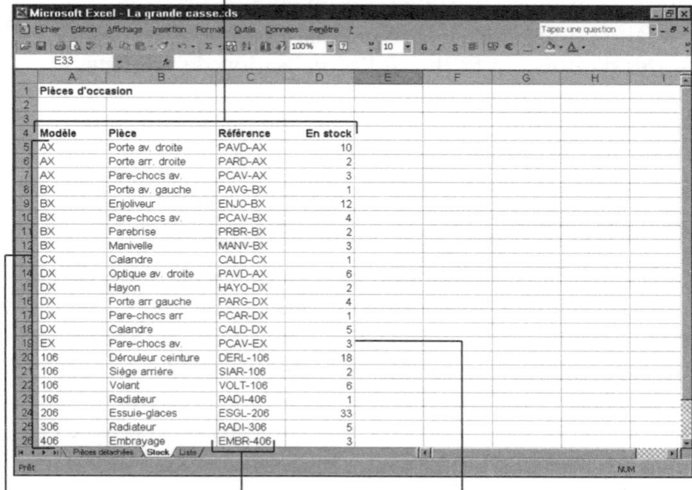

Pièces d'occasion

Modèle	Pièce	Référence	En stock
AX	Porte av. droite	PAVD-AX	10
AX	Porte arr. droite	PARD-AX	2
AX	Pare-chocs av.	PCAV-AX	3
BX	Porte av. gauche	PAVG-BX	1
BX	Enjoliveur	ENJO-BX	12
BX	Pare-chocs av.	PCAV-BX	4
BX	Parebrise	PRBR-BX	2
BX	Manivelle	MANV-BX	3
CX	Calandre	CALD-CX	1
DX	Optique av. droite	PAVD-AX	6
DX	Hayon	HAYO-DX	2
DX	Porte arr gauche	PARG-DX	4
DX	Pare-chocs arr	PCAR-DX	1
DX	Calandre	CALD-DX	5
EX	Pare-chocs av.	PCAV-EX	3
106	Dérouleur ceinture	DERL-106	18
106	Siège arrière	SIAR-106	2
106	Volant	VOLT-106	6
106	Radiateur	RADI-406	1
206	Essuie-glaces	ESGL-206	33
306	Radiateur	RADI-306	5
406	Embrayage	EMBR-406	3

Plage de liste
Bloc de cellules contenant la liste ou la partie de liste que vous souhaitez analyser.
Une plage de liste ne peut excéder une feuille de calcul.

Champ
Information élémentaire, par exemple, nom de client, ou numéro de référence produit. Dans une feuille de calcul, chaque colonne représente un champ.

Enregistrement
Ensemble de champs correspondant à une même entrée, par exemple, tous les champs relatifs à un client donné, ou à un produit donné. Dans une feuille de calcul, chaque ligne représente un enregistrement.

Créer une liste

Pour créer une liste sous Excel, saisissez normalement vos données dans les cellules de la feuille de calcul. Respectez, cependant, certaines règles :

- Les noms de champs doivent occuper une seule ligne, la première de la liste.
- Un enregistrement doit occuper une seule ligne, chaque champ de l'enregistrement occupant la colonne du nom de champ correspondant.
- La liste ne doit pas comporter de lignes vierges.
- Une plage de liste ne doit pas dépasser une feuille de calcul.

Créer une liste

1. Ouvrez une feuille de calcul vierge, ou utilisez une feuille avec suffisamment de lignes et de colonnes vides pour votre liste.
2. Entrez dans des colonnes adjacentes un nom pour chaque champ, sur la première ligne de la liste.
3. Entrez les informations de champ de chaque enregistrement, à raison d'une ligne par enregistrement, en commençant sur la ligne immédiatement sous la ligne des noms de champs.

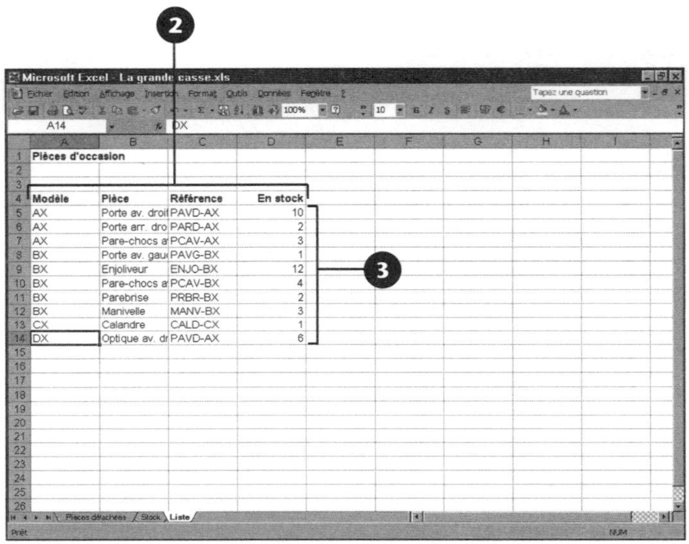

Qu'est-ce qu'une grille de données?

Si vous préférez saisir vos données dans un formulaire prédessiné au lieu de vous déplacer par tabulations dans une feuille de calcul, vous apprécierez la grille de données. Cette boîte de dialogue contient les noms des champs de votre plage de liste et des zones de texte que vous remplissez. Excel génère automatiquement une grille de données à partir des noms de champs définis en créant la liste.

Dans une grille de données, saisissez de nouvelles données dans les zones de texte d'un enregistrement vierge, modifiez les données d'un enregistrement existant (mais sans modifier les noms de champs), naviguez vers d'autres enregistrements et recherchez les enregistrements sélectionnés.

Grille de données

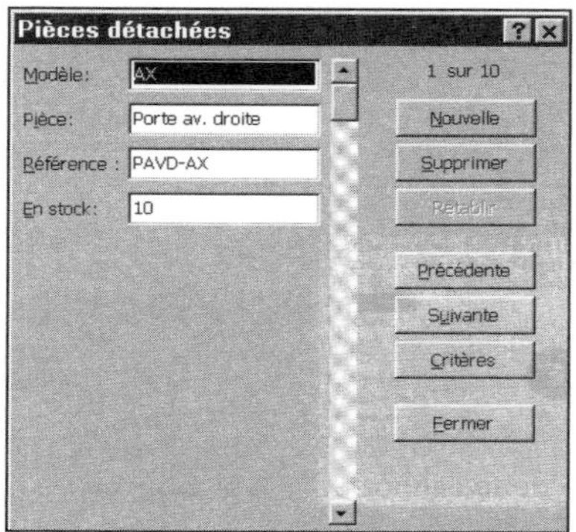

Saisir des enregistrements avec une grille de données

Après avoir saisi les noms des champs, créez votre grille de données dans le menu Données.

Saisir des enregistrements dans une grille de données

1. Cliquez dans une cellule de la plage de liste. Si aucune donnée n'a encore été saisie, cliquez sur l'un des noms de champs.
2. Dans le menu Données, cliquez sur Formulaire.
3. Cliquez sur Nouvelle.
4. Saisissez chaque valeur dans le champ approprié.
5. Pour vous déplacer de champ en champ, cliquez sur chacun d'entre eux ou pressez TAB.
6. Cliquez sur Fermer.

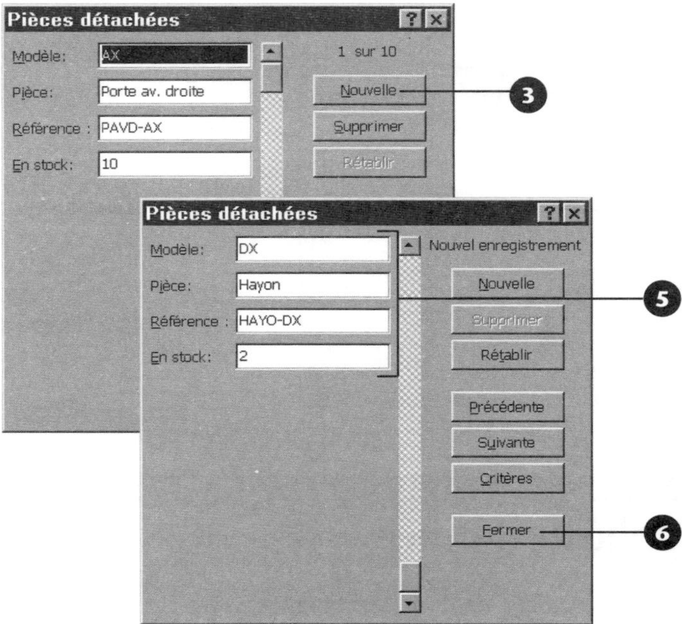

Gérer des enregistrements avec une grille de données

Dans une grille de données, vous affichez, modifiez ou supprimez des enregistrements sélectionnés dans une liste.

ASTUCE

Retourner à la liste complète des enregistrements. *Pour retourner à la grille de données complète, cliquez sur le bouton Fermer.*

Afficher les enregistrements sélectionnés

1. Cliquez n'importe où dans la plage de liste.

2. Dans le menu Données, cliquez sur Formulaire.
3. Cliquez sur Critères.
4. Entrez les informations avec lesquelles sélectionner les enregistrements (utilisez tous les champs).
5. Cliquez sur Précédente ou Suivante pour trouver un enregistrement répondant aux critères.
6. Répétez l'étape 5 jusqu'à ce qu'Excel émette un bip, ou si vous en avez fait le tour, cliquez sur Fermer.

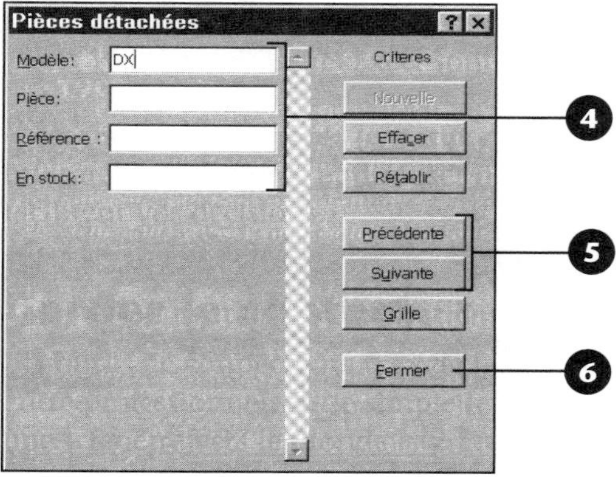

Modifier un enregistrement

1. Cliquez n'importe où dans la plage de liste.
2. Dans le menu Données, cliquez sur Formulaire.
3. Cherchez l'enregistrement.
4. Cliquez pour placer le point d'insertion dans le champ concerné, puis modifiez votre texte à l'aide des touches RET. ARR et SUPPR.
5. Cliquez sur Fermer.

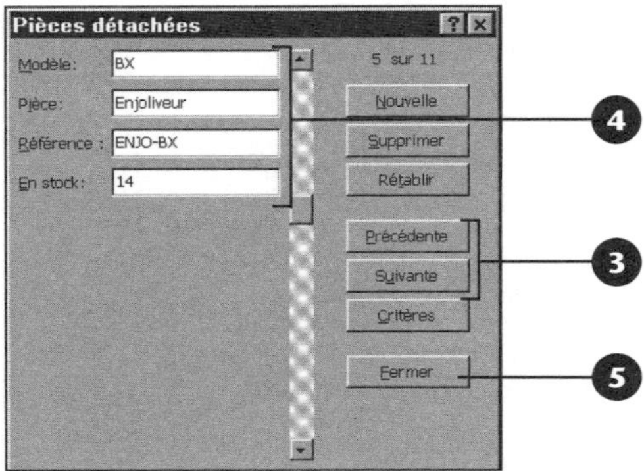

ASTUCE

Trouver rapidement des données dans une liste à l'aide des caractères génériques. *Le caractère « ? » remplace n'importe quel caractère, « * » remplace un nombre quelconque de caractères. Si vous tapez R?Z, vous pouvez obtenir les réponses RAZ, REZ, RIZ; si vous tapez R*Z, vous obtiendrez RIDEZ, REMUEZ, RAVIVEZ…*

Supprimer un enregistrement

1. Cliquez n'importe où dans la plage de liste.
2. Dans le menu Données, cliquez sur Formulaire.
3. Cliquez sur Critères.
4. Entrez les informations appropriées dans les enregistrements à sélectionner. Vous pouvez utiliser plusieurs champs.
5. Cliquez sur Précédente ou Suivante pour trouver un enregistrement répondant aux critères.
6. Cliquez sur Supprimer.
7. Cliquez sur OK dans la boîte de dialogue d'avertissement.
8. Cliquez sur Fermer.

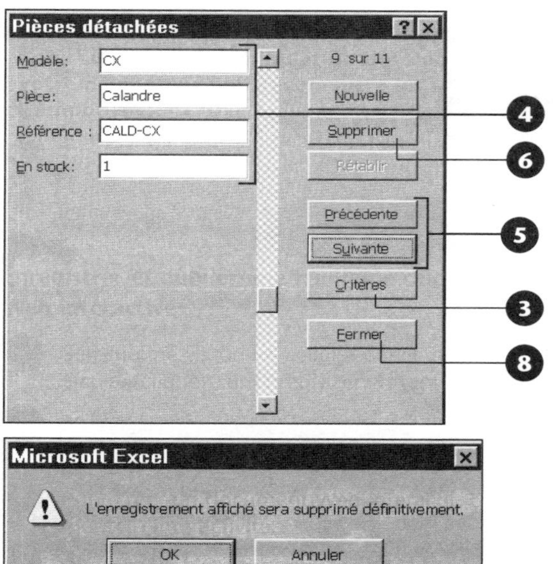

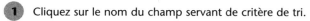

Cliquez ici si vous renoncez à supprimer l'enregistrement concerné.

Trier les données d'une liste

Après avoir saisi des enregistrements dans une liste, réorganisez-les en les triant par ordre alphabétique ou numérique, croissant ou décroissant, en vous basant sur un ou plusieurs champs.

Trier rapidement des données

1. Cliquez sur le nom du champ servant de critère de tri.
2. Cliquez sur le bouton Tri croissant ou Tri décroissant de la barre d'outils Standard.
   Dans un tri croissant, les enregistrements commençant par un nombre sont placés avant ceux commençant par une lettre (0 à 9, puis A à Z).

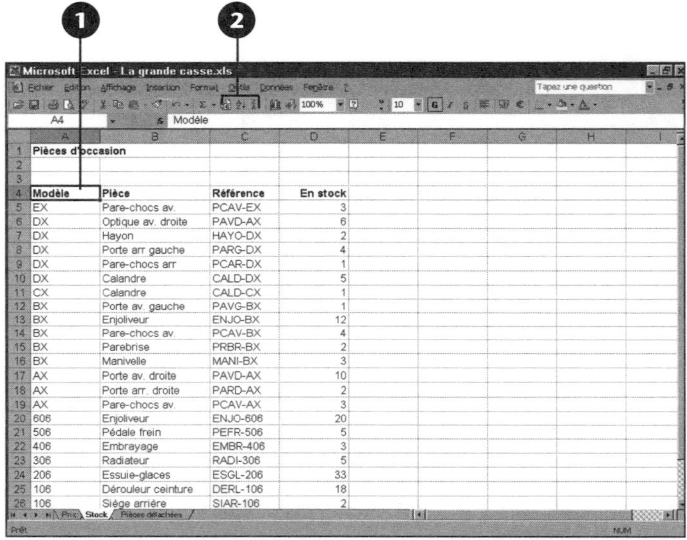

	A	B	C	D
1	**Pièces d'occasion**			
2				
3				
4	**Modèle**	**Pièce**	**Référence**	**En stock**
5	EX	Pare-chocs av.	PCAV-EX	3
6	DX	Optique av. droite	PAVD-AX	6
7	DX	Hayon	HAYO-DX	2
8	DX	Porte arr gauche	PARG-DX	4
9	DX	Pare-chocs arr	PCAR-DX	1
10	DX	Calandre	CALD-DX	5
11	CX	Calandre	CALD-CX	1
12	BX	Porte av. gauche	PAVG-BX	1
13	BX	Enjoliveur	ENJO-BX	12
14	BX	Pare-chocs av.	PCAV-BX	4
15	BX	Parebrise	PRBR-BX	2
16	BX	Manivelle	MANI-BX	3
17	AX	Porte av. droite	PAVD-AX	10
18	AX	Porte arr. droite	PARD-AX	2
19	AX	Pare-chocs av.	PCAV-AX	3
20	606	Enjoliveur	ENJO-606	20
21	506	Pédale frein	PEFR-506	5
22	406	Embrayage	EMBR-406	3
23	306	Radiateur	RADI-306	5
24	206	Essuie-glaces	ESGL-206	33
25	106	Dérouleur ceinture	DERL-106	18
26	106	Siège arrière	SIAR-106	2

ASTUCE

Trier les données par ligne. *Si votre critère de tri porte sur les lignes plutôt que sur les colonnes, cliquez sur le bouton Options dans la boîte de dialogue Trier, puis activez l'option De la gauche vers la droite dans la boîte de dialogue Options de tri.*

Trier une liste sur plusieurs critères

1. Cliquez n'importe où dans la plage de liste.
2. Dans le menu Données, cliquez sur Trier.
3. Cliquez sur la flèche de liste déroulante Trier par et sélectionnez le champ sur lequel baser le tri (champ de tri primaire).
4. Activez l'option Croissant ou Décroissant.
5. Cliquez sur la première flèche de liste déroulante Puis par et activez l'option Croissant ou Décroissant.

6 Si nécessaire, cliquez sur la seconde flèche de liste déroulante Puis par et activez l'option Croissant ou Décroissant correspondante.

7 Dans la section Ligne de titres, activez l'option Oui pour exclure du tri les noms de champs de la première ligne, ou Non pour les inclure.

8 Cliquez sur OK.

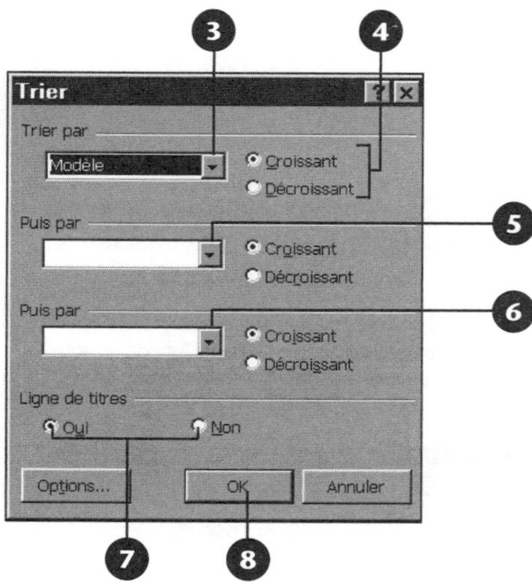

Afficher une liste partielle avec un Filtre automatique

La fonction de Filtre automatique crée une liste des articles de chaque champ afin de ne travailler que sur un nombre limité d'enregistrements.

Afficher des enregistrements spécifiques avec le Filtre automatique

1. Cliquez n'importe où dans la plage de liste.
2. Dans le menu Données, pointez sur Filtrer puis cliquez sur Filtre automatique.
3. Cliquez sur la flèche de liste déroulante du champ pour lequel spécifier des critères de filtre.
4. Sélectionnez l'élément que doit contenir un enregistrement pour être inclus dans la liste.
5. Répétez les étapes 3 et 4 pour poursuivre le filtrage sur d'autres champs.
6. Dans le menu Données, pointez sur Filtrer puis cliquez sur Filtre automatique pour supprimer le filtre automatique et revenir à l'affichage de la liste complète.

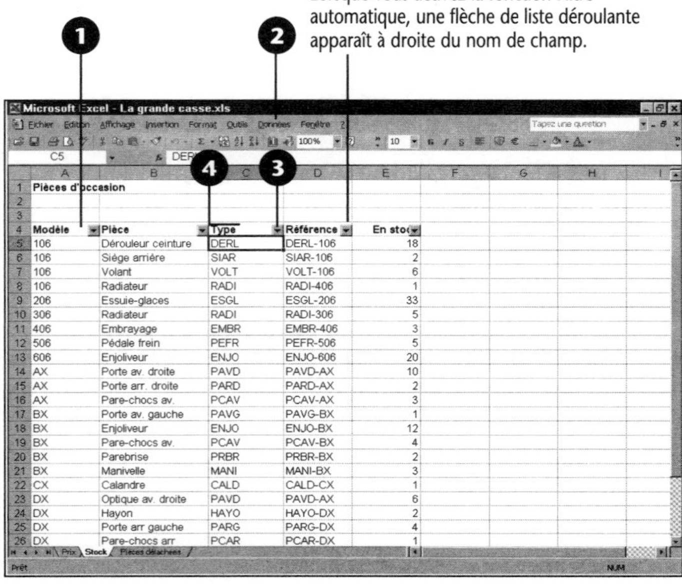
Lorsque vous activez la fonction Filtre automatique, une flèche de liste déroulante apparaît à droite du nom de champ.
1
2
3
4
Microsoft Excel - La grande casse.xls
Pièces d'occasion

Modèle	Pièce	Type	Référence	En stock
106	Dérouleur ceinture	DERL	DERL-106	18
106	Siège arrière	SIAR	SIAR-106	2
106	Volant	VOLT	VOLT-106	6
106	Radiateur	RADI	RADI-406	1
206	Essuie-glaces	ESGL	ESGL-206	33
306	Radiateur	RADI	RADI-306	5
406	Embrayage	EMBR	EMBR-406	3
506	Pédale frein	PEFR	PEFR-506	5
606	Enjoliveur	ENJO	ENJO-606	20
AX	Porte av. droite	PAVD	PAVD-AX	10
AX	Porte arr. droite	PARD	PARD-AX	2
AX	Pare-chocs av.	PCAV	PCAV-AX	3
BX	Porte av. gauche	PAVG	PAVG-BX	1
BX	Enjoliveur	ENJO	ENJO-BX	12
BX	Pare-chocs av.	PCAV	PCAV-BX	4
BX	Parebrise	PRBR	PRBR-BX	2
BX	Manivelle	MANI	MANI-BX	3
CX	Calandre	CALD	CALD-CX	1
DX	Optique av. droite	PAVD	PAVD-AX	6
DX	Hayon	HAYO	HAYO-DX	2
DX	Porte arr gauche	PARG	PARG-DX	4
DX	Pare-chocs arr	PCAR	PCAR-DX	1

ASTUCE

Accélérer votre tâche avec la liste des dix premiers. *Le Filtre automatique possède une commande des dix premiers dans la liste déroulante de chaque champ. Cliquez sur cette commande pour créer rapidement un filtre affichant les dix premiers ou dix derniers articles d'une liste filtrée.*

Créer des requêtes complexes

À l'aide de la fonction Filtre Personnalisé, créez des requêtes complexes. Employez des conditions logiques ET et OU pour combiner plusieurs critères dans une seule requête.

Créer une requête complexe avec le Filtre automatique

1. Cliquez n'importe où dans la plage de liste.
2. Dans le menu Données, pointez sur Filtrer puis cliquez sur Filtre automatique.
3. Cliquez sur la flèche de liste déroulante du premier champ à inclure dans la recherche.
4. Cliquez sur Personnalisé.
5. Cliquez sur la flèche de la liste déroulante Type (à gauche) et choisissez un opérateur logique.
6. Cliquez sur la flèche de la liste déroulante de droite et choisissez une valeur de champ.
7. Activez l'option Et ou Ou.
8. Cliquez sur la flèche de liste déroulante en bas à gauche et choisissez un opérateur logique.
9. Cliquez sur la flèche de liste déroulante en bas à droite et choisissez une valeur de champ.
10. Cliquez sur OK.

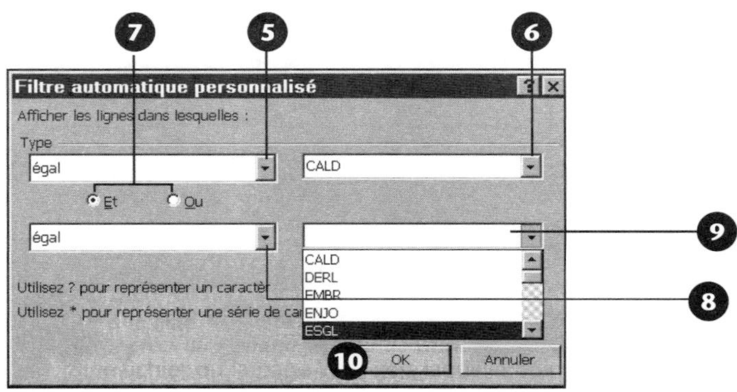

OPÉRATEURS LOGIQUES			
Symbole	**Opérateur**	**Symbole**	**Opérateur**
=	égal à	<>	différent de
>	supérieur à	<	inférieur à
>=	supérieur ou égal à	<=	inférieur ou égal à

Saisir des données dans une liste

Saisir des données de liste est une tâche fastidieuse. Utilisez alors les deux outils, Liste de choix et Recopie de liste.

Saisir des données avec Liste de choix

1. Cliquez avec le bouton droit sur une cellule et cliquez sur Liste de choix dans le menu contextuel.
2. Choisissez une entrée dans la liste qui s'affiche.
3. Appuyez sur ENTRÉE ou sur la touche de tabulation pour valider cette entrée, ou sur ÉCHAP pour l'annuler.

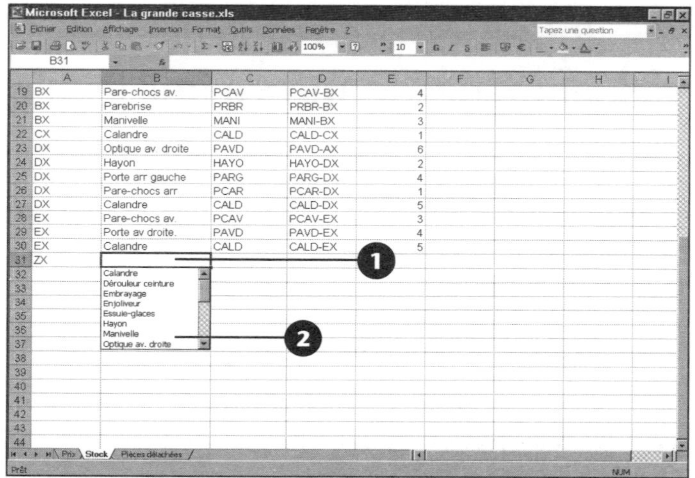

Copier des formats et des formules dans une liste à l'aide de la Recopie de liste

1. Mettez en forme selon votre convenance les données d'une liste.
2. Sélectionnez la cellule suivante de la liste.
3. Tapez l'étiquette de données.
4. Cliquez sur le bouton Entrer de la barre de formule ou appuyez sur ENTRÉE.
5. Les données se mettent en forme automatiquement.

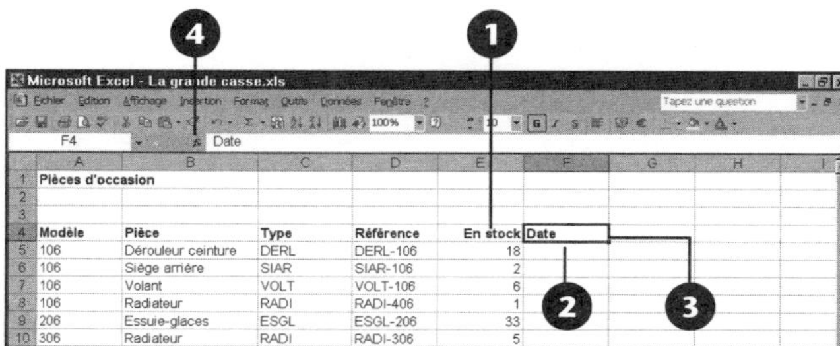

Appliquer une procédure de validation des données à une feuille

Vous pouvez attacher aux cellules des règles de validation. Un message que vous rédigez s'affiche pour chaque saisie invalide.

Créer des règles de validation

1. Sélectionnez la plage à laquelle appliquer des règles de validation.
2. Dans le menu Données, cliquez sur Validation.
3. Cliquez sur l'onglet Options.
4. Cliquez sur la flèche de la liste déroulante Autoriser et sélectionnez un type de valeur.
5. Cliquez sur la flèche de la liste déroulante Données et sélectionnez un opérateur logique.
6. Entrez des valeurs ou cliquez sur le bouton Masquer la boîte de dialogue pour sélectionner dans la liste une plage pour les critères Minimum et Maximum.
7. Cliquez sur l'onglet Message de saisie.
8. Tapez le titre et le message à afficher en cas de saisie invalide.
9. Cliquez sur OK.

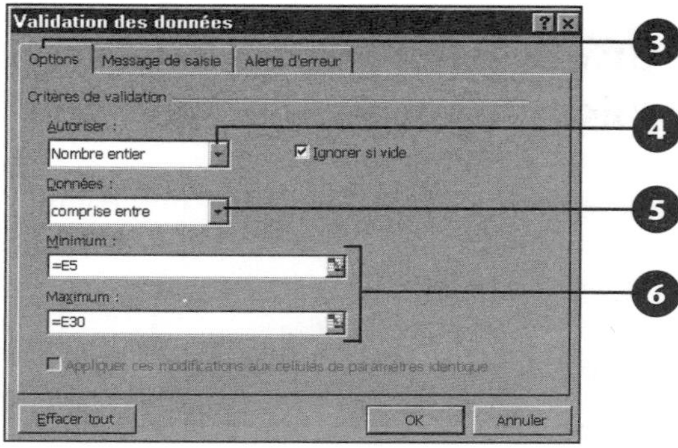

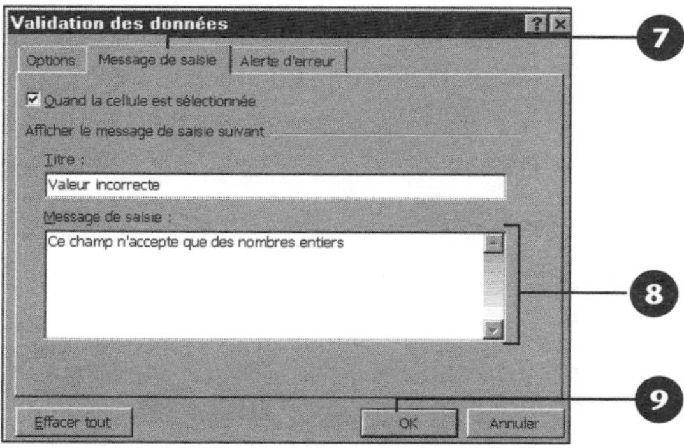

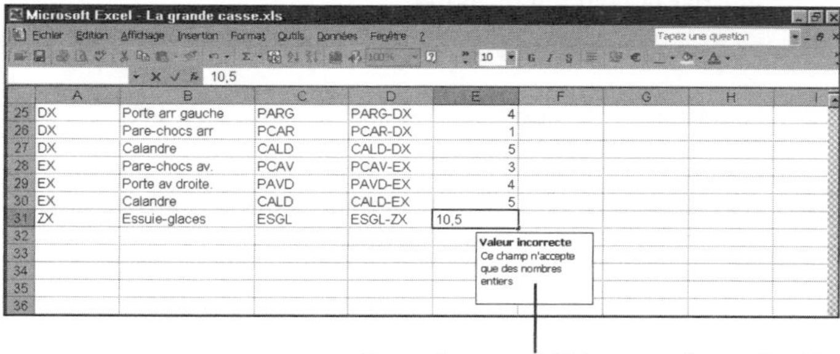

Un avertissement s'affiche en cas d'erreur de saisie.

Analyser des données dans un tableau croisé dynamique

Pour synthétiser les informations d'une longue liste faisant appel à des critères complexes, utilisez le Tableau croisé dynamique.

Créer un tableau croisé dynamique

1. Cliquez sur une cellule de la plage de liste, puis dans le menu Données, cliquez sur Rapport de tableau croisé dynamique.
2. Si vous utilisez une plage de liste, activez l'option Liste ou base de données Microsoft Excel.
3. Choisissez l'option Tableau croisé dynamique.
4. Cliquez sur Suivant.
5. Si la zone Plage sélectionnée indique « Base de données », passez à l'étape 8.
6. Si la zone Plage ne répond pas à votre attente, cliquez sur le bouton Masquer la boîte de dialogue. Faites glisser votre pointeur sur la plage de liste voulue (et sur les noms des champs), afin de la sélectionner, puis cliquez sur le bouton Afficher la boîte de dialogue.
7. Cliquez sur Suivant et sur Disposition dans la nouvelle boîte.
8. Faites glisser les noms de champs vers les zones LIGNE, COLONNE et DONNÉES.
9. Cliquez sur OK puis, dans la dernière boîte, choisissez une destination et cliquez sur Terminer.

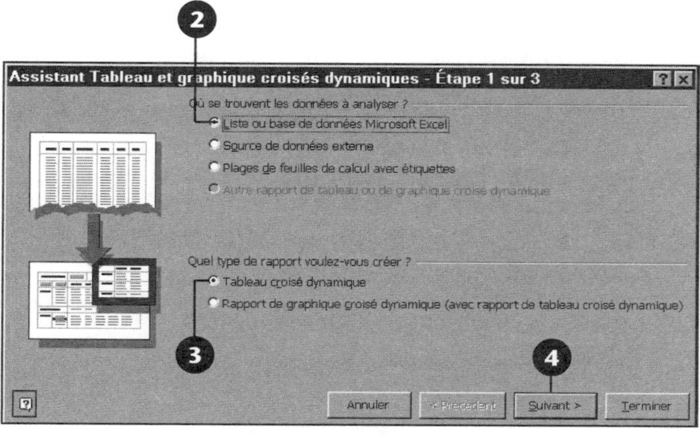

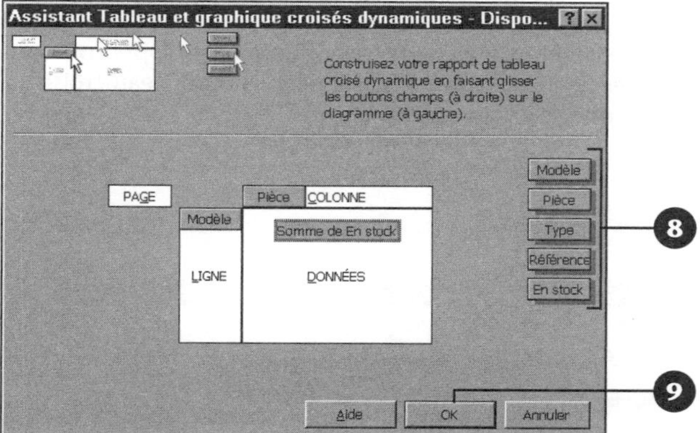

ASTUCE

Modifier les données ou les champs de la plage source d'un tableau ou d'un graphique croisé dynamique. *Cliquez sur un champ du tableau, cliquez sur Assistant Tableau croisé dynamique dans la barre d'outils Tableau croisé dynamique, puis sur Précédent. Sélectionnez une nouvelle plage de liste et enfin cliquez sur Terminer.*

Créer un rapport de tableau croisé dynamique à partir d'un tableau ou d'un graphique croisé dynamique existant

1. Ouvrez la feuille de calcul contenant le tableau croisé dynamique.
2. Dans le menu Données, cliquez sur Rapport de tableau croisé dynamique.
3. Activez l'option Autre rapport de tableau ou de graphique croisé dynamique.
4. Activez l'option Tableau croisé dynamique.
5. Cliquez sur Suivant.
6. Sélectionnez le nom du tableau associé au Graphique croisé dynamique.
7. Cliquez sur Suivant.
8. Choisissez un emplacement pour le nouveau tableau.
9. Éventuellement, cliquez sur Disposition ou sur Options pour modifier la présentation ou les fonctions du tableau croisé dynamique, puis cliquez sur OK.
10. Cliquez sur Terminer.

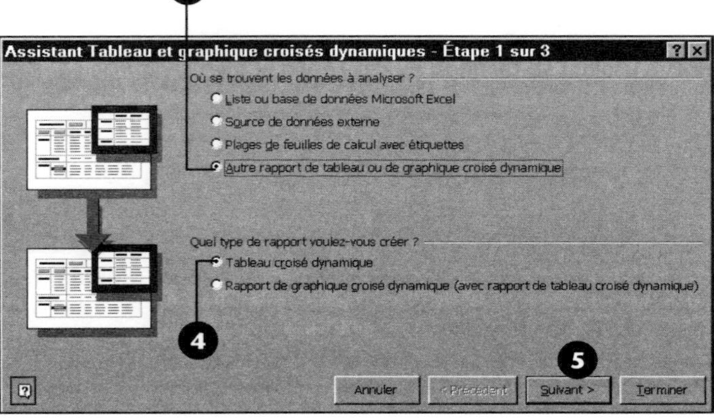

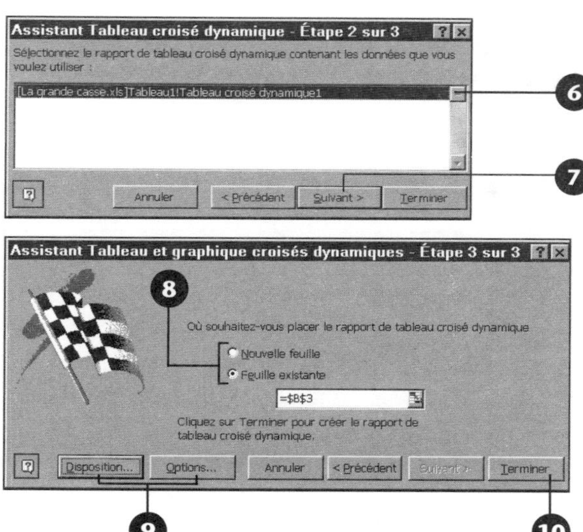

Actualiser un tableau croisé dynamique

Un tableau croisé dynamique se met à jour avec la barre d'outils Tableau croisé dynamique.

ASTUCE

Masquer ou afficher des champs dans la barre d'outils Tableau croisé dynamique. *Dans cette barre d'outils, cliquez sur le bouton Masquer les champs. Pour les afficher de nouveau, cliquez sur Afficher les champs.*

Mettre à jour un rapport de tableau croisé dynamique

1. Apportez les modifications aux données de la plage de liste.
2. Cliquez dans une cellule du rapport de tableau croisé dynamique.

3 Cliquez sur le bouton Actualiser les données dans la barre d'outils Tableau croisé dynamique, ou sur la flèche de liste déroulante Tableau croisé dynamique et sur Actualiser les données.

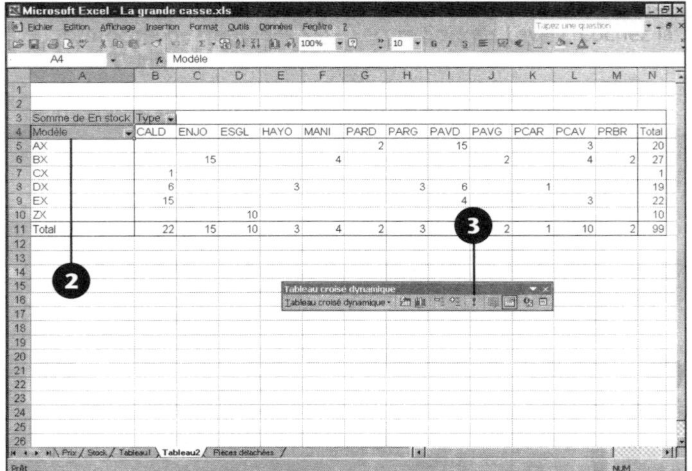

ASTUCE

Modifier la présentation. *Cliquez dans un champ du tableau. Cliquez sur le bouton de l'option Assistant de Tableau croisé dynamique de la barre d'outils du même nom, puis sur Disposition. Effectuez les modifications, validez par OK et cliquez sur Terminer.*

Ajouter ou supprimer un champ dans un tableau ou un graphique croisé dynamique

1 Dans la barre d'outils Tableau croisé dynamique, cliquez sur le bouton Afficher la liste de champs.

2 Pour ajouter un champ, faites-le glisser depuis la liste vers le tableau ; pour le supprimer, faites-le glisser depuis le tableau vers l'extérieur de celui-ci.

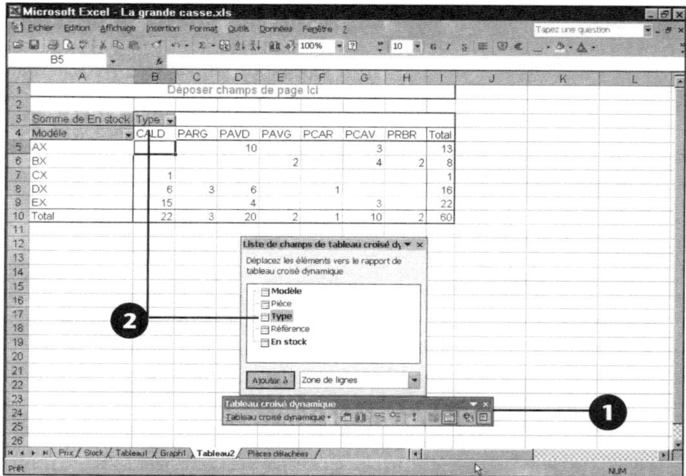

Modifier un tableau ou un graphique croisé dynamique

Pour que vos rapports revêtent un aspect professionnel, mettez en forme le tableau croisé dynamique.

ASTUCE

Afficher une liste de formules dans un tableau ou un graphique croisé dynamique. *Cliquez sur la flèche de liste déroulante de la barre d'outils Tableau croisé dynamique, pointez sur Formules, puis cliquez sur Liste des formules.*

Mettre automatiquement en forme un tableau croisé dynamique

1. Cliquez sur n'importe quel champ du tableau croisé dynamique.
2. Cliquez sur le bouton Mettre en forme le rapport de la barre d'outils Tableau croisé dynamique.

3. Choisissez un style de format automatique.
4. Cliquez sur OK.

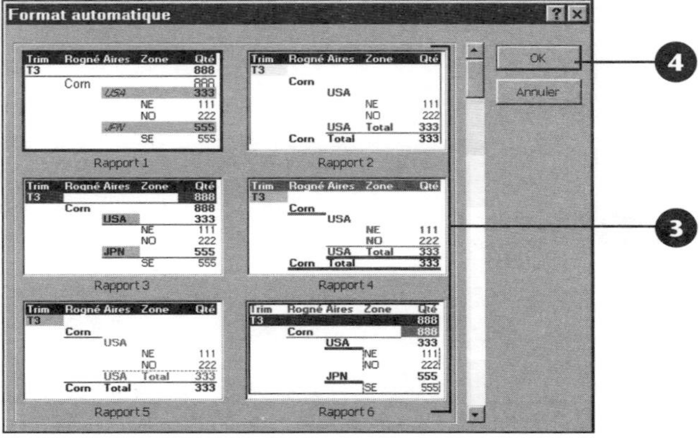

Modifier les paramètres des champs d'un tableau ou d'un graphique croisé dynamique

1. Sélectionnez le champ à modifier.
2. Cliquez sur le bouton Paramètres de champ de la barre d'outils Tableau croisé dynamique.
3. Pour modifier le format du nombre, cliquez sur Nombre, sélectionnez un format et cliquez sur OK.
4. Pour afficher les données sous une autre forme, cliquez sur Options, puis sur la flèche de liste déroulante Afficher les données, et choisissez un type de tableau.
5. Cliquez sur OK.

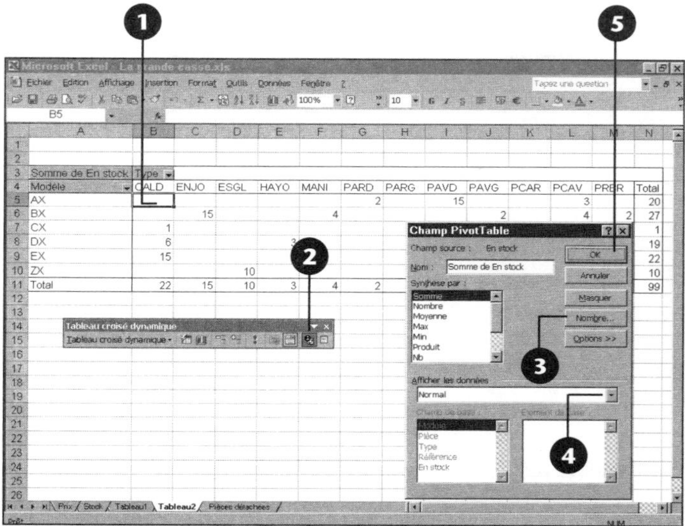

Représenter en graphique un tableau croisé dynamique

Ce graphique est appelé Graphique croisé dynamique, et peut être créé en même temps que le tableau.

ASTUCE

Masquer les boutons des champs d'un tableau croisé dynamique. *Cliquez sur la flèche de liste déroulante Graphique croisé dynamique de la barre d'outils Tableau croisé dynamique, puis activez la case Masquer boutons champ de Graphique croisé dynamique.*

Créer un graphique à partir d'un tableau croisé dynamique

1. Cliquez sur n'importe quel champ du tableau.
2. Cliquez sur le bouton Assistant Graphique de la barre d'outils Tableau croisé dynamique ou Standard.
   Le graphique se crée sur une nouvelle feuille de calcul.

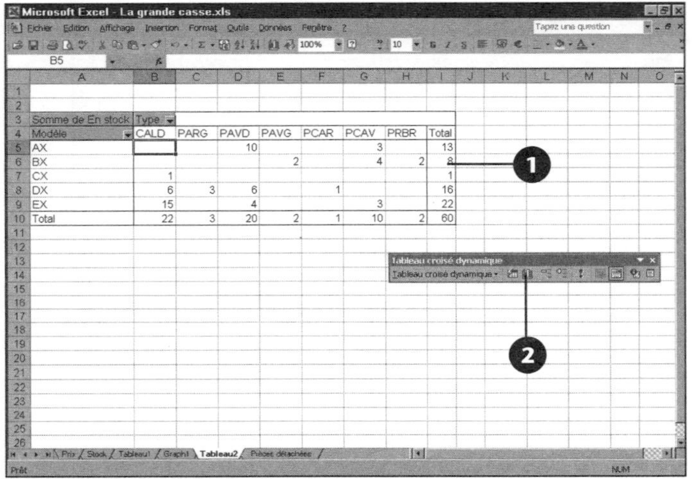

Somme de En stock	Type							
Modèle	CALD	PARG	PAVD	PAVG	PCAR	PCAV	PRBR	Total
AX			10			3		13
BX				2		4	2	8
CX	1							1
DX	6	3	6		1			16
EX	15		4			3		22
Total	22	3	20	2	1	10	2	60

ASTUCE

Créer un graphique fixe à partir des données d'un tableau croisé dynamique. *Sélectionnez les données du tableau, cliquez sur le bouton Copier de la barre d'outils Standard, puis sur la première cellule (en haut à gauche) de l'emplacement où créer votre graphique. Dans le menu Edition cliquez sur Collage spécial, activez l'option Valeurs, cliquez sur OK, puis sur le bouton Assistant Graphique de la barre d'outils Standard et suivez les étapes de l'Assistant.*

Modifier un graphique croisé dynamique

1. Cliquez sur l'onglet de la feuille de calcul contenant le graphique à modifier.
2. Cliquez sur le bouton Assistant Graphique de la barre d'outils Standard ou Tableau croisé dynamique.
3. Renseignez les quatre boîtes de dialogue de l'assistant.
4. Cliquez sur Terminer.

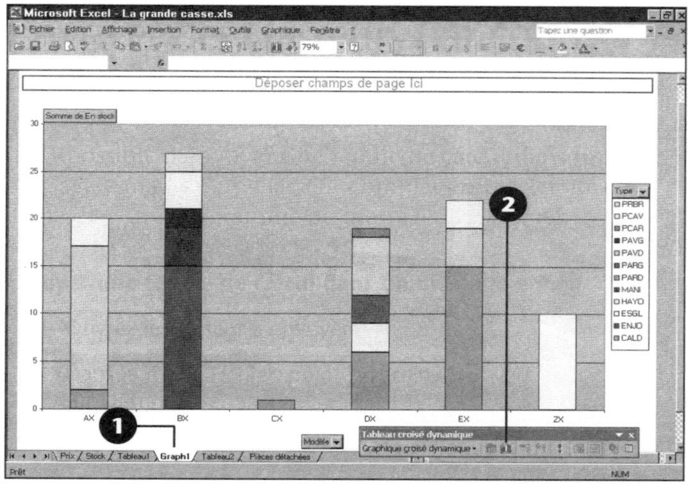

Créer un graphique croisé dynamique avec un tableau croisé dynamique

1. Cliquez sur une cellule de la plage de liste, et dans le menu Données, cliquez sur Rapport de tableau croisé dynamique.
2. Si vous utilisez la plage de liste, choisissez Liste ou base de données Microsoft Excel.
3. Si vous utilisez un tableau croisé existant, choisissez Autre rapport de tableau ou de graphique croisé dynamique.
4. Cliquez sur Suivant.
5. Si ce n'est pas la bonne page, cliquez sur le bouton Masquer la boîte de dialogue, faites glisser votre pointeur pour refaire votre sélection de plage et de noms de champs, puis cliquez sur le bouton Afficher la boîte de dialogue.
6. Cliquez sur Suivant, puis sur l'emplacement du nouveau graphique croisé dynamique. Enfin, cliquez sur Terminer.
7. Glissez données et champs depuis la Liste de champs de tableau croisé dynamique vers les zones afférentes du tableau croisé dynamique. Le tableau et le graphique se créent en même temps.

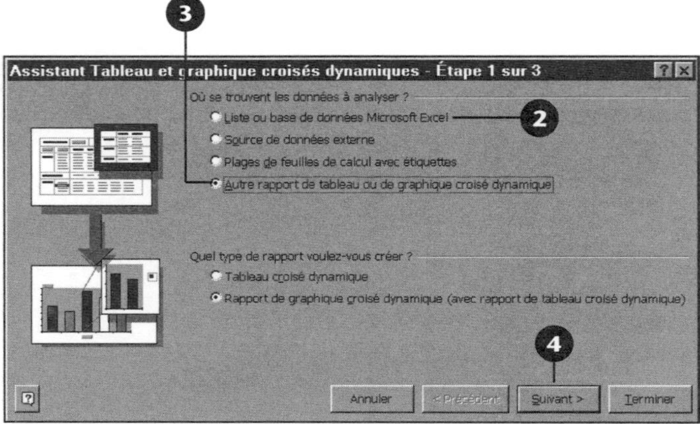

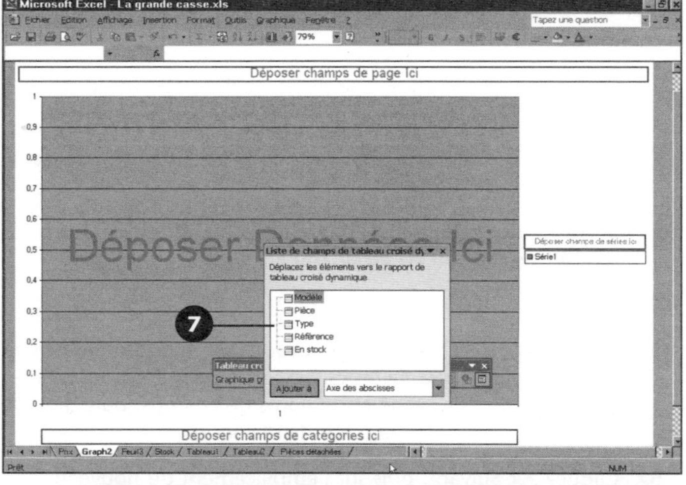

ASTUCE

Pour créer un graphique fixe à partir d'un tableau croisé dynamique, utilisez des données fixes. *Si vous souhaitez créer un graphique fixe à partir d'un tableau croisé dynamique, vos données ne doivent pas se trouver dans le tableau.*

Vérifier une feuille de calcul

Lorsque la fonction Audit est activée, elle vous indique à l'aide d'une série de flèches quelles cellules sont prises en compte dans quelles formules.

ASTUCE

Entourer les données non valides. *Pour ce faire, cliquez dans la barre d'outils Audit sur le bouton Entourer les données non valides. Pour supprimer ces marques, cliquez sur Effacer les cercles de validation.*

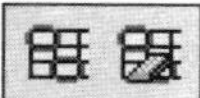

Repérer les relations dans une feuille de calcul

1. Dans le menu Outils, pointez sur Audit puis cliquez sur Afficher la barre d'outils Audit.
2. Pour chercher les cellules fournissant des données à une formule, sélectionnez la cellule contenant la formule, puis cliquez sur le bouton Repérer les antécédents.
3. Pour chercher quelles formules font référence à une cellule, sélectionnez la cellule puis cliquez sur le bouton Repérer les dépendants.
4. Si une formule annonce une valeur erronée, par exemple #DIV/0!, cliquez sur la cellule, puis sur le bouton Repérer une erreur pour situer le problème.
5. Pour supprimer les flèches, cliquez sur les boutons Supprimer les flèches des antécédents, Supprimer les flèches des dépendants ou Supprimer toutes les flèches.
6. Cliquez sur le bouton de fermeture de la barre d'outils Audit.

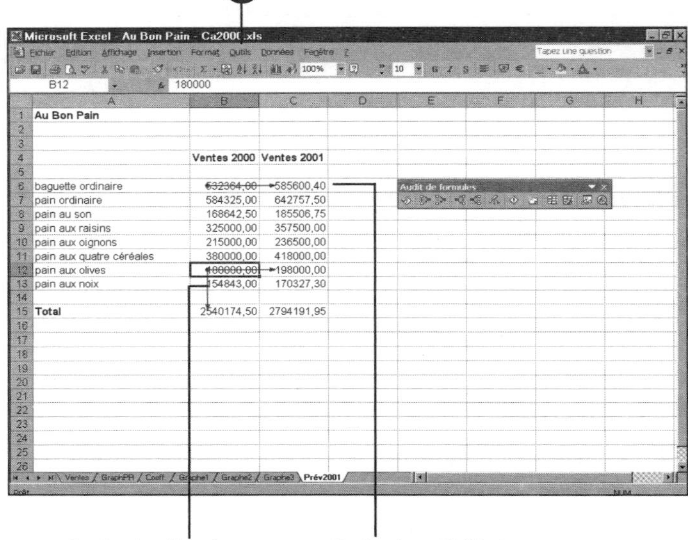
1
Microsoft Excel - Au Bon Pain - Ca2000.xls
B12
180000
Au Bon Pain
Ventes 2000
Ventes 2001
baguette ordinaire 632364,00 585600,40
pain ordinaire 584325,00 642757,50
pain au son 168642,50 185506,75
pain aux raisins 325000,00 357500,00
pain aux oignons 215000,00 236500,00
pain aux quatre céréales 380000,00 418000,00
pain aux olives 180000,00 198000,00
pain aux noix 154843,00 170327,30
Total 2540174,50 2794191,95
Audit de formules
Repérer les dépendants
Repérer les antécédents

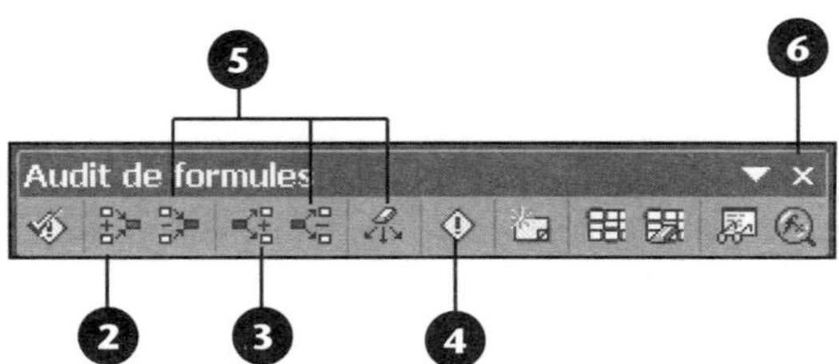
5
6
Audit de formules
2
3
4

Travailler plus efficacement avec Excel 2002

10

Vous serez étonné par le nombre d'outils que vous propose Excel 2002 pour économiser temps et efforts, et améliorer la visibilité de votre espace de travail, personnaliser vos feuilles de calcul, modifier votre environnement Excel. À l'aide de tout ou partie de ces outils, vous élaborez un environnement de travail à votre convenance. Votre productivité s'en trouve accrue.

Travailler plus efficacement

Augmentez votre rendement en personnalisant l'apparence de votre fenêtre Excel, l'exécution des commandes et même le processus de création de feuilles de calcul. Disposez vos fenêtres de feuilles de calcul à votre guise, affichez-en le maximum afin de ne pas faire défiler sans cesse vos données, ou basculer d'une feuille à l'autre. Créez des modèles, c'est-à-dire des feuilles contenant des mises en forme et des formules. Si vous partagez ces feuilles avec d'autres, protégez vos fichiers par un mot de passe. Vous pouvez même contrôler et limiter les modifications qui sont apportées à vos feuilles de calcul.

Personnaliser votre environnement de travail

L'environnement d'Excel accepte la personnalisation des paramètres au vu de vos modes de travail.

Modifier les options générales

1. Dans le menu Outils, cliquez sur Options.
2. Cliquez sur l'onglet Général.
3. Pour activer un paramètre Excel, cochez la case de l'option voulue.
4. Pour modifier le nombre des derniers fichiers utilisés affichés dans le menu Fichier, cliquez sur la flèche vers le haut ou le bas.
5. Pour modifier le nombre de feuilles par nouveau classeur, cliquez sur la flèche vers le haut ou le bas.
6. Pour changer la police par défaut, cliquez sur la flèche de liste Police standard et sélectionnez une autre police.
7. Pour modifier la taille de cette police standard, cliquez sur la flèche correspondante et choisissez une taille.
8. Pour spécifier où Excel doit rechercher automatiquement les fichiers existants ou nouvellement enregistrés, entrez le chemin de votre dossier par défaut.
9. Cliquez sur le champ Nom d'utilisateur, et modifiez-le à votre convenance.
10. Cliquez sur OK.

ASTUCE

Modifier à même la cellule. *Si vous activez l'option Modification directe, effectuez vos modifications directement dans une cellule avec un double clic.*

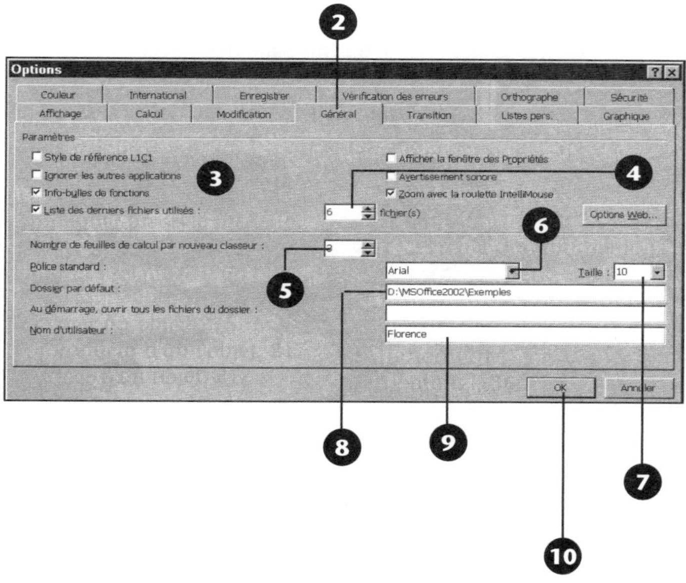

Changer les options de modification

1. Dans le menu Outils, cliquez sur Options.
2. Cliquez sur l'onglet Modification.
3. Activez ou désactivez les cases à cocher pour changer si vous le souhaitez les options de modification :
   - Effectuer les modifications directement dans les cellules.
   - Utiliser le Glissement-déplacement pour copier des cellules.
   - Déterminer le sens de déplacement de la sélection après validation.
   - Déterminer le nombre de décimales après la virgule dans un format de nombre fixe.
   - Choisir de couper, copier et trier les objets en même temps que les cellules.
   - Faire demander par Excel une confirmation avant la mise à jour automatique des liens.

- Activer l'Avertissement animé.
- Activer la saisie semi-automatique des valeurs de cellule pour faciliter et sécuriser la saisie.
- Activer la saisie automatique de pourcentage.
- Afficher les boutons d'options de collage et d'insertion.

4 Cliquez sur OK.

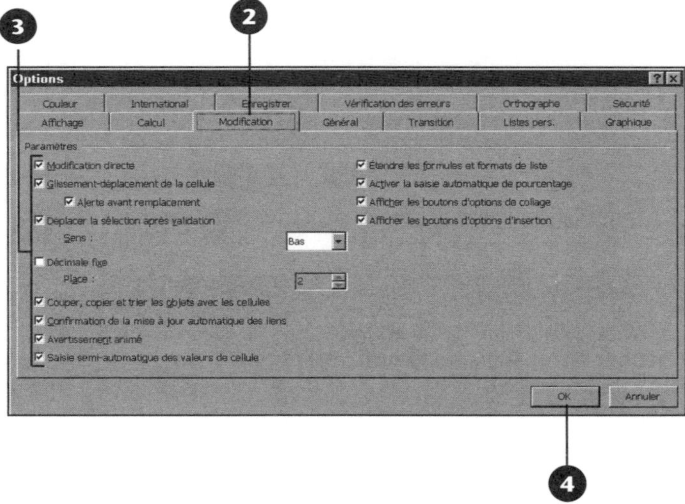

ASTUCE

Alerte avant écrasement des cellules. *Si vous désactivez l'option Alerte avant remplacement, vous gagnez du temps mais risquez de perdre des données accidentellement.*

Afficher plusieurs classeurs

De même que vous utilisez plusieurs feuilles de calcul, vous pouvez aussi requérir simultanément plusieurs classeurs.

ASTUCE

Savoir quels classeurs sont ouverts. *Le bas du menu Fenêtre affiche le nom de tous les classeurs ouverts.*

Afficher plusieurs classeurs

1. Ouvrez tous les classeurs où vous souhaitez travailler.
2. Dans le menu Fenêtre, cliquez sur Réorganiser.
3. Sélectionnez la disposition voulue pour vos classeurs :
   - Mosaïque : dispose les fenêtres de classeurs dans le sens des aiguilles d'une montre à partir de l'angle supérieur gauche.
   - Horizontal : dispose les fenêtres de classeurs les unes sous les autres.
   - Vertical : dispose les fenêtres de classeurs côte à côte.
   - Cascade : empile les fenêtres les unes sur les autres.
4. Cliquez sur OK.
5. Pour passer d'un classeur à l'autre, cliquez dans sa fenêtre, ou sur le bouton du classeur dans la barre des tâches pour l'activer.
6. Pour revenir à l'affichage d'un seul classeur, cliquez sur son bouton Agrandir.

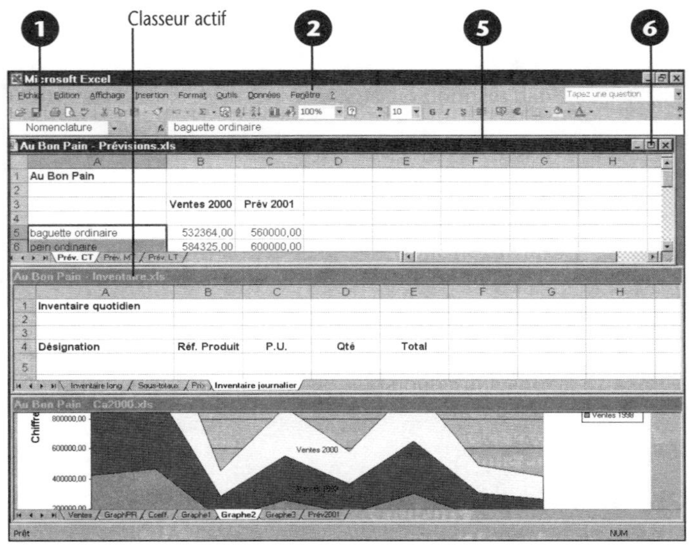

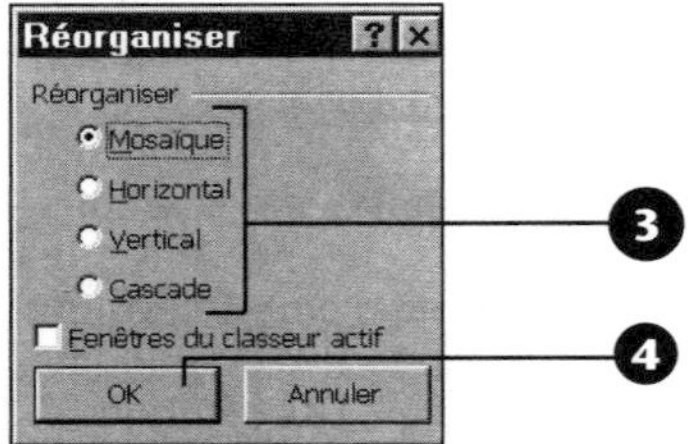

ASTUCE

Organiser l'affichage de plusieurs parties d'un classeur. *Pour afficher dans plusieurs fenêtres différentes parties du classeur actif, cochez la case Fenêtres du classeur actif dans la boîte de dialogue Réorganiser.*

Modifier l'affichage d'une feuille de calcul

Chaque affichage contient les paramètres d'impression, ainsi que les colonnes et les lignes masquées, auxquelles vous accédez à tout instant.

Créer un affichage personnalisé

1. Spécifiez les paramètres d'affichage souhaités pour une feuille de calcul.
2. Si nécessaire, masquez des colonnes et des lignes.
3. Dans le menu Affichage, cliquez sur Affichages personnalisés.
4. Cliquez sur Ajouter.
5. Entrez un nom pour cet affichage.
6. Si nécessaire, cochez les cases Paramètres d'impression et Paramètres masqués des lignes, colonnes et filtres, pour les inclure dans l'affichage.
7. Cliquez sur OK.

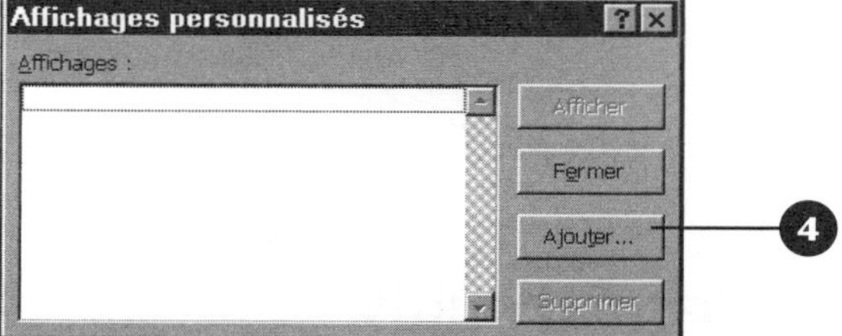

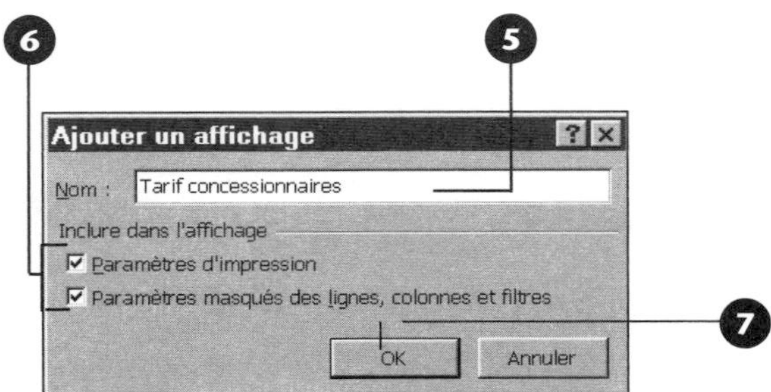

Consulter un affichage personnalisé

1. Dans le menu Affichage, cliquez sur Affichages personnalisés.
2. Cliquez sur le nom de l'affichage à utiliser.
3. Cliquez sur Afficher.
   Les paramètres d'impression définis pour cet affichage seront appliqués à l'impression.

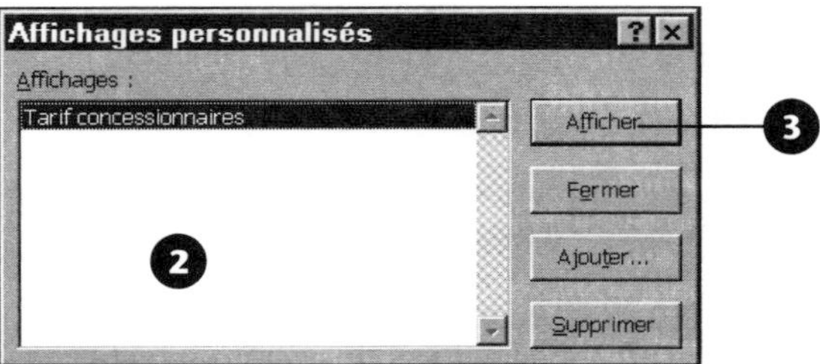

Créer une barre d'outils

Vous pouvez modifier les barres d'outils existantes ainsi que les commandes proposées dans les menus, pour les adapter à vos habitudes de travail.

Créer une barre d'outils

1. Dans le menu Affichage, pointez sur Barres d'outils puis cliquez sur Personnaliser.
2. Cliquez sur Nouvelle.
3. Entrez un nom pour cette nouvelle barre d'outils.
4. Cliquez sur OK.
   La nouvelle barre apparaît à l'écran. Le nom pourrait être trop long pour sa barre de titre, mais celle-ci s'agrandit quand vous y insérez des boutons.
5. Cliquez sur l'onglet Commandes.
6. Choisissez une catégorie avec les commandes recherchées.
7. Cliquez sur une commande à inclure dans votre barre d'outils.
8. Faites glisser son bouton dans la barre.
9. Répétez les étapes 6 à 8 pour tous les boutons à inclure.
10. Cliquez sur Fermer.

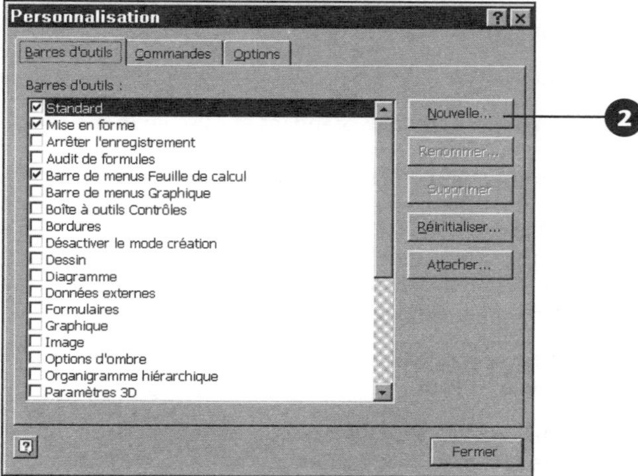

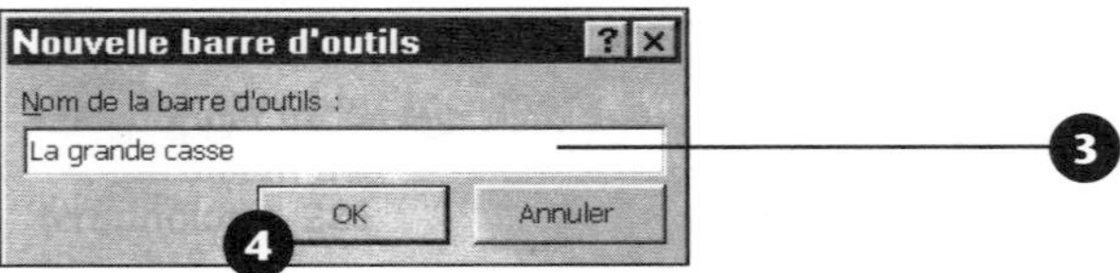

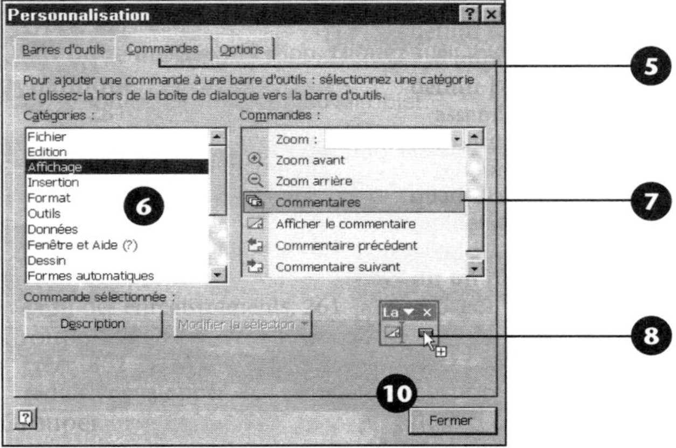

Changer les options des menus et des barres d'outils

1. Dans le menu Affichage, pointez sur Barres d'outils puis cliquez sur Personnaliser.
2. Cliquez sur l'onglet Options.
3. Pour que les barres d'outils Standard et Mise en forme se superposent sur deux lignes, cochez la case Afficher les barres d'outils Standard et Mise en forme sur deux lignes.
4. Pour afficher par défaut les menus dans leur intégralité, cochez la case Toujours afficher les menus dans leur intégralité ; l'option Afficher les menus entiers après un court délai est alors désactivée.
5. Pour réinitialiser vos barres d'outils et vos menus, cliquez sur Réinitialiser les menus.
6. Pour animer vos menus, cliquez sur la flèche de liste déroulante Animations de menus et choisissez une animation.

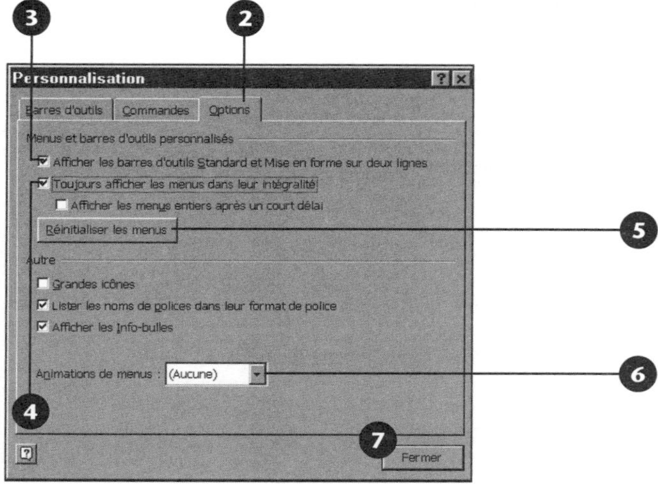

7 Cliquez sur Fermer.

Personnaliser une barre d'outils

Excel possède des barres d'outils toutes prêtes. Avec le menu Autres boutons, personnalisez-les en sélectionnant des boutons supplémentaires dans le menu déroulant.

Personnaliser rapidement une barre d'outils

1. Cliquez sur la flèche de menu déroulant Autres boutons dans la barre d'outils à compléter.
2. Pour déplacer un bouton depuis le menu Autres boutons vers votre barre d'outils, cliquez sur ce bouton.
   Le bouton s'affiche dans la barre.
3. Pour ajouter ou supprimer rapidement un bouton dans une barre d'outils, pointez sur Ajouter/Supprimer des boutons et cliquez sur le bouton concerné.

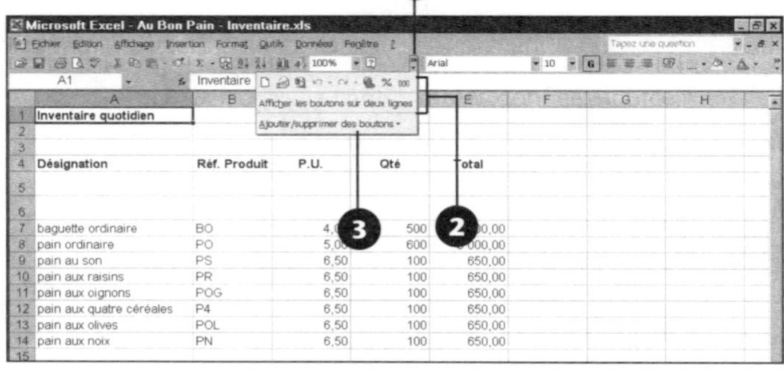

Supprimer un bouton d'une barre d'outils

1. Dans le menu Affichage, pointez sur Barres d'outils puis cliquez sur Personnaliser.
2. Cliquez sur l'onglet Barres d'outils.
3. Vérifiez que la barre d'outils que vous souhaitez modifier est bien sélectionnée. Sinon, cochez la case correspondante pour la faire apparaître.
4. Faites glisser le bouton à supprimer hors de la barre.
5. Cliquez sur Fermer.

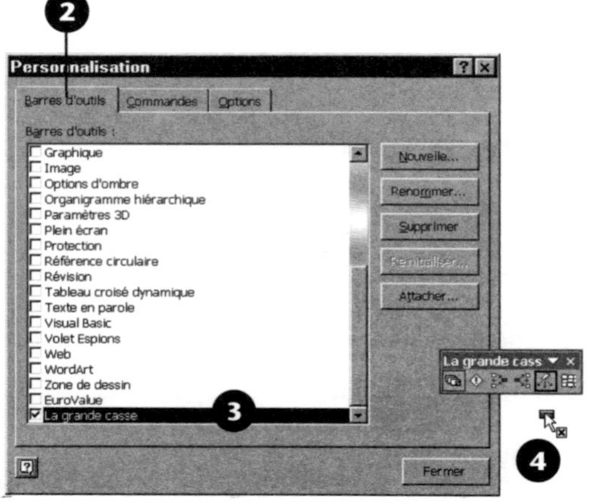

ASTUCE

Masquer une barre d'outils à l'aide du bouton de fermeture. *Pour masquer une barre d'outils flottante, cliquez sur son bouton de fermeture.*

Ajouter un bouton à une barre d'outils

1. Dans le menu Affichage, pointez sur Barres d'outils puis cliquez sur Personnaliser.
2. Vérifiez que la barre d'outils à modifier est sélectionnée. Sinon, vous devez la sélectionner pour la faire apparaître.
3. Cliquez sur l'onglet Commandes.
4. Cliquez sur la catégorie contenant la commande à ajouter.
5. Cliquez sur la commande à ajouter.
6. Faites glisser le bouton correspondant n'importe où dans la barre d'outils sélectionnée.
7. Répétez les étapes 4 à 6 pour tous les boutons à ajouter.
8. Cliquez sur Fermer.

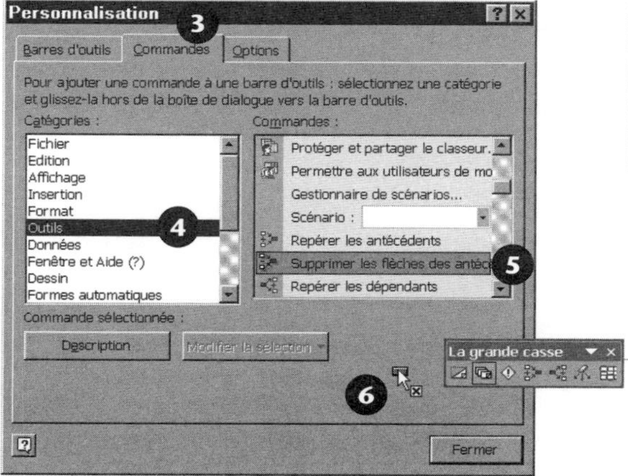

ASTUCE

Rétablir dans une barre d'outils les boutons d'origine. *Dans la boîte de dialogue Personnaliser, cliquez sur la barre d'outils, puis sur le bouton Rétablir.*

Ajouter des menus et des commandes

De même que vous ajoutez des boutons dans une barre d'outils, vous pouvez ajouter des commandes dans un menu existant, ou même créer votre propre menu et y inclure vos commandes.

Ajouter une commande à un menu

1. Dans le menu Outils, cliquez sur Personnaliser, puis sur l'onglet Commandes.
2. Cliquez sur la catégorie contenant la commande à ajouter.
3. Cliquez sur la commande.
4. Faites glisser cette commande vers le menu, à l'emplacement voulu.
5. Cliquez sur Fermer.

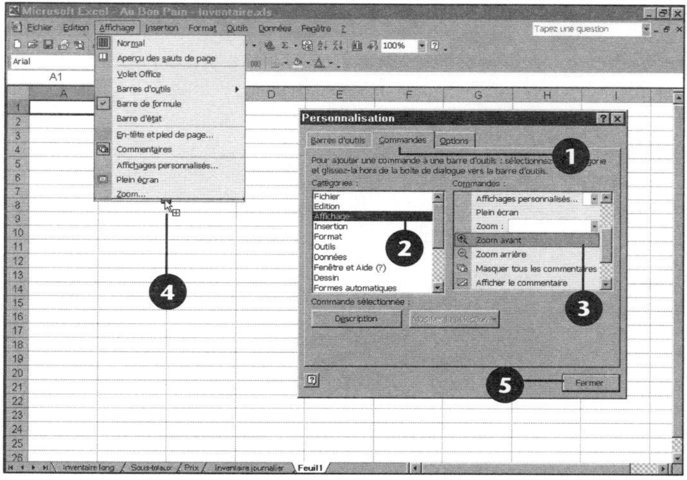

Créer un nouveau menu

1. Dans le menu Outils, cliquez sur Personnaliser, puis sur l'onglet Commandes.
2. Cliquez sur la catégorie Nouveau menu. Cette zone apparaît dans la section Commandes. Faites-la glisser vers l'emplacement requis dans la barre des menus.
3. Cliquez avec le bouton droit sur le nouveau menu dans la barre des menus.
4. Entrez un nom pour ce menu et pressez ENTRÉE.
5. Cliquez sur une catégorie, et faites glisser les commandes dans le nouveau menu.
6. Cliquez sur Fermer.

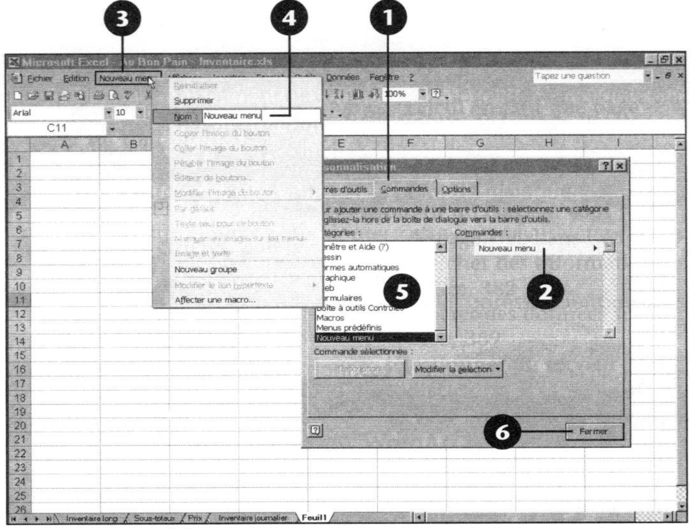

Créer des plans et des groupes

Dans le format plan, un seul élément peut contenir plusieurs rubriques ou niveaux d'informations.

ASTUCE

Supprimer le mode plan. *Sélectionnez le plan, et dans le menu Données, pointez sur Groupe et plan, puis cliquez sur Effacer le plan.*

Créer un plan ou un groupe

1. Organisez des lignes et des colonnes de récapitulation sous les lignes et à droite des colonnes contenant les détails.
2. Sélectionnez les données à inclure dans le plan.
3. Pour créer un plan, dans le menu Données, pointez sur Grouper et créer un plan, puis cliquez sur Plan automatique.

4 Pour créer un groupe, dans le menu Données, pointez sur Grouper et créer un plan, puis cliquez sur Grouper. Activez une des options Lignes ou Colonnes, puis cliquez sur OK.

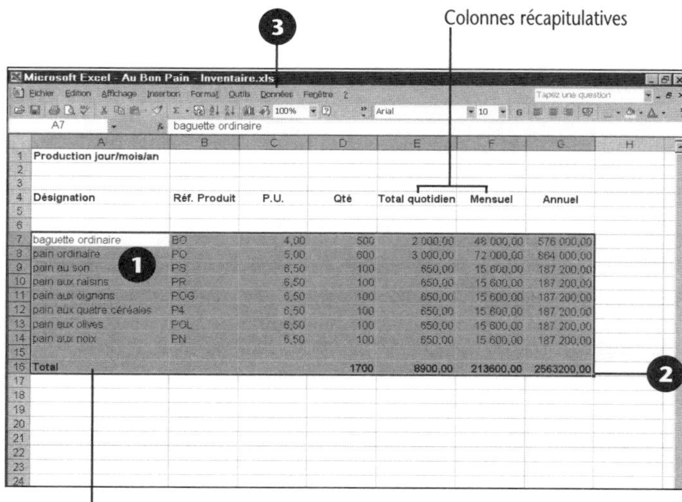

	A	B	C	D	E	F	G
1	Production jour/mois/an						
4	Désignation	Réf. Produit	P.U.	Qté	Total quotidien	Mensuel	Annuel
7	baguette ordinaire	BO	4,00	500	2 000,00	48 000,00	576 000,00
8	pain ordinaire	PO	5,00	600	3 000,00	72 000,00	864 000,00
9	pain au son	PS	6,50	100	650,00	15 600,00	187 200,00
10	pain aux raisins	PR	6,50	100	650,00	15 600,00	187 200,00
11	pain aux oignons	POG	6,50	100	650,00	15 600,00	187 200,00
12	pain aux quatre céréales	P4	6,50	100	650,00	15 600,00	187 200,00
13	pain aux olives	POL	6,50	100	650,00	15 600,00	187 200,00
14	pain aux noix	PN	6,50	100	650,00	15 600,00	187 200,00
16	Total			1700	8900,00	213600,00	2563200,00

ASTUCE

Dissocier les données d'un plan. *Sélectionnez le groupe de données, et dans le menu Données, pointez sur Groupe et plan, cliquez sur Dissocier, sur le bouton d'option Lignes ou colonnes, puis validez par OK.*

Réduire ou développer un plan ou un groupe

1 Cliquez sur un signe plus (+) pour développer un niveau de plan, sur un signe moins (-) pour réduire un niveau de plan.

2 Pour afficher les niveaux, cliquez aussi sur 1, 2…

Cliquez ici pour afficher les niveaux.

Un signe + indique des niveaux supplémentaires et que ce niveau est actuellement réduit.

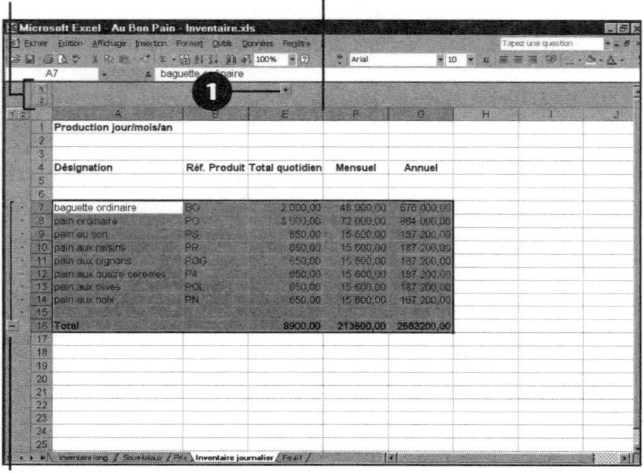

Les sous-niveaux sont décalés et n'affichent plus le signe +.

Gagner du temps grâce aux modèles

Un modèle est un classeur contenant des formules, des étiquettes, des graphiques et des mises en forme. Lorsque vous créez un nouveau classeur basé sur un modèle, il hérite de toutes les informations du modèle.

Créer et enregistrer un classeur à l'aide d'un modèle

1. Dans le menu Fichier, cliquez sur Nouveau.
2. Dans le volet Office, cliquez sur Modèles généraux dans la section Créer à partir d'un modèle.
3. Cliquez sur l'onglet Feuilles de calculs puis sur le nom du modèle voulu.
4. Cliquez sur OK.
5. Remplissez le formulaire avec vos propres informations.

6 Cliquez sur Enregistrer.
La boîte de dialogue Enregistrer sous s'affiche pour vous permettre d'enregistrer ce fichier comme un classeur, et non comme un nouveau modèle.

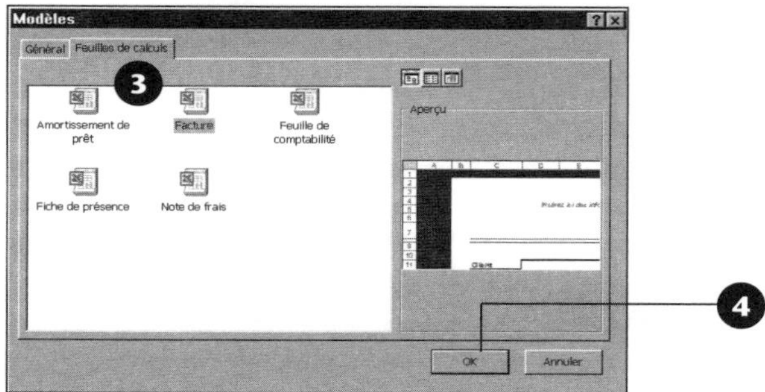

MODÈLE	DESCRIPTION
Facture	Crée un formulaire contenant les informations client et produit avec le prix unitaire, la quantité…
Note de frais	Crée un formulaire de note de frais.
Amortissement de prêt	Crée un tableau d'amortissement d'un prêt bancaire sur la base des données entrées.
Fiche de présence	Crée une fiche de relevé d'heures de présence sur une semaine.
Feuille de comptabilité	Crée un relevé de compte (débit/crédit) pour un produit ou un client

Créer un modèle

En créant votre modèle, vous vous dotez d'un formulaire personnalisé prêt à l'emploi pour chaque inventaire.

ASTUCE

Macros ou modèles ? *Créez une macro pour automatiser une tâche répétitive. Concevez ensuite un modèle pour effectuer la saisie des données dont le format change rarement dans des cases blanches.*

Créer un modèle

1. Saisissez dans un nouveau classeur toutes les informations nécessaires : formules, étiquettes, graphiques et mises en forme.
2. Dans le menu Fichier, cliquez sur Enregistrer sous.
3. Cliquez sur la flèche de liste déroulante Enregistrer dans, et choisissez un emplacement pour votre modèle.
   Pour qu'il apparaisse dans l'onglet Général de la boîte de dialogue Modèles, choisissez l'emplacement C:\Program Files\Microsoft Office\Templates\1036\.
4. Entrez un nom explicite.
5. Cliquez sur la flèche de liste déroulante Type de fichier.
6. Choisissez Modèle.
7. Cliquez sur Enregistrer.

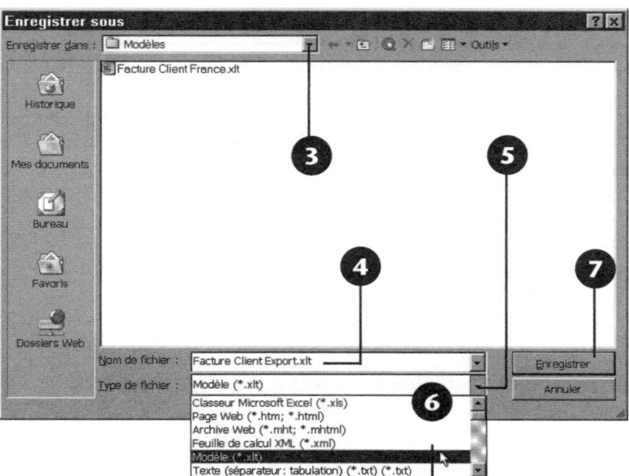

Travailler avec des modèles

Lorsque vous créez un classeur sans spécifier de modèle, Excel utilise le modèle par défaut. Lorsque vous spécifiez un modèle, Excel crée un classeur contenant les formules, étiquettes et mises en forme de ce modèle.

Ouvrir un modèle

1. Cliquez sur le bouton Ouvrir de la barre d'outils Standard.
2. Cliquez sur la flèche de liste déroulante Regarder dans, et sélectionnez l'unité et le dossier avec le modèle à ouvrir (par exemple : Mes modèles dans Mes documents).
3. Cliquez sur la flèche de liste déroulante Type de fichiers.
4. Cliquez sur Modèles.
5. Cliquez sur le nom de fichier du modèle à ouvrir.
6. Cliquez sur Ouvrir.

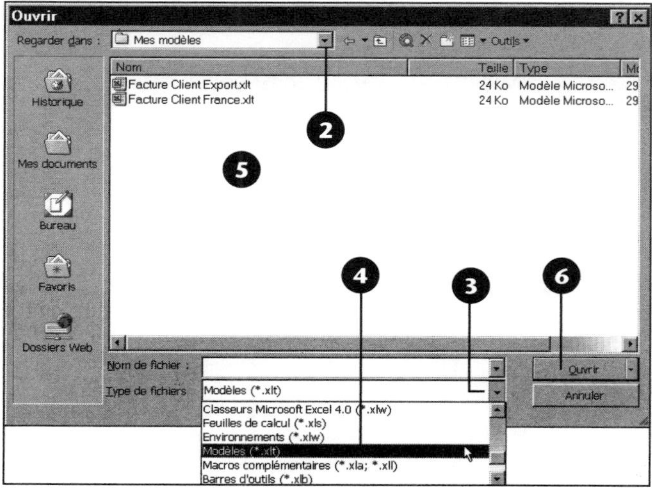

ASTUCE

Ouvrir un classeur par défaut avec le bouton Nouveau. *En cliquant sur le bouton Nouveau de la barre d'outils Standard, vous créez un classeur basé sur le modèle par défaut.*

Modifier un modèle Excel

1. Cliquez sur le bouton Ouvrir de la barre d'outils Standard.
2. Cliquez sur la flèche de liste déroulante Regarder dans et spécifiez l'emplacement C:\Program Files\Microsoft Office\Templates\1036\.
3. Cliquez sur le modèle à modifier.
4. Cliquez sur Ouvrir.
5. Effectuez les modifications. Rappelez-vous qu'elles affectent tous les nouveaux classeurs créés avec ce modèle.
6. Cliquez sur le bouton Enregistrer de la barre d'outils Standard.
7. Fermez ce modèle avant de l'utiliser pour créer un nouveau classeur.

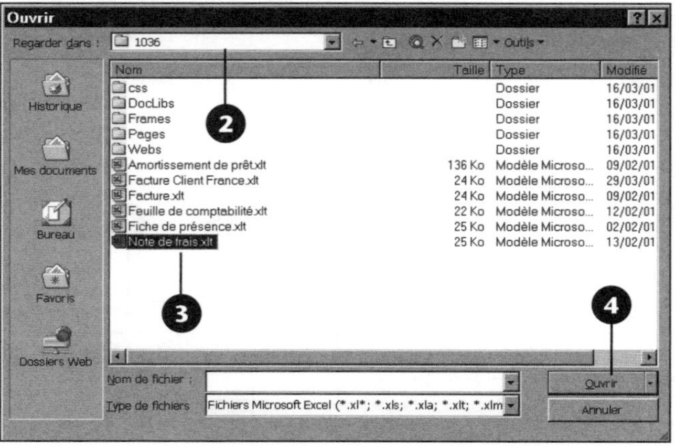

ASTUCE

Changer le modèle par défaut affecte tous les classeurs que vous allez créer. *Ne modifiez ce modèle par défaut qu'avec la plus grande prudence.*

Personnaliser un modèle Excel

1. Ouvrez le modèle Excel à personnaliser. Ces modèles sont situés dans le dossier C:\Program Files\Microsoft Office\Templates\1036\.
2. Cliquez sur l'onglet de feuille Personnaliser votre facture, par exemple.
3. Pointez sur les annotations de cellules pour afficher des conseils ayant trait à la personnalisation des zones.
4. Remplacez les textes par vos propres informations.
5. Cliquez sur le bouton Enregistrer de la barre d'outils Standard.
6. Fermez votre modèle avant de l'utiliser pour créer un nouveau classeur.

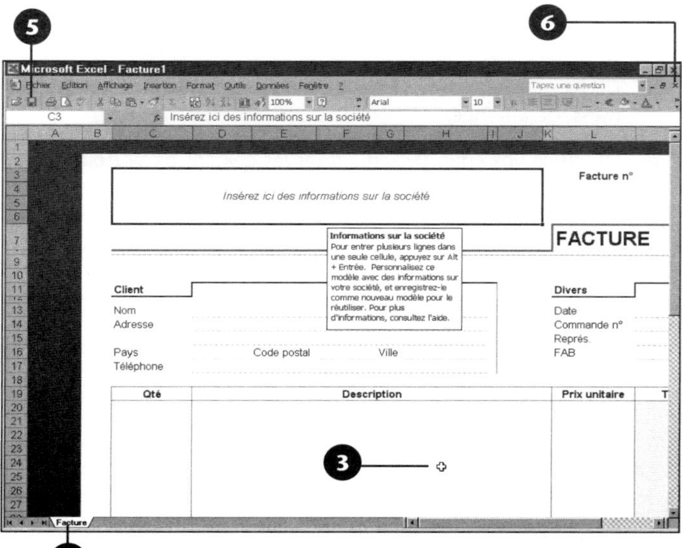

ASTUCE

Modifier un modèle. *Si vous souhaitez modifier un modèle existant afin que tous les nouveaux classeurs bénéficient de cette modification, ouvrez le vrai modèle (pas une copie), effectuez vos remaniements et enregistrez-les.*

Repérer les modifications

La fonction Suivi des modifications vous permet de connaître l'auteur, la nature et la date de ces modifications, et d'accepter ou rejeter chacune individuellement.

Activer la fonction Suivi des modifications

1. Dans le menu Outils, pointez sur Suivi des modifications, puis cliquez sur Afficher les modifications.
2. Cochez la case Suivre les modifications au fur et à mesure.
3. Cochez les cases Le, Par et Dans. Cliquez sur les flèches de liste déroulante associées et choisissez votre option.
4. Cliquez sur OK. Si nécessaire, cliquez sur OK dans la boîte de message affichée.
5. Effectuez vos changements dans les cellules de votre feuille de calcul.
   Les indicateurs de ligne et de colonne des cellules modifiées s'affichent en rouge. La cellule contenant la modification est entourée de bleu.

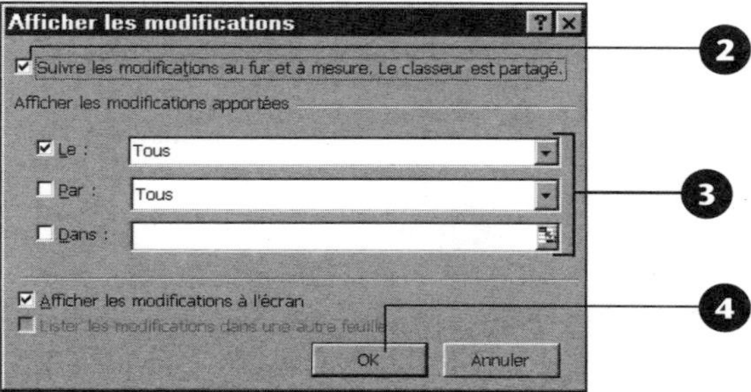

Afficher les modifications

1. Placez le pointeur de votre souris sur une cellule modifiée.

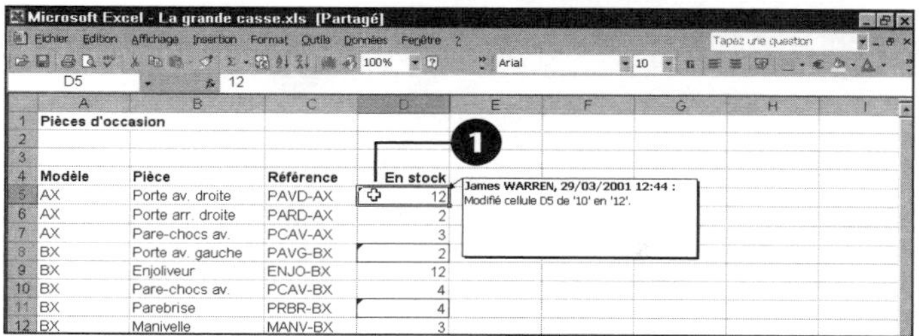

ASTUCE

La barre de titre signale le statut partagé du classeur. *Lorsqu'un utilisateur applique la commande Suivi des modifications à un classeur, l'indication « [Partagé] » s'affiche dans la barre de titre du classeur pour vous signaler que cette fonction est active.*

Accepter ou rejeter les modifications repérées

1. Dans le menu Outils, pointez sur Suivi des modifications et cliquez sur Accepter ou refuser les modifications. Si nécessaire, cliquez sur OK dans la zone de message.
2. Cliquez sur OK pour réviser des modifications.
3. Si nécessaire, faites défiler la feuille de calcul pour consulter toutes les modifications, puis cliquez sur l'un des boutons suivants :
   - Accepter, pour valider la modification sélectionnée.
   - Refuser, pour supprimer la modification sélectionnée.
   - Accepter tout, pour autoriser toutes les modifications après les avoir passées en revue.
   - Refuser tout, pour supprimer toutes les modifications après les avoir passées en revue.
4. Cliquez sur Fermer.

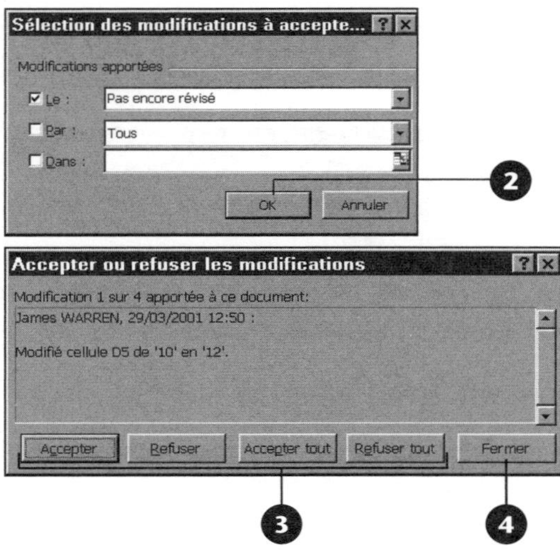

ASTUCE

Gardez la trace des révisions en suivant vos modifications. *Même si vous en êtes l'unique utilisateur, la fonction Suivi des modifications vous permet de suivre les changements importants dans votre classeur.*

Protéger vos données

Pour préserver votre travail, surtout si vous partagez vos fichiers, ayez recours à un mot de passe.

ASTUCE

Supprimer la protection d'une feuille de calcul. *Dans le menu Outils, pointez sur Protection, puis cliquez sur Ôter la protection de la feuille. Entrez le mot de passe puis cliquez sur OK.*

Protéger une feuille de calcul

1. Dans le menu Outils, pointez sur Protection, puis cliquez sur Protéger la feuille.

2 Cochez les cases des éléments que vous souhaitez autoriser dans la feuille.

3 Entrez un mot de passe.

4 Cliquez sur OK.

5 Répétez le mot de passe.

6 Cliquez sur OK.

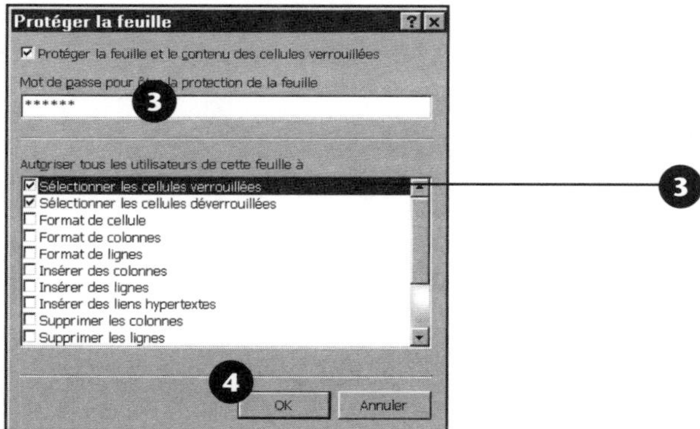

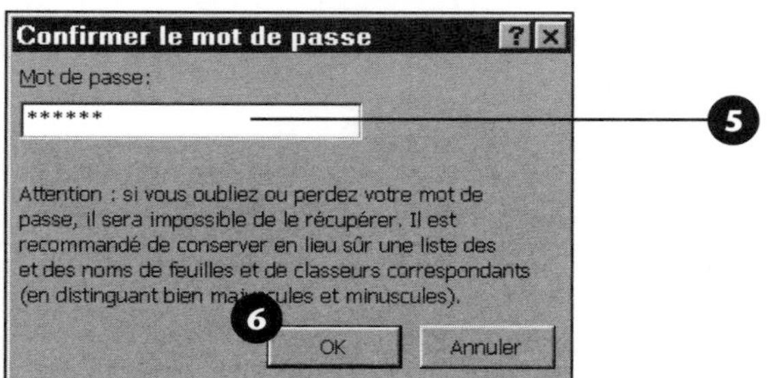

ASTUCE

Protéger un classeur. *Suivez la même procédure que pour une feuille de calcul, mais choisissez Protéger le classeur dans le menu Outils.*

Optimiser les performances des feuilles de calcul

11

Si vous ne vous contentez pas de simples calculs, sachez qu'Excel 2002 vous propose nombre d'outils pour des projets plus spécialisés. Exécutez par exemple des simulations par différentes méthodes, à choisir selon les résultats souhaités.

Automatiser votre travail

Personnalisez Excel en automatisant vos tâches et vos combinaisons de touches les plus fréquentes à l'aide de macros. Une macro enregistre une séquence de tâches ou de touches qui ne sera alors plus à répéter. Vous pouvez l'exécuter, la modifier, lui adjoindre des commentaires pour que d'autres utilisateurs comprennent son rôle, et la tester afin de vous assurer de son bon fonctionnement. Les macros complémentaires (programmes fournissant des fonctions supplémentaires) d'Excel améliorent votre efficacité. Certaines, tel l'enregistrement automatique, sont d'utilité générale. D'autres, comme l'utilitaire d'analyse, ajoutent des fonctionnalités, des fonctions et des commandes personnalisées spécifiques à certaines tâches. Toutes ces macros de personnalisation ont un objectif commun : faciliter et optimiser l'utilisation d'Excel.

Créer des scénarios

Les données des feuilles de calcul évoluent sans cesse. En envisageant divers scénarios, vous mettez en avant toutes sortes de stratégies.

Créer un scénario

1. Dans le menu Outils, cliquez sur Gestionnaire de scénarios.
2. Cliquez sur Ajouter.
3. Entrez un nom identifiant le scénario.
4. Entrez la référence des cellules dont vous souhaitez modifier la valeur dans votre scénario, ou cliquez sur le bouton Masquer la boîte de dialogue et sélectionnez ces cellules avec votre souris, puis cliquez sur le bouton Afficher la boîte de dialogue.
5. Si vous le souhaitez, entrez un commentaire.
6. Cliquez sur OK.
7. Entrez des valeurs pour chaque cellule à modifier.
8. Cliquez sur OK.
9. Cliquez sur Fermer.

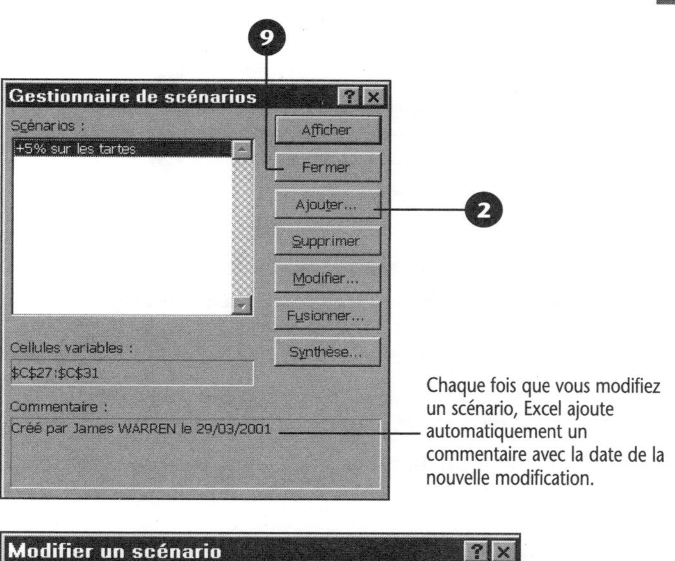

Chaque fois que vous modifiez un scénario, Excel ajoute automatiquement un commentaire avec la date de la nouvelle modification.

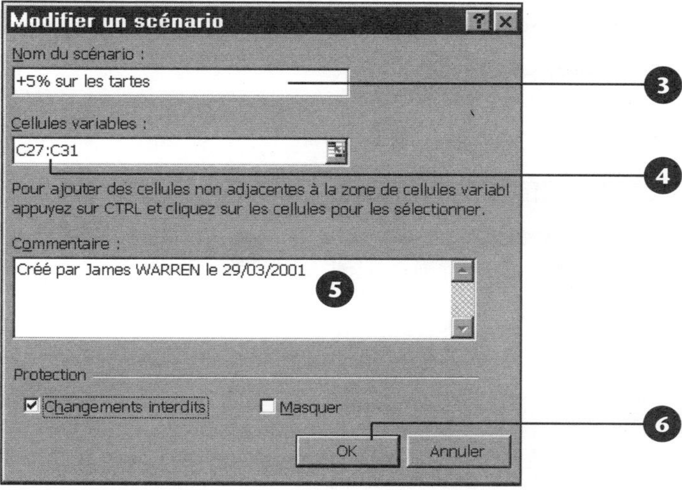

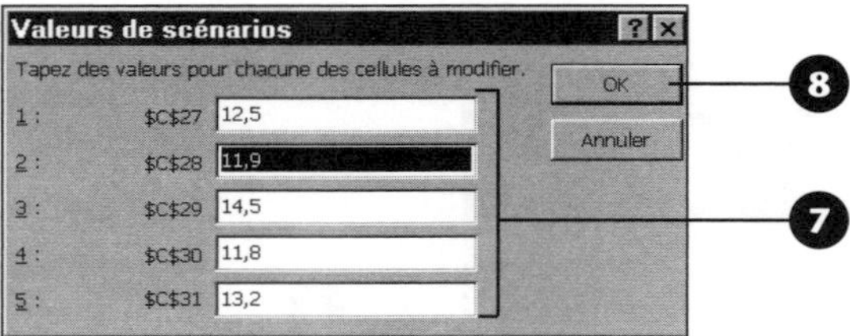

ASTUCE

Ne jamais oublier d'enregistrer votre scénario original. *Vous ne pouvez créer un scénario à partir de valeurs inchangées que si vous repartez toujours de vos valeurs d'origine.*

Afficher un scénario

1. Dans le menu Outils, cliquez sur Gestionnaire de scénarios.
2. Sélectionnez le scénario à afficher.
3. Cliquez sur Afficher.
4. Cliquez sur Fermer.

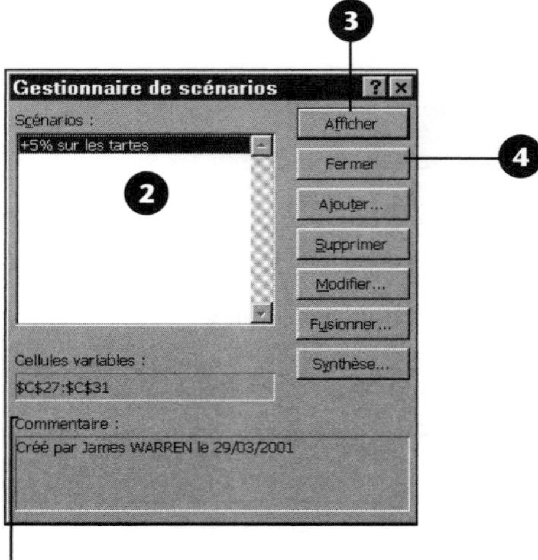

Les cellules modifiées dans le scénario apparaissent ici

Les cellules C27 à C31 changent pour refléter le scénario sélectionné, et les changements sont répercutés dans D27 à D31, contenant une formule référençant C27 à C31.

	A	B	C	D
6	pain ordinaire	PO	5,00	5,25
7	pain au son	PS	6,50	6,83
8	pain aux raisins	PR	6,50	6,83
9	pain aux oignons	POG	6,50	6,83
10	pain aux quatre céréales	P4	6,50	6,83
11	pain aux olives	POL	6,50	6,83
12	pain aux noix	PN	6,50	6,83
13	pain à l'ail	PA	5,50	5,78
14	pain au lait	PL	5,75	6,04
15	pain au chocolat	PC	5,60	5,88
16				
17	croissan ordinaire	CO	4,80	5,04
18	croissant au beurre	CB	5,80	6,09
19	croissant aux amandes	CA	6,60	6,93
20	croissant au jambon	CJ	9,25	9,71
21				
22	pizza aux anchois	PZA	12,30	12,92
23	pizza aux olives	PZO	12,10	12,71
24	pizza au thon	PZT	12,30	12,92
25	quiche lorraine	QL	11,50	12,08
26				
27	tarte aux oignons	TO	11,03	11,58
28	tarte aux poireaux	TP	11,45	12,02
29	tarte au saumon	TS	15,23	15,99
30	tarte au fromage	TF	12,39	13,01
31	tarte au roquefort	TR	13,86	14,55
32				

ASTUCE

Créer un rapport de synthèse de votre scénario. *Dans le menu Outils, cliquez sur Gestionnaire de scénarios, puis sur Synthèse, choisissez le bouton d'option Synthèse de scénarios puis cliquez sur OK. Un onglet de feuille de calcul intitulé Synthèse de scénarios s'affiche avec le rapport de synthèse. Pour l'imprimer, cliquez sur le bouton Imprimer de la barre d'outils Standard.*

Tester différentes valeurs dans une table de données

Vous pouvez appliquer une formule à toute une plage de valeurs à tester. Les tables de données calculent ces valeurs en une seule opération.

Créer une table de données à une entrée

1. Entrez la formule à utiliser.
   Si les valeurs d'entrée sont listées en colonne, spécifiez la nouvelle formule dans une cellule vierge à droite d'une formule existante, sur la première ligne de la table. Si les valeurs d'entrée sont listées en ligne, spécifiez la nouvelle formule dans une cellule vierge sous une formule existante, dans la première colonne de la table.

2. Sélectionnez la table de données, y compris la ligne ou la colonne contenant la nouvelle formule.

3. Dans le menu Données, cliquez sur Table.

4. Entrez la référence de la cellule d'entrée.
   Si les valeurs sont en colonne, entrez la référence de la cellule d'entrée dans la zone Cellule d'entrée en colonne. Si les valeurs sont en ligne, entrez la référence de la cellule d'entrée dans la zone Cellule d'entrée en ligne.

5. Cliquez sur OK.

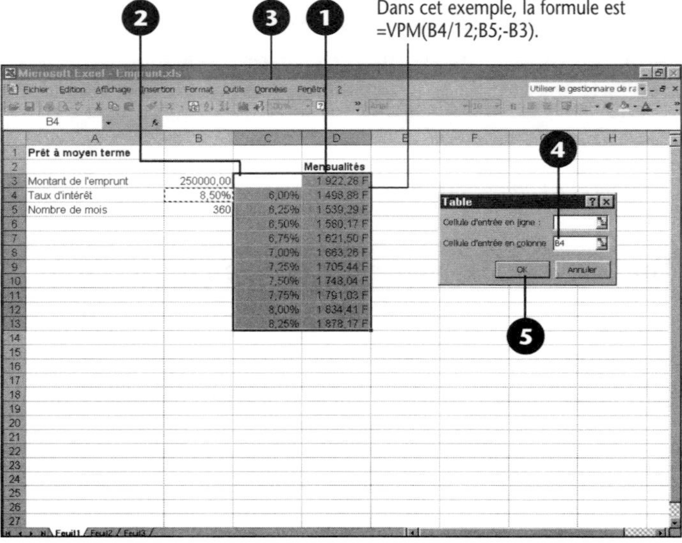

ASTUCE

Supprimer une table de données. *Sélectionnez les cellules de la table de données, et dans le menu Edition, pointez sur Effacer, puis cliquez sur Contenu.*

Effectuer des simulations avec la commande Valeur cible

La commande Valeur cible vous permet d'effectuer les calculs, en prenant pour point de départ le résultat que vous souhaitez atteindre.

Créer un scénario de simulation à l'aide de Valeur cible

1. Cliquez sur une cellule dans la plage de liste, après avoir entré la formule dans la zone de résultat.
2. Dans le menu Outils, cliquez sur Valeur cible.
3. Cliquez sur la zone Cellule à définir, et entrez l'adresse de la cellule dont vous fixez la valeur a priori, ou valeur cible (le montant des mensualités dans cet exemple).
   Sinon cliquez sur le bouton Masquer la boîte de dialogue, sélectionnez la cellule avec votre souris puis cliquez sur Afficher la boîte de dialogue.
4. Cliquez dans la zone Valeur à atteindre, et entrez la valeur fixée a priori (ici, le montant des mensualités).
5. Cliquez sur la zone Cellule à modifier, et entrez l'adresse de la cellule qu'Excel doit modifier (ici, le nombre de mensualités) en conformité avec la valeur fixée.
6. Cliquez sur OK (dans cet exemple, le résultat est 185 mensualités).

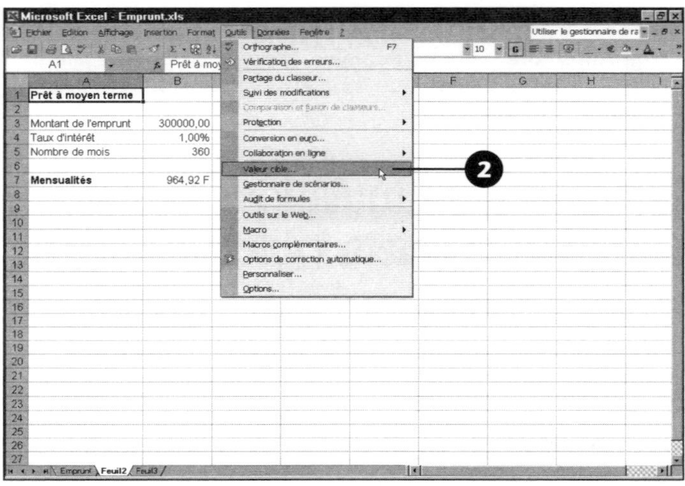
Microsoft Excel - Emprunt.xls
Fichier Edition Affichage Insertion Format Outils Données Fenêtre ?
Utiliser le gestionnaire de ra
A1
Prêt à moy
Orthographe... F7
Vérification des erreurs...
Partage du classeur...
Suivi des modifications
Comparaison et fusion de classeurs...
Protection
Conversion en euro...
Collaboration en ligne
Valeur cible...
Gestionnaire de scénarios...
Audit de formules
Outils sur le Web...
Macro
Macros complémentaires...
Options de correction automatique...
Personnaliser...
Options...
Prêt à moyen terme
Montant de l'emprunt 300000,00
Taux d'intérêt 1,00%
Nombre de mois 360
Mensualités 964,92 F
Emprunt Feuil2 Feuil3
2

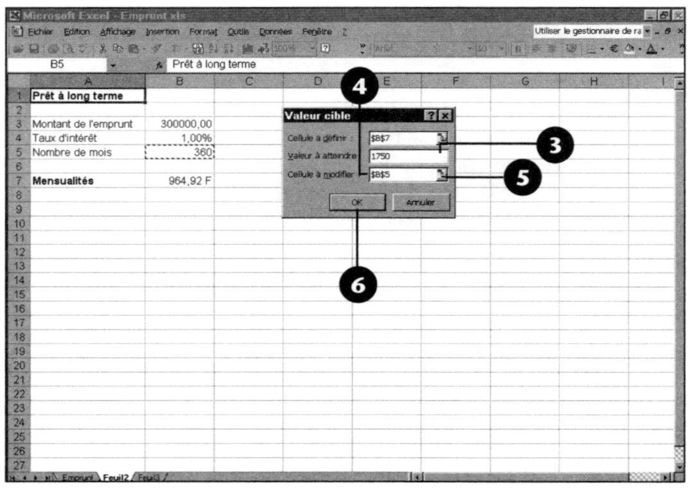
Microsoft Excel - Emprunt.xls
Fichier Edition Affichage Insertion Format Outils Données Fenêtre ?
Utiliser le gestionnaire de ra
B5
Prêt à long terme
Prêt à long terme
Montant de l'emprunt 300000,00
Taux d'intérêt 1,00%
Nombre de mois 360
Mensualités 964,92 F
Valeur cible
Cellule à définir : $B$7
Valeur à atteindre 1750
Cellule à modifier $B$5
OK
Annuler
Emprunt Feuil2 Feuil3
4
3
5
6

Comprendre les automatisations des macros

Sous Excel, vous effectuez la plupart des tâches en exécutant une série de commandes et d'actions. Imprimer deux exemplaires d'une plage sélectionnée dans la feuille de calcul Feuil2 d'un classeur, par exemple, demande d'ouvrir le classeur, aller dans Feuil2, sélectionner la zone d'impression, ouvrir la boîte de dialogue Imprimer et spécifier le nombre d'exemplaires. Si cette tâche est récurrente, pourquoi refaire toujours les mêmes opérations? Vous pouvez sans difficulté créer un mini-programme, ou macro, regroupant toutes ces actions en une seule commande.

Créer une macro simple ne requiert aucune connaissance en programmation. Excel enregistre tout simplement les étapes à inclure dans la macro pendant que vous les exécutez avec votre clavier et votre souris. Excel enregistre cette séquence de commandes sous le nom que vous spécifiez. Vous pouvez ensuite stocker votre macro dans votre classeur actif, dans un nouveau classeur ou dans le classeur Macros personnelles d'Excel. Les macros enregistrées dans ce dernier classeur sont toujours disponibles, même quand aucun classeur n'est ouvert.

Une fois cette macro créée, modifiez-la, ajoutez des commentaires pour permettre à d'autres de la comprendre et testez-la pour vous assurer qu'elle fonctionne correctement.

Pour exécuter une macro, choisissez la commande Macro dans le menu Outils, utilisez un raccourci clavier ou encore cliquez sur un bouton de barre d'outils spécialement créé. Lorsque vous ouvrez le menu Outils, pointez sur Macro puis cliquez sur Macros pour ouvrir la boîte de dialogue Macro.

Indique le ou les classeurs à partir desquels vous avez accès à la macro sélectionnée.

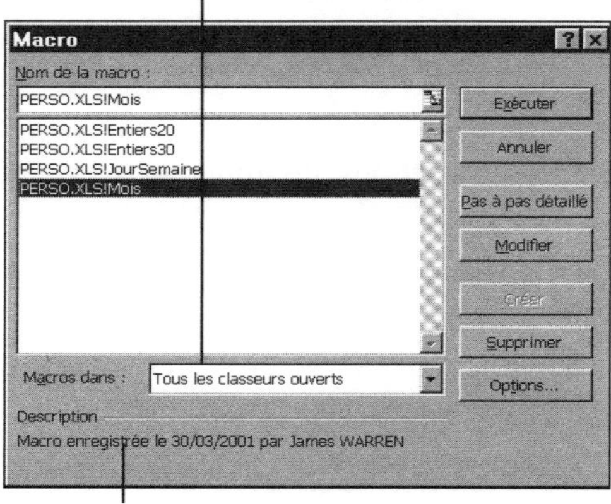

Lorsque vous créez une macro, ajoutez un commentaire décrivant son action.

Enregistrer une macro

Déclenchez l'enregistreur de macros et Excel enregistre chaque clic de souris et chaque frappe au clavier, jusqu'à ce que vous arrêtiez l'enregistrement.

Enregistrer une macro

1. Dans le menu Outils, pointez sur Macro puis cliquez sur Nouvelle macro.
2. Entrez un nom pour cette macro.
3. Désignez une touche de raccourci pour exécuter rapidement la macro sans passer par le menu.
4. Cliquez sur la flèche de liste déroulante Enregistrer la macro dans et choisissez un emplacement.
5. Saisissez éventuellement une description. Elle s'affiche au bas de la boîte de dialogue Macro.

6 Cliquez sur OK.

7 Exécutez chaque commande ou action incluse dans les tâches de cette macro. Réalisez chaque étape soigneusement, puisque la macro repère chacun de vos actes.

8 Cliquez sur le bouton Arrêter.

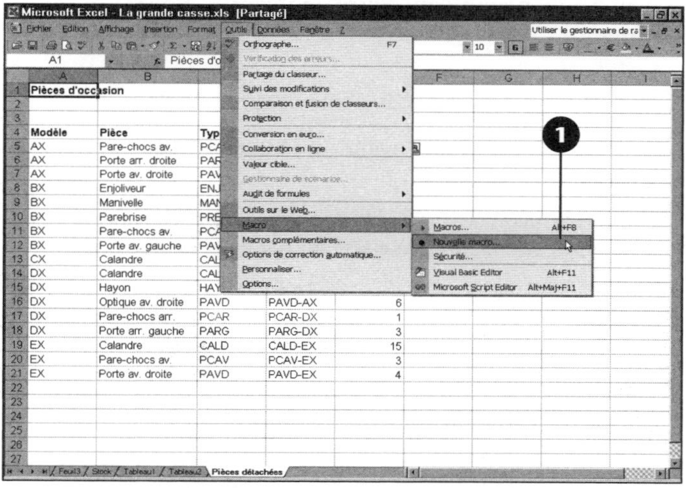

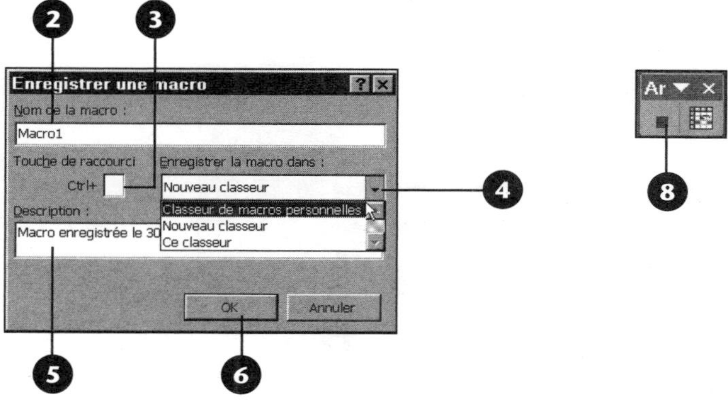

ASTUCE

Affecter les macros à toutes les feuilles de calcul. *Pour qu'une macro soit accessible depuis toutes vos feuilles, enregistrez-la dans le classeur Macros personnelles.*

Exécuter une macro

Exécuter une macro dans Excel équivaut à choisir une commande.

Exécuter une macro à partir d'une commande de menu

1. Dans le menu Outils, pointez sur Macro et cliquez sur Macros.
2. Si nécessaire, cliquez sur la flèche de liste déroulante Macros dans et sélectionnez le classeur contenant la macro à exécuter.
3. Cliquez sur le nom de cette macro.
4. Cliquez sur Exécuter.

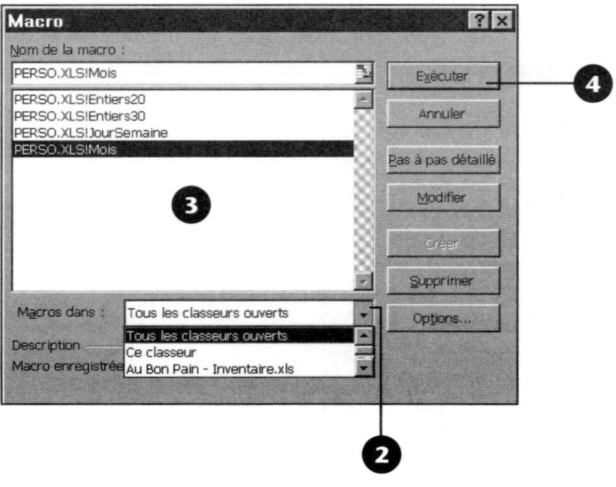

Exécuter une macro à partir d'une barre d'outils ou d'un raccourci

 Cliquez sur le bouton associé à la macro ou pressez le raccourci clavier affecté lors de sa création.

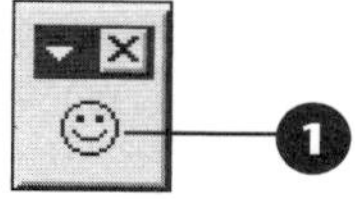

Comprendre le code d'une macro

Les codes macro peuvent sembler déroutants, mais ce sont les instructions de programme qu'utilise Excel. Avant l'apparition d'outils tels que l'enregistreur de macros, il fallait programmer sa macro en entrant tout le code nécessaire à l'exécution de chaque action incluse dans la macro.

Chaque ligne de code d'une macro exécute une action, ou déclare quels attributs sont activés (true) ou désactivés (false). Les guillemets signalent le texte entré par l'utilisateur ; les termes Sub et End Sub indiquent le début et la fin des sous-routines.

Pour en savoir plus sur le code macro, consultez les rubriques Visual Basic sur le site Web de Microsoft, à l'adresse *http://www.eu.microsoft.com/france/mspress*

Ces commentaires mentionnent le nom et le rôle de la macro.

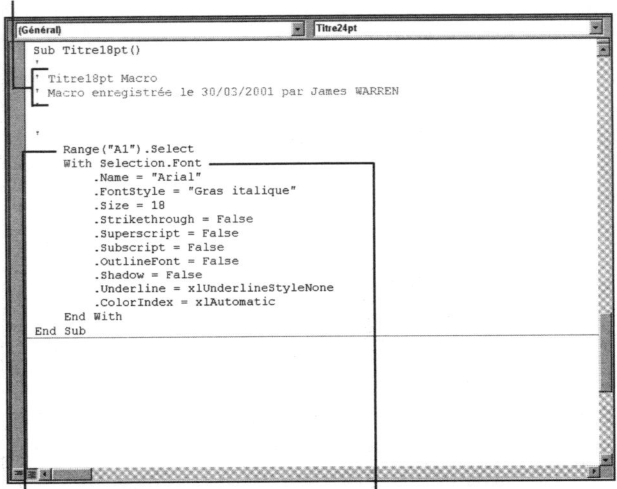

Cette ligne indique la cellule active qui a été sélectionnée pour la mise en forme.

Ces lignes indiquent la mise en forme choisie (Arial, etc., non-indice, non-exposant [false]...).

Déboguer une macro en mode Pas à pas

Avec le Pas à pas, déterminez quelles actions requièrent une modification et apportez les corrections nécessaires.

Déboguer une macro en Pas à pas

1. Dans le menu Outils, pointez sur Macro et cliquez sur Macros.
2. Cliquez sur le nom de la macro à déboguer.
3. Cliquez sur Pas à pas détaillé.

4 Dans le menu Débogage, cliquez sur Pas à pas détaillé pour faire dérouler chaque action.

5 Lorsque vous avez terminé, dans le menu Fichier, cliquez sur Fermer et retourner à Microsoft Excel.

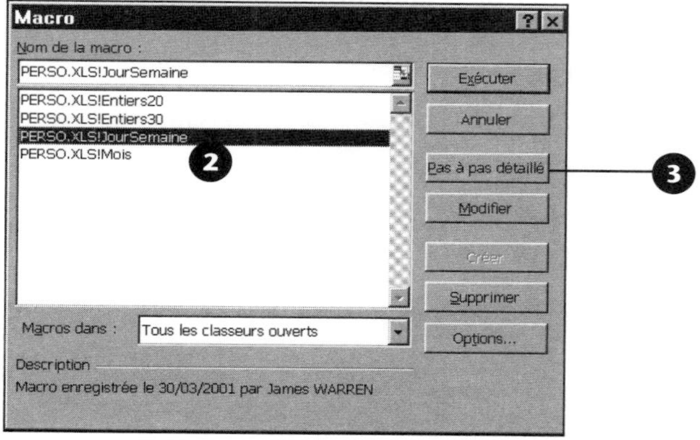

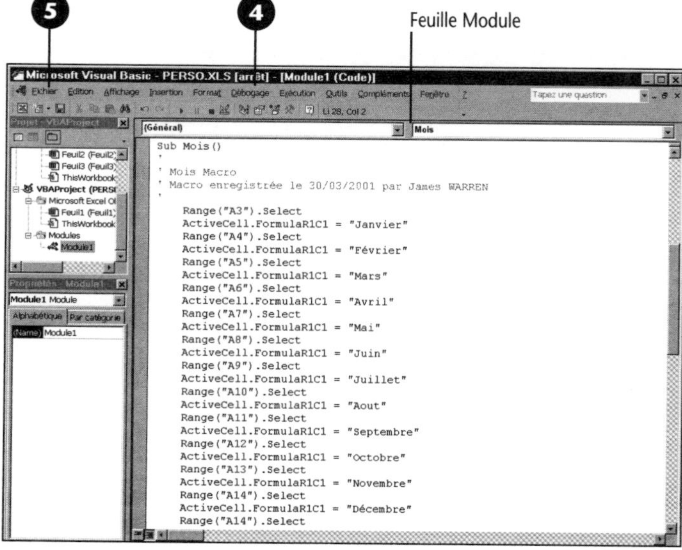

Modifier une macro

Vous pouvez modifier le code de la macro en ouvrant sa feuille Module et en entrant vos modifications au clavier, comme vous le feriez dans un traitement de texte.

Modifier une macro

1. Dans le menu Outils, pointez sur Macro et cliquez sur Macros.
2. Cliquez sur la macro à modifier.
3. Cliquez sur Modifier.
4. Sélectionnez le texte à corriger, puis effectuez les corrections nécessaires.
5. Lorsque vous avez terminé, dans le menu Fichier, cliquez sur Fermer et retourner à Microsoft Excel.

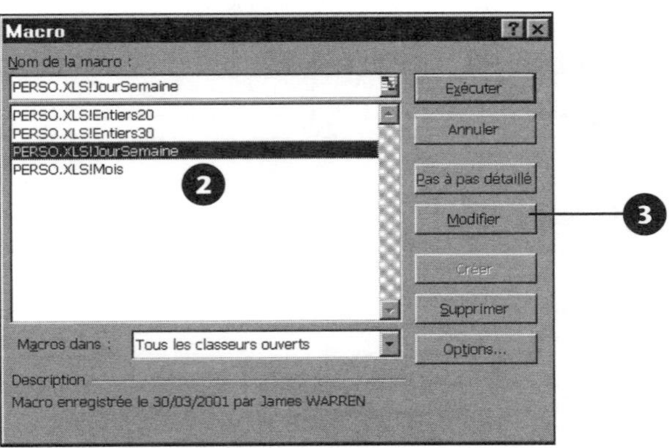

```
(Général)                                   Titre18pt
Sub Titre18pt()
'
' Titre18pt Macro
' Macro enregistrée le 30/03/2001 par James WARREN
'

'
    With Selection.Font
        .Name = "Arial"
        .FontStyle = "Gras italique"
        .Size = 18
        .Strikethrough = False
        .Superscript = False
        .Subscript = False
        .OutlineFont = False
        .Shadow = False
        .Underline = xlUnderlineStyleNone
        .ColorIndex = xlAutomatic
    End With
End Sub

Sub Titre24pt()
'

' Titre24pt Macro
' Macro enregistrée le 30/03/2001 par James WARREN
'

'
```

4

Les macros complémentaires d'Excel

Pour améliorer votre rendement, vous disposez de toute une gamme de macros complémentaires, ou *add-in*, livrées avec Excel.

Peut-être avez-vous installé une ou plusieurs macros complémentaires lors de l'installation d'Excel. Pour les connaître, ouvrez la boîte de dialogue Macros complémentaires en cliquant sur Macros complémentaires dans le menu Outils.

Pour économiser de la mémoire, Excel n'active pas automatiquement ces macros : activez-les individuellement avant de les utiliser.

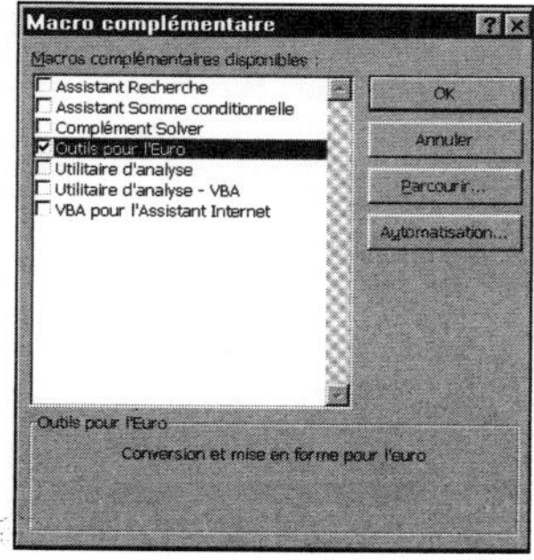

Travailler en groupe 12

La conception de classeurs n'est pas toujours une tâche solitaire : pour mener à bien votre projet, peut-être devrez-vous partager un classeur ou récupérer des données d'autres programmes. Avec Excel 2002, conjuguez vos efforts. Dans bien des entreprises, des collaborateurs éloignés, dotés d'ordinateurs reliés en réseaux, partagent les informations de leurs fichiers respectifs qu'ils peuvent ouvrir et modifier. Cela implique aussi la fusion dans un document unique des informations provenant de plusieurs classeurs, et la liaison ou la consolidation des données de différentes feuilles de calcul ou classeurs.

Travailler ensemble

Tout l'intérêt du travail d'une équipe réside dans la mise en commun des efforts pour atteindre un objectif irréalisable par un seul dans un délai court ou dans des conditions identiques. Cependant, dans un environnement partagé, les utilisateurs doivent toujours garder à l'esprit la manière dont s'opère le contrôle des fichiers, la version utilisée, les parties qui peuvent être modifiées. Diverses techniques permettent de lier, d'incorporer, d'exporter, de convertir des données, ou de les doter de liens hypertextes, pour créer un document homogène reflétant les efforts de tous.

Partager des classeurs

À plusieurs utilisateurs dans un environnement en réseau, vous serez amené à partager les classeurs que vous avez créés, mais aussi la responsabilité de la saisie et de l'actualisation des données.

Autoriser le partage d'un classeur

1. Ouvrez le classeur à partager.
2. Dans le menu Outils, cliquez sur Partage du classeur Excel.
3. Cliquez sur l'onglet Modification.
4. Cochez la case Permettre une modification multi-utilisateur.
5. Cliquez sur OK, puis à nouveau pour enregistrer votre classeur.

Modifier les options de partage

1. Ouvrez le classeur à partager.
2. Dans le menu Outils, cliquez sur Partage du classeur Excel.

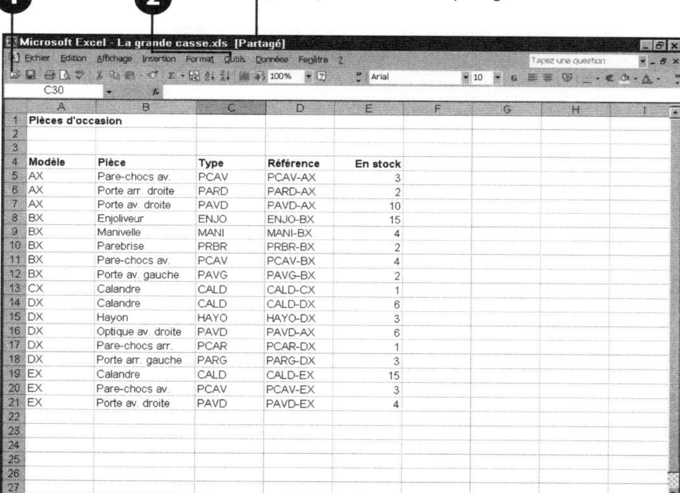

Pièces d'occasion				
Modèle	**Pièce**	**Type**	**Référence**	**En stock**
AX	Pare-chocs av.	PCAV	PCAV-AX	3
AX	Porte arr. droite	PARD	PARD-AX	2
AX	Porte av. droite	PAVD	PAVD-AX	10
BX	Enjoliveur	ENJO	ENJO-BX	15
BX	Manivelle	MANI	MANI-BX	4
BX	Parebrise	PRBR	PRBR-BX	2
BX	Pare-chocs av.	PCAV	PCAV-BX	4
BX	Porte av. gauche	PAVG	PAVG-BX	2
CX	Calandre	CALD	CALD-CX	1
DX	Calandre	CALD	CALD-DX	6
DX	Hayon	HAYO	HAYO-DX	3
DX	Optique av. droite	PAVD	PAVD-AX	6
DX	Pare-chocs arr.	PCAR	PCAR-DX	1
DX	Porte arr. gauche	PARG	PARG-DX	3
EX	Calandre	CALD	CALD-EX	15
EX	Pare-chocs av.	PCAV	PCAV-EX	3
EX	Porte av. droite	PAVD	PAVD-EX	4

3. Cliquez sur l'onglet Avancé.
4. Pour indiquer le temps de conservation des modifications, choisissez une option de Suivi des modifications, et, si nécessaire, fixez un nombre de jours.
5. Pour indiquer quand enregistrer les modifications, choisissez une option de Mise à jour des modifications, et, si nécessaire, fixez un intervalle de temps.
6. Pour arbitrer les conflits, choisissez une option de En cas de modifications contradictoires.
7. Cochez éventuellement la ou les cases de la section Inclure dans une vue personnelle.
8. Cliquez sur OK.

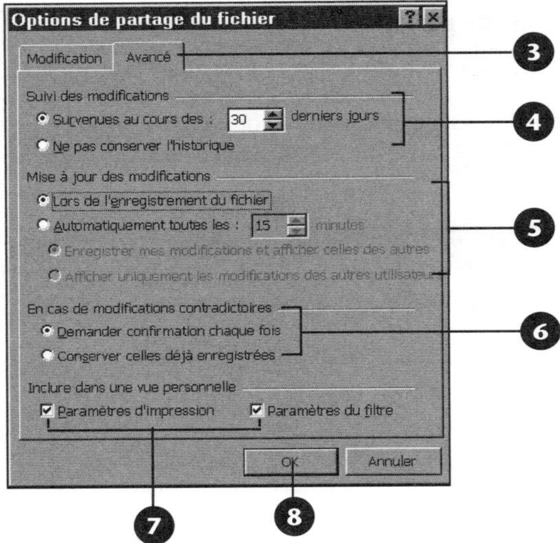

ASTUCE

Excel vous prévient si vous travaillez sur un classeur partagé. *Lorsque le partage est activé, la mention « [Partagé] » s'affiche dans la barre de titre du classeur concerné.*

Partager des informations entre des documents

Une des innovations majeures de la micro-informatique est la technologie OLE qui permet d'insérer dans un programme un objet créé dans un autre programme.

Quelques termes employés en matière de partage d'objets entre documents sont répertoriés à la page suivante.

TERME	DÉFINITION
Programme source	Programme ayant créé l'objet d'origine.
Fichier source	Fichier contenant l'objet d'origine.
Programme cible (de destination)	Programme ayant créé le document où vous insérez l'objet.
Fichier cible (de destination)	Fichier où vous insérez l'objet.

Collage

Copiez ou coupez certaines informations d'un document, puis collez-les dans un autre à l'aide des boutons Copier, Couper et Coller des barres d'outils des programmes source et cible. Vous pouvez aussi faire glisser les informations d'une section à une autre d'un document.

Exportation et importation

Exporter et importer sont les deux faces d'une même opération. L'exportation convertit une copie de votre fichier ouvert au format de fichier d'un autre programme. L'importation copie un fichier, créé dans le même programme ou dans un autre, dans votre fichier ouvert.

Incorporation

Vous incorporez un objet lorsque vous en placez une copie dans le fichier cible ; lorsque, ensuite, vous sélectionnez cet objet, les outils de son programme source deviennent disponibles dans votre feuille de calcul.

Liaison

Vous *liez* un objet lorsque vous insérez une représentation de l'objet lui-même dans le fichier cible. Les outils du programme source sont disponibles, et, si vous les employez pour modifier l'objet lié, vous modifiez également le fichier source.

Lien hypertexte

Issu de la technologie du World Wide Web, le *lien hypertexte* est le procédé le plus récent de connexion entre programmes. C'est un objet (graphique ou texte, soit souligné, soit en couleur) sur lequel vous cliquez pour atteindre un autre emplacement dans le même document ou dans un autre document.

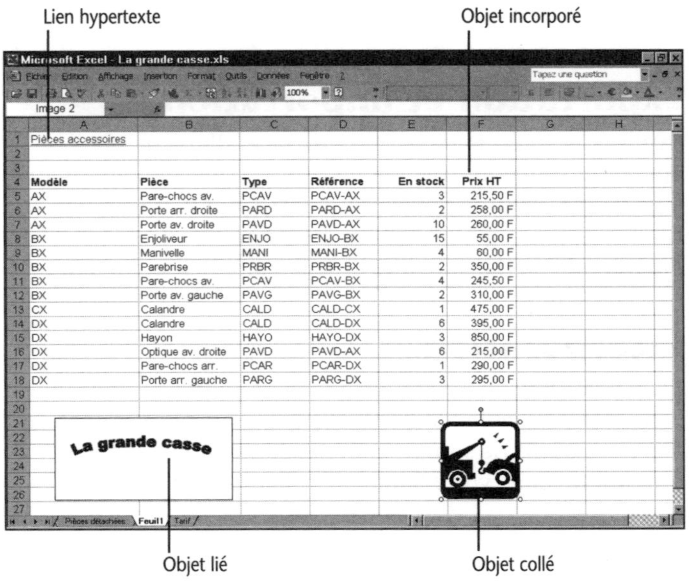

Modèle	Pièce	Type	Référence	En stock	Prix HT
AX	Pare-chocs av.	PCAV	PCAV-AX	3	215,50 F
AX	Porte arr. droite	PARD	PARD-AX	2	258,00 F
AX	Porte av. droite	PAVD	PAVD-AX	10	260,00 F
BX	Enjoliveur	ENJO	ENJO-BX	15	55,00 F
BX	Manivelle	MANI	MANI-BX	4	60,00 F
BX	Parebrise	PRBR	PRBR-BX	2	350,00 F
BX	Pare-chocs av.	PCAV	PCAV-BX	4	245,50 F
BX	Porte av. gauche	PAVG	PAVG-BX	2	310,00 F
CX	Calandre	CALD	CALD-CX	1	475,00 F
DX	Calandre	CALD	CALD-DX	6	395,00 F
DX	Hayon	HAYO	HAYO-DX	3	850,00 F
DX	Optique av. droite	PAVD	PAVD-AX	6	215,00 F
DX	Pare-chocs arr.	PCAR	PCAR-DX	1	290,00 F
DX	Porte arr. gauche	PARG	PARG-DX	3	295,00 F

Exporter et importer des données

Si vous devez copier des données d'un programme à un autre, vous pouvez les convertir sous un format accepté par l'autre programme.

ASTUCE

Excel ne peut enregistrer un fichier sous un autre format si vous n'avez pas installé le filtre de conversion approprié. *Si le format voulu n'apparaît pas dans la liste Type de fichier, installez-le en exécutant le programme d'installation depuis votre CD Microsoft Excel 2002 ou Microsoft Office XP.*

Exporter des données Excel par Copier et Coller

1. Sélectionnez la cellule ou la plage à copier.
2. Cliquez sur le bouton Copier de la barre d'outils Standard.
3. Ouvrez le fichier cible, ou cliquez sur le bouton du programme concerné dans la barre des tâches si ce programme est déjà ouvert.
4. Placez le point d'insertion là où vous voulez insérer les données.
5. Cliquez sur le bouton Coller de la barre d'outils Standard.

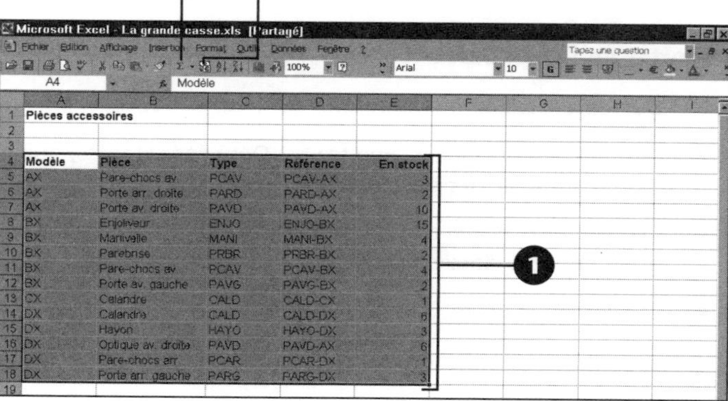

Modèle	Pièce	Type	Référence	En stock
AX	Pare-chocs av.	PCAV	PCAV-AX	3
AX	Porte arr. droite	PARD	PARD-AX	2
AX	Porte av. droite	PAVD	PAVD-AX	10
BX	Enjoliveur	ENJO	ENJO-BX	15
BX	Manivelle	MANI	MANI-BX	4
BX	Parebrise	PRBR	PRBR-BX	2
BX	Pare-chocs av.	PCAV	PCAV-BX	4
BX	Porte av. gauche	PAVG	PAVG-BX	2
CX	Calandre	CALD	CALD-CX	1
DX	Calandre	CALD	CALD-DX	6
DX	Hayon	HAYO	HAYO-DX	3
DX	Optique av. droite	PAVD	PAVD-AX	6
DX	Pare-chocs arr.	PCAR	PCAR-DX	1
DX	Porte arr. gauche	PARG	PARG-DX	3

Exporter un fichier Excel sous le format d'un autre programme

1. Ouvrez le fichier dont vous souhaitez exporter les données.
2. Dans le menu Fichier, cliquez sur Enregistrer sous.
3. Cliquez sur la flèche de liste déroulante Type de fichier.
4. Cliquez sur le format voulu.
5. Cliquez sur Enregistrer.

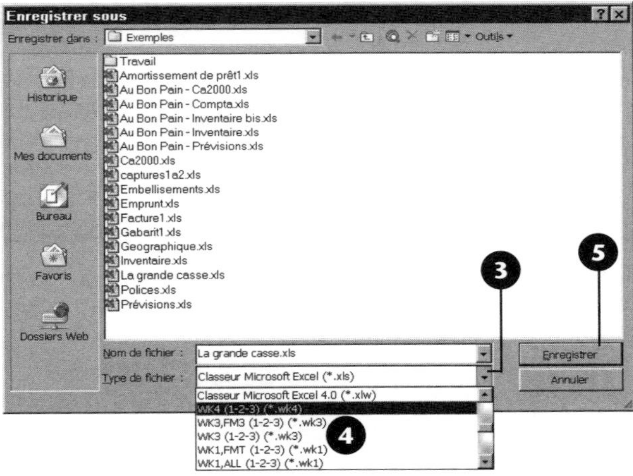

Importer un fichier texte

1. Ouvrez le classeur où insérer des données texte.
2. Dans le menu Données, pointez sur Données externes, puis cliquez sur Importer des données.
3. Cliquez sur la flèche de liste déroulante Regarder dans, et sélectionnez le dossier où se trouve votre fichier texte.
4. Cliquez sur le fichier à importer.

5 Cliquez sur Ouvrir, ce qui fait apparaître l'Assistant Importation de texte.

6 Suivez la procédure ; à son terme, cliquez sur Terminer.

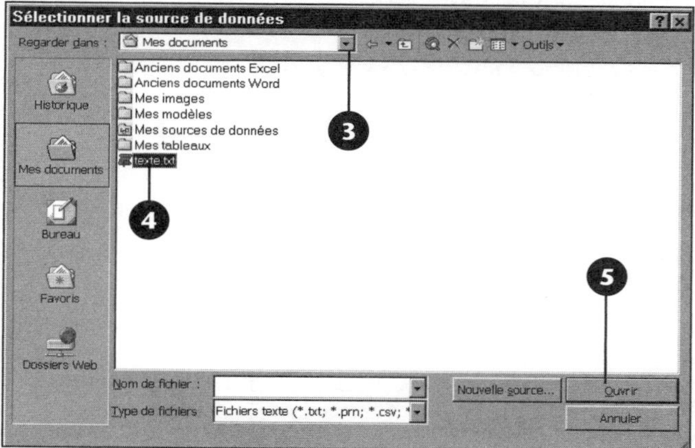

Lier et incorporer des fichiers

Les informations créées dans l'un des programmes Office peuvent être partagées entre tous. Ces informations peuvent se lier, ou s'incorporer.

ASTUCE

Sélectionner plusieurs liaisons. *Pour sélectionner plusieurs liaisons, maintenez enfoncée la touche* CTRL *tout en cliquant sur chacune d'elles.*

Créer une liaison vers un autre fichier

1 Ouvrez le fichier source et tout fichier contenant des informations à lier.

2 Sélectionnez les informations dans le fichier source, puis cliquez sur le bouton Copier de la barre d'outils Standard.

3. Placez le point d'insertion dans le fichier destiné à contenir la liaison.
4. Dans le menu Edition, cliquez sur Collage spécial.
5. Cliquez sur Coller avec liaison.

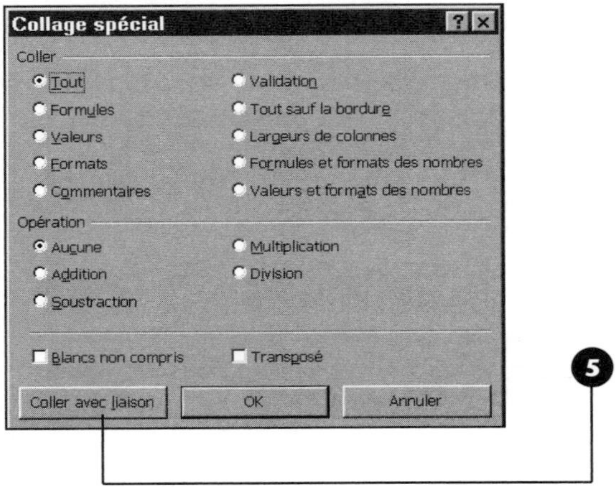

Modifier une liaison

1. Ouvrez le fichier contenant la liaison à modifier.
2. Dans le menu Edition, cliquez sur Liaisons.
3. Cliquez sur la liaison à modifier dans la liste.
4. Cliquez sur Modifier la source.
5. Cliquez sur Fermer.

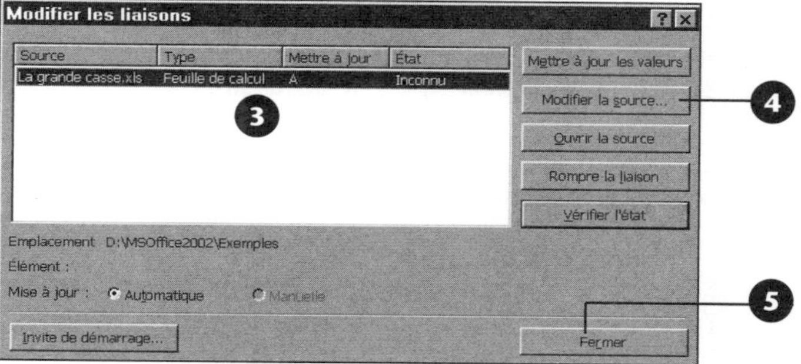

Rompre une liaison

1. Ouvrez le fichier contenant la liaison à supprimer.
2. Dans le menu Edition, cliquez sur Liaisons.
3. Cliquez sur la liaison à supprimer dans la liste.
4. Cliquez sur Rompre la liaison.
5. Cliquez sur Fermer.

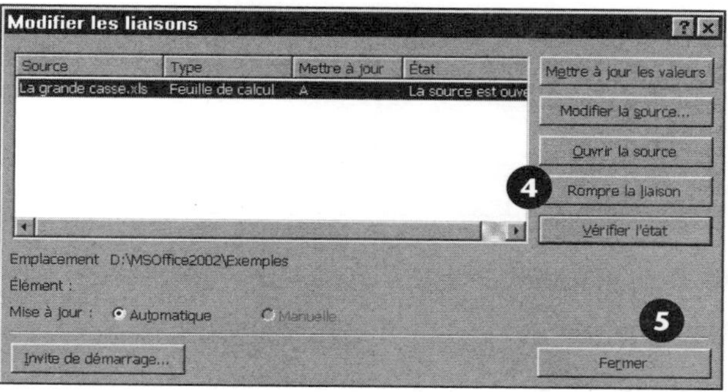

ASTUCE

Modifier un objet incorporé. *Vous ne pouvez modifier un objet incorporé que si le programme où il a été créé est installé sur votre ordinateur.*

Incorporer un nouvel objet

1. Dans le menu Insertion, cliquez sur Objet.
2. Cliquez sur l'onglet Nouvel objet.
3. Choisissez le type d'objet à incorporer.
4. Cliquez sur OK.
5. Exécutez les étapes nécessaires. Elles varient selon le type d'objet choisi.

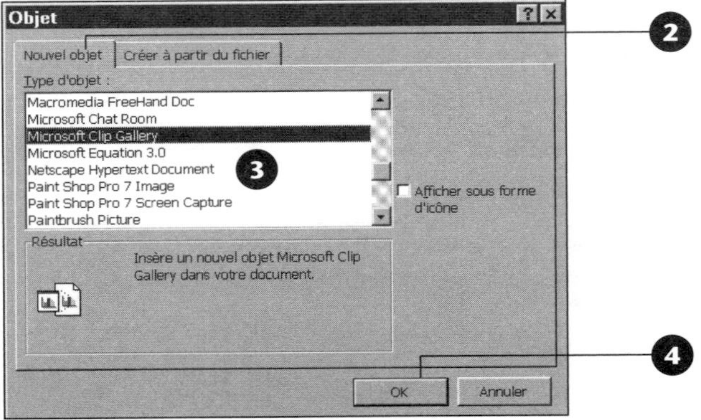

Incorporer un objet existant

1. Dans le menu Insertion, cliquez sur Objet.
2. Cliquez sur l'onglet Créer à partir du fichier.
3. Cliquez sur Parcourir et cherchez le fichier à incorporer.
4. Cochez la case Lier au fichier.
5. Cliquez sur OK.

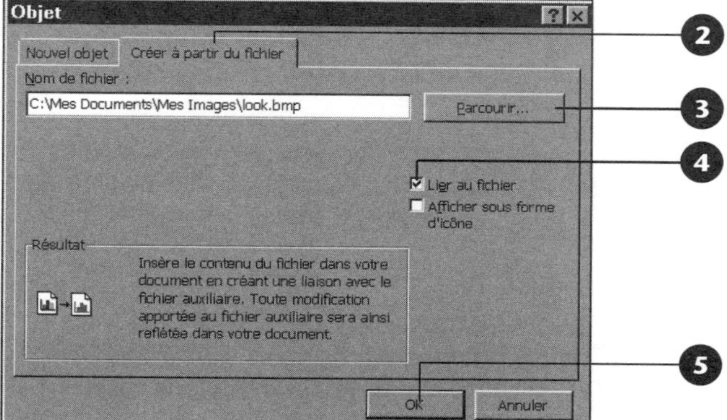

ASTUCE

Actualiser les liaisons chaque fois que vous ouvrez un document lié. *À l'ouverture d'un document contenant des liaisons, une boîte de dialogue vous demande si vous souhaitez actualiser toutes les informations liées (dans ce cas, cliquez sur Oui) ou conserver les informations existantes (cliquez sur Non).*

Lier des données

En créant des liaisons, vous évitez des saisies multiples et identiques, et gagnez en temps tout en étant assuré de l'exactitude des données entrées.

ASTUCE

Préférer les copier-coller pour des données fixes. *Si vos données source externes ne nécessitent pas d'actualisation, contentez-vous de les coller ou de les déplacer.*

Créer une liaison entre feuilles de calcul

1. Sélectionnez la cellule cible.
2. Cliquez dans le champ de barre de formule et tapez le signe =.

3 Cliquez sur l'onglet de la feuille contenant les données source.

4 Sélectionnez la cellule contenant les données source.

5 Cliquez sur le bouton Entrer de la barre de formule.

6 Pour étendre la liaison à une plage entière, cliquez sur le coin inférieur droit de la cellule liée et glissez la souris jusqu'à la cellule désirée.

2

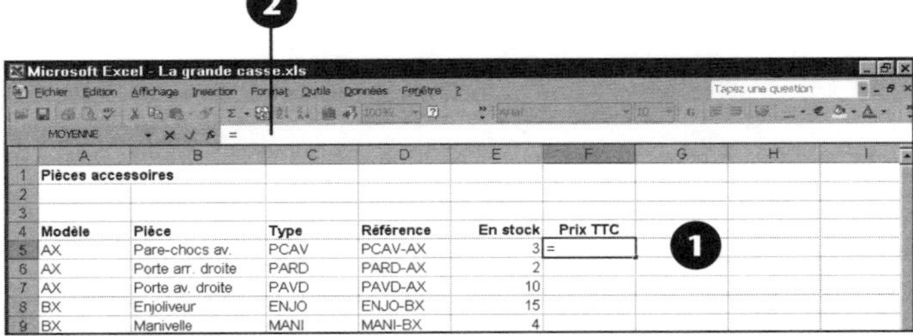
Microsoft Excel - La grande casse.xls

MOYENNE =

	A	B	C	D	E	F
1	**Pièces accessoires**					
2						
3						
4	**Modèle**	**Pièce**	**Type**	**Référence**	**En stock**	**Prix TTC**
5	AX	Pare-chocs av.	PCAV	PCAV-AX	3	=
6	AX	Porte arr. droite	PARD	PARD-AX	2	
7	AX	Porte av. droite	PAVD	PAVD-AX	10	
8	BX	Enjoliveur	ENJO	ENJO-BX	15	
9	BX	Manivelle	MANI	MANI-BX	4	

Ce nom de feuille vous indique que la cellule à lier se trouve sur une autre feuille

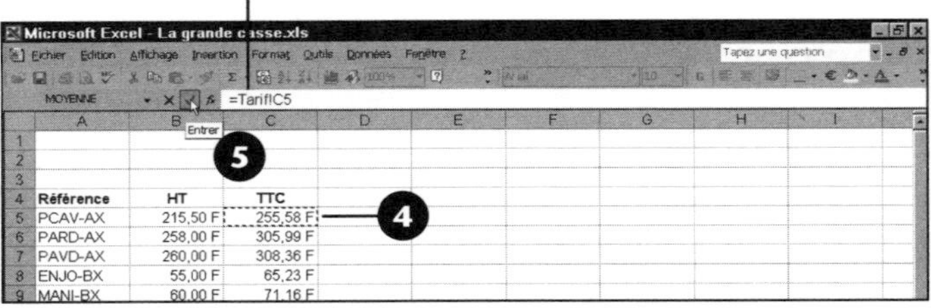
Microsoft Excel - La grande casse.xls

MOYENNE =Tarif!C5

	A	B	C
1			
2			
3			
4	**Référence**	**HT**	**TTC**
5	PCAV-AX	215,50 F	255,58 F
6	PARD-AX	258,00 F	305,99 F
7	PAVD-AX	260,00 F	308,36 F
8	ENJO-BX	55,00 F	65,23 F
9	MANI-BX	60,00 F	71,16 F

Microsoft Excel - La grande casse.xls

F5 =Tarif!C5

	A	B	C	D	E	F
1	**Pièces accessoires**					
2						
3						
4	**Modèle**	**Pièce**	**Type**	**Référence**	**En stock**	**Prix TTC**
5	AX	Pare-chocs av.	PCAV	PCAV-AX	3	255,58
6	AX	Porte arr. droite	PARD	PARD-AX	2	
7	AX	Porte av. droite	PAVD	PAVD-AX	10	
8	BX	Enjoliveur	ENJO	ENJO-BX	15	
9	BX	Manivelle	MANI	MANI-BX	4	
10	BX	Parebrise	PRBR	PRBR-BX	2	
11	BX	Pare-chocs av.	PCAV	PCAV-BX	4	
12	BX	Porte av. gauche	PAVG	PAVG-BX	2	
13	CX	Calandre	CALD	CALD-CX	1	
14	DX	Calandre	CALD	CALD-DX	6	
15	DX	Hayon	HAYO	HAYO-DX	3	

6

ASTUCE

Organiser les fenêtres des feuilles de calcul pour faciliter la liaison. *Pour disposer au mieux les fenêtres ouvertes, dans le menu Fenêtre, cliquez sur Réorganiser, puis choisissez une disposition de fenêtres.*

Supprimer une liaison

1. Cliquez sur la cellule ou la plage de cellules contenant la liaison à supprimer.
2. Cliquez sur le bouton Copier de la barre d'outils Standard.
3. Dans le menu Edition, cliquez sur Collage spécial.
4. Choisissez Valeurs.
5. Cliquez sur OK.

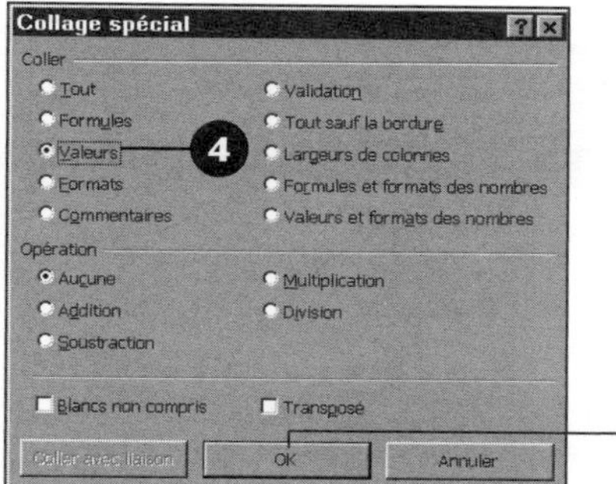

ASTUCE

Insérer une liaison dans une formule en traitant la cellule liée comme un argument d'un calcul plus important. *Entrez la formule dans la barre de formule, suivie du classeur, de la feuille de calcul et de l'adresse de la cellule à lier.*

Créer une liaison entre des classeurs

1. Ouvrez les classeurs contenant les données à lier.
2. Cliquez sur la cellule cible.
3. Cliquez dans le champ de barre de formule et tapez le signe =.
4. Si le classeur contenant les données à lier est visible, cliquez n'importe où pour l'activer.
5. Si nécessaire, cliquez sur l'onglet de feuille contenant les données source.
6. Cliquez sur le bouton Entrer de la barre de formule.

Nom du classeur, de la feuille et adresse de la cellule

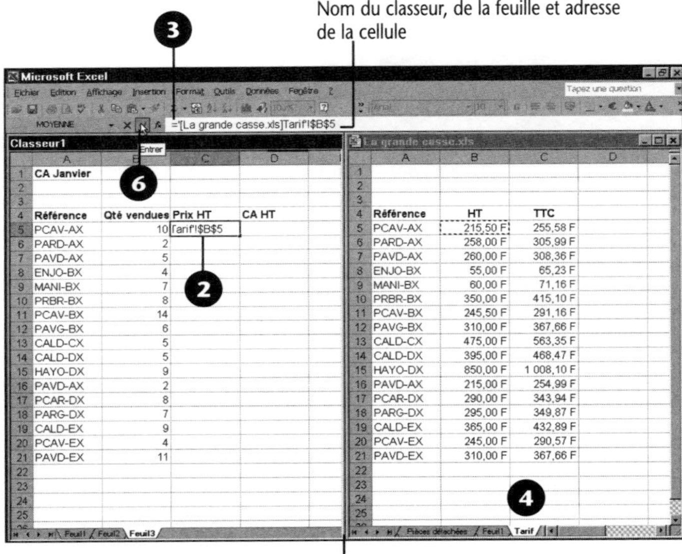

	A	B	C	D
1	CA Janvier			
2				
3				
4	Référence	Qté vendues	Prix HT	CA HT
5	PCAV-AX	10	Tarif'!$B$5	
6	PARD-AX	2		
7	PAVD-AX	5		
8	ENJO-BX	4		
9	MANI-BX	7		
10	PRBR-BX	8		
11	PCAV-BX	14		
12	PAVG-BX	6		
13	CALD-CX	5		
14	CALD-DX	5		
15	HAYO-DX	9		
16	PAVD-AX	2		
17	PCAR-DX	8		
18	PARG-DX	7		
19	CALD-EX	9		
20	PCAV-EX	4		
21	PAVD-EX	11		

	A	B	C	D
1				
2				
3				
4	Référence	HT	TTC	
5	PCAV-AX	215,50 F	255,58 F	
6	PARD-AX	258,00 F	305,99 F	
7	PAVD-AX	260,00 F	308,36 F	
8	ENJO-BX	55,00 F	65,23 F	
9	MANI-BX	60,00 F	71,16 F	
10	PRBR-BX	350,00 F	415,10 F	
11	PCAV-BX	245,50 F	291,16 F	
12	PAVG-BX	310,00 F	367,66 F	
13	CALD-CX	475,00 F	563,35 F	
14	CALD-DX	395,00 F	468,47 F	
15	HAYO-DX	850,00 F	1 008,10 F	
16	PAVD-AX	215,00 F	254,99 F	
17	PCAR-DX	290,00 F	343,94 F	
18	PARG-DX	295,00 F	349,87 F	
19	CALD-EX	365,00 F	432,89 F	
20	PCAV-EX	245,00 F	290,57 F	
21	PAVD-EX	310,00 F	367,66 F	

Afin de simplifier votre tâche, disposez vos fenêtres pour optimiser la visibilité.

Consolider des données

Dans certains cas, vous préférerez consolider les données de différents classeurs ou feuilles dans un seul classeur plutôt que de lier les données source.

ASTUCE

Inclure toutes les étiquettes. *Veillez à sélectionner suffisamment de cellules pour tenir compte des étiquettes qui pourraient être incluses dans les données en cours de consolidation.*

Consolider les données d'autres classeurs ou feuilles de calcul

1. Ouvrez tous les classeurs contenant les données à consolider.
2. Ouvrez ou créez le classeur destiné à recevoir les données consolidées.
3. Sélectionnez la plage cible.
4. Dans le menu Données, cliquez sur Consolider.

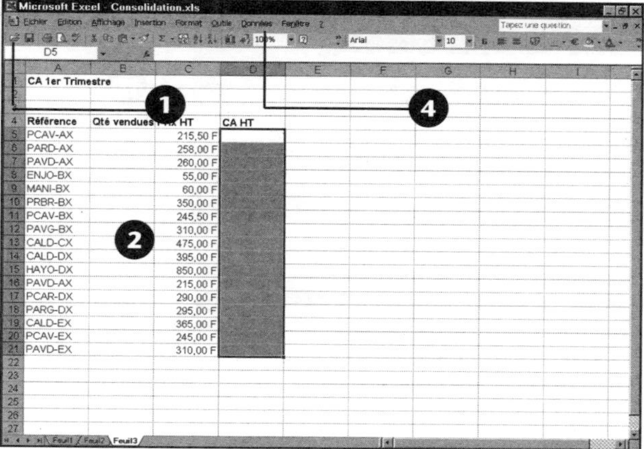

5 Cliquez sur la flèche de liste déroulante Fonction, et choisissez la fonction à utiliser pour consolider les données.

6 Entrez l'emplacement des données à consolider, ou cliquez sur le bouton Masquer la boîte de dialogue de la zone Référence, puis sélectionnez les cellules à consolider.

7 Cliquez sur le bouton Afficher la boîte de dialogue.

8 Cliquez sur Ajouter pour ajouter cette nouvelle référence à la liste des plages à consolider.

9 Répétez les étapes 6 à 8 pour entrer les adresses de toutes les plages à consolider.

10 Cochez la case Lier aux données source.

11 Cliquez sur OK.

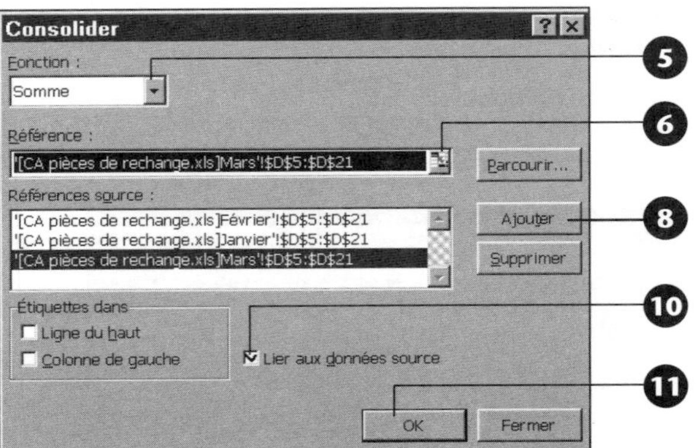

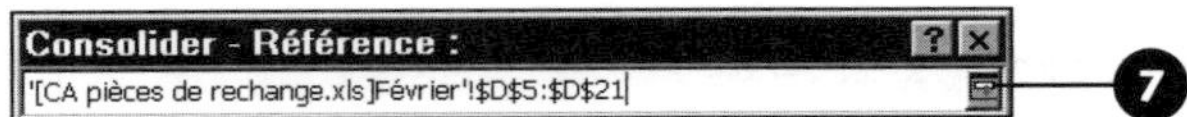

Le bouton – indique que les données consolidées sont affichées dans les lignes précédentes.

Données consolidées pour la référence PCAV-AX.

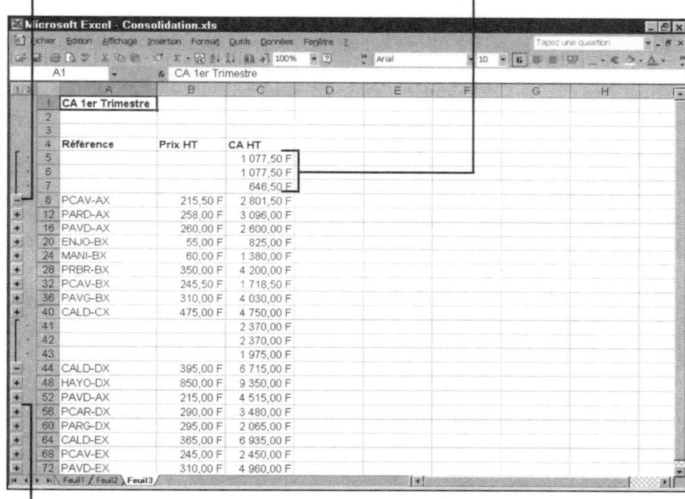

Cliquez sur le bouton + pour afficher les données consolidées.

ASTUCE

Consolider des feuilles de calcul présentées différemment. *Si les feuilles de calcul à consolider ne sont pas disposées avec les mêmes adresses de cellules, mais contiennent bien des informations identiques, cochez les cases Ligne du haut et Colonne de gauche dans la boîte de dialogue Consolider afin qu'Excel utilise les étiquettes pour associer correctement les données.*

Récupérer des données par des requêtes

Vous importez des données dans Excel en lançant des requêtes dans des bases de données ou sur le Web.

ASTUCE

Interrompre une requête. *Cliquez sur Annuler l'actualisation dans la barre d'outils Données externes.*

Récupérer des données par une nouvelle requête de base de données

1. Dans le menu Données, pointez sur Données externes, puis cliquez sur Créer une requête.
2. Double-cliquez sur Nouvelle source de données.
3. Entrez un nom pour votre source de données.
4. Cliquez sur la flèche de liste déroulante et sélectionnez le type de la base de données à laquelle accéder.
5. Cliquez sur Connexion, sélectionnez ou créez la base de données à laquelle accéder, puis cliquez sur OK.
6. Éventuellement, cliquez sur la flèche de liste déroulante et sélectionnez la table par défaut de votre source de données.
7. Cliquez sur OK.
8. Cliquez sur OK.

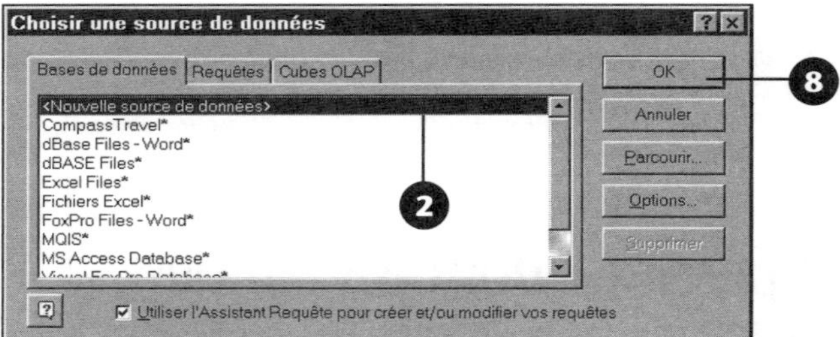

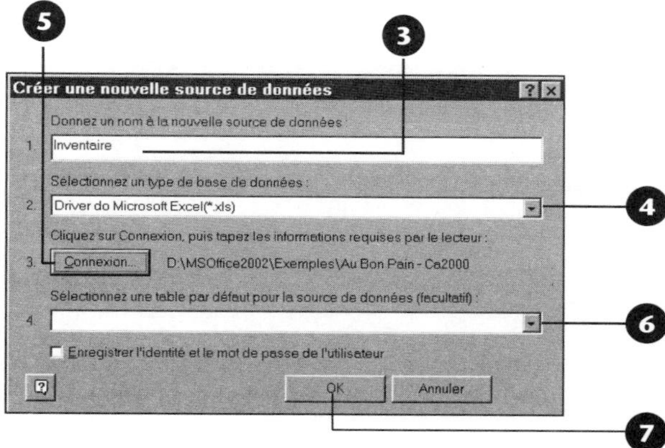

Récupérer des données par une nouvelle requête Web

1. Dans le menu Données, pointez sur Données externes, puis cliquez sur Nouvelle requête sur le Web.
2. Tapez l'adresse de la page Web contenant les données appropriées ou bien choisissez une adresse dans la liste déroulante.
   Si nécessaire, cliquez sur Parcourir le Web pour retrouver une page sur Internet.
3. Cliquez sur un bouton d'option pour choisir la partie de la page Web contenant les données recherchées.
4. Cliquez sur importer.
5. Définissez la feuille de destination des données importées.
6. Cliquez sur Propriétés pour définir les propriétés de la plage de données externes
7. Choisissez les paramètres de présentation des données
8. Si vous le souhaitez , cliquez sur Enregistrer la définition de la requête, tapez un nom afin de ne pas avoir à rentrer à nouveau les paramètres de votre requête.
9. Cliquez sur OK.

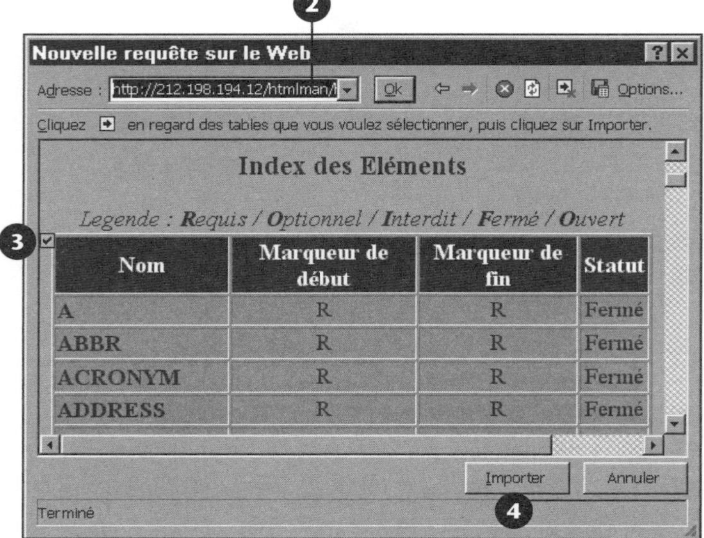
2
Nouvelle requête sur le Web
Adresse : http://212.198.194.12/htmlman/
Ok
Options...
Cliquez en regard des tables que vous voulez sélectionner, puis cliquez sur Importer.
Index des Eléments
Legende : Requis / Optionnel / Interdit / Fermé / Ouvert
3
Nom
Marqueur de début
Marqueur de fin
Statut
A R R Fermé
ABBR R R Fermé
ACRONYM R R Fermé
ADDRESS R R Fermé
Importer
Annuler
Terminé
4

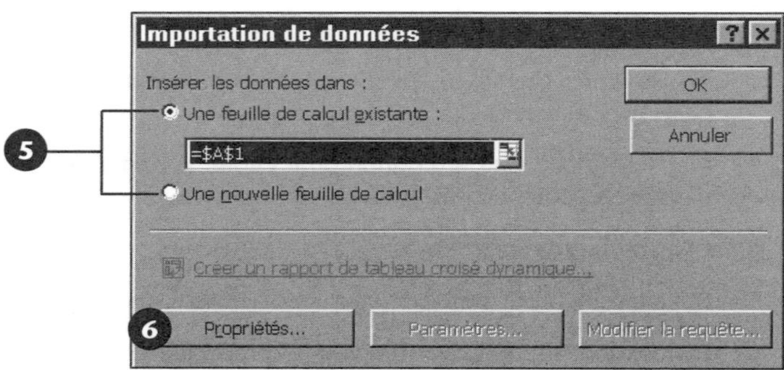
Importation de données
Insérer les données dans :
Une feuille de calcul existante :
=$A$1
Une nouvelle feuille de calcul
OK
Annuler
5
Créer un rapport de tableau croisé dynamique...
6
Propriétés...
Paramètres...
Modifier la requête...

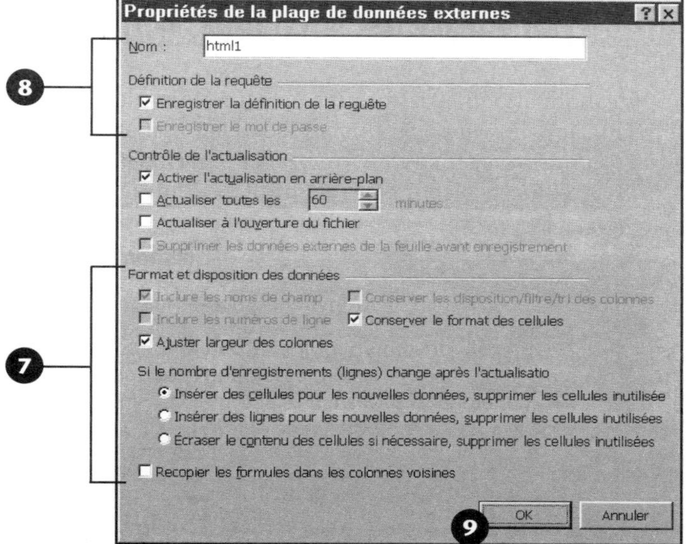

ASTUCE

Changer les options Web. *Dans le menu Outils, cliquez sur Options, sur l'onglet Général, puis sur Options Web. Cliquez sur l'onglet contenant les options à modifier, effectuez vos changements puis cliquez sur OK.*

ASTUCE

Vérifier l'état d'une requête. *Pour connaître l'état d'une requête en cours d'exécution en arrière-plan et qui vous semble longue, cliquez sur le bouton État de l'actualisation dans la barre d'outils Données externes.*

Récupérer des données d'un autre programme

Les informations à analyser ne proviennent pas toujours d'un classeur Excel.

Exporter une table de base de données Access vers un classeur Excel

1. Cliquez sur Démarrer dans la barre des tâches, pointez sur Programmes puis cliquez sur Microsoft Access.
2. Ouvrez la base de données voulue, puis cliquez sur Tables dans la barre Objets.
3. Cliquez sur la table voulue.
4. Cliquez sur la flèche de liste déroulante Liaisons Office dans la barre d'outils Base de données.
5. Cliquez sur Analyse avec Microsoft Excel pour enregistrer la table au format Excel dans le classeur Excel ouvert.
6. Employez les outils Excel pour modifier et analyser les données.

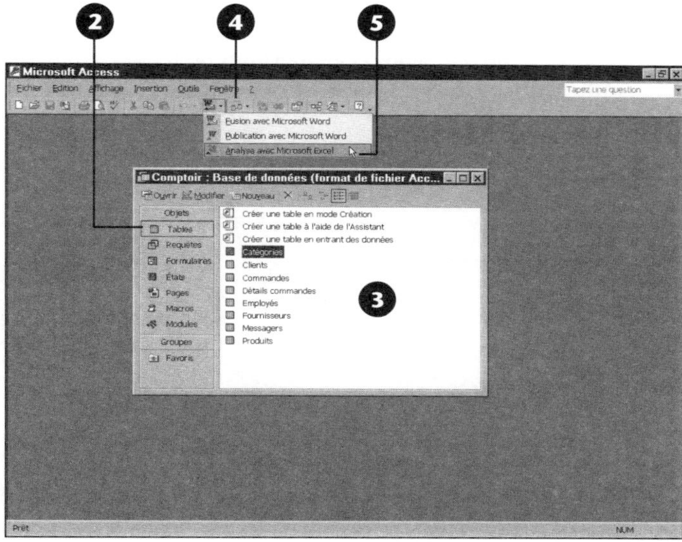

Créer un tableau croisé dynamique de classeur Excel à partir d'une base de données Access

1. Dans le menu Données, cliquez sur Rapport de tableau croisé dynamique.
2. Choisissez l'option Source de données externe.
3. Cliquez sur Suivant.
4. Cliquez sur Lire les données.
5. Cliquez sur Parcourir, puis recherchez et sélectionnez la base de données Access à utiliser.
6. Cliquez sur OK.
7. Cliquez sur Suivant.
8. Choisissez un emplacement pour le nouveau tableau croisé dynamique.

9 Si vous le souhaitez, cliquez sur Disposition ou Options pour modifier la présentation ou les fonctions du tableau croisé dynamique, puis cliquez sur OK.

10 Cliquez sur Terminer.

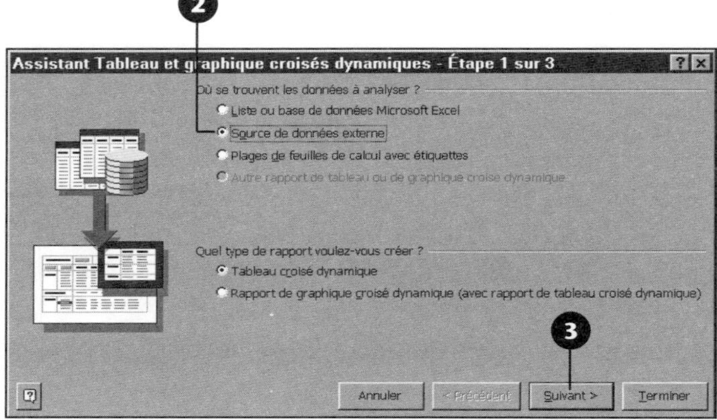

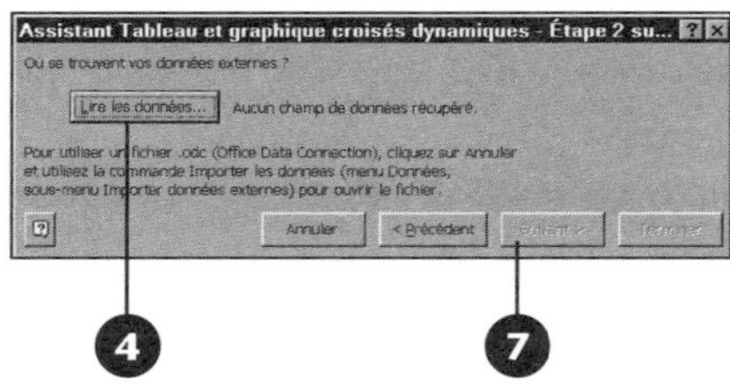

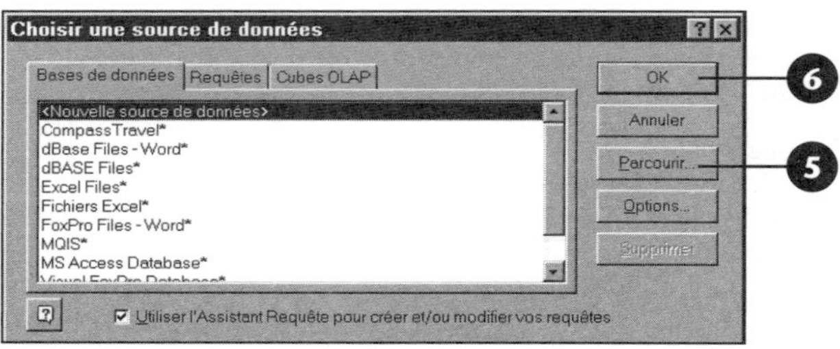

Relier Excel à Internet

13

Des liens hypertextes incorporés à votre feuille de calcul Excel 2002 vont permettre à d'autres utilisateurs de s'y connecter. Vos classeurs deviennent des passerelles vers des informations évolutives : convertis en pages Web, vos classeurs Excel sont disponibles sur le Web, avec tous leurs outils d'analyse. Excel offre désormais un accès direct aux données : vous pouvez collaborer avec des utilisateurs sur le Web et disposer d'outils performants qui facilitent vos décisions.

Garder le contact

Les outils de connectivité d'Excel facilitent les contacts entre professionnels. Une simple feuille de calcul devient une « fenêtre vers le monde », grâce aux capacités d'Excel en matière d'échange d'informations, d'analyse de données, d'envoi de fichiers par e-mail, d'organisation de conférences et de discussions sur le Web. Toute feuille de calcul s'enregistre aisément sous forme de document Web affichable dans un navigateur, tout en conservant ses fonctionnalités Excel. Ce même document peut véhiculer des informations Web en intégrant des liens vers des sites et en récupérant des données *via* d'autres sources Web. Enfin, Microsoft vous offre ses conseils et informations sur son site Microsoft Office.

Créer une page Web

Pour être installé sur le Web, un document doit être au format HTML (*Hypertext Markup Language*).

Enregistrer un classeur en tant que page Web

1. Dans le menu Fichier, cliquez sur Enregistrer en tant que Page Web.
2. Cliquez sur une icône de la barre des emplacements pour sélectionner un emplacement où enregistrer la page Web.
3. Pour enregistrer ce fichier dans un autre dossier, cliquez sur la flèche de la liste déroulante Enregistrer dans et choisissez l'unité et le dossier de destination de votre page Web.
4. Nommez la page.
5. Cliquez sur Enregistrer.

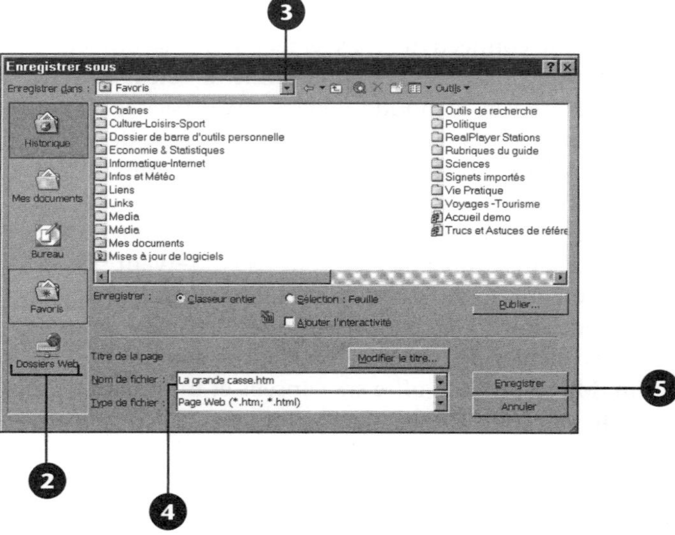

ASTUCE

Pour autoriser la manipulation des données sur le Web, votre navigateur doit reconnaître les Microsoft Office Web Components. *Ces composants, également nommés composants COM, sont utilisés par les navigateurs Web, tels Internet Explorer 4.01 et versions ultérieures, afin que les utilisateurs puissent intervenir dans des feuilles de calcul, des graphiques ou des tableaux croisés dynamiques sur le Web.*

Enregistrer et publier une feuille de calcul en tant que page Web interactive

1. Sélectionnez la ou les cellules concernées, puis dans le menu Fichier, cliquez sur Enregistrer en tant que Page Web.
2. Si nécessaire, activez l'option Sélection : «adresse de plage », pour convertir la plage retenue.
3. Pour créer un document Web interactif, cochez la case Ajouter l'interactivité.
4. Cliquez sur une icône de la barre des emplacements afin d'en sélectionner un pour le fichier de la page Web. Si vous êtes connecté à un serveur Web doté des Office Server Extensions, cliquez sur l'icône Dossiers Web pour le sélectionner sur Internet ou sur votre intranet.
5. Nommez la page.
6. Cliquez sur Publier.
7. Cliquez sur la flèche de la liste Ajouter l'interactivité avec, puis choisissez Fonctionnalité de la feuille de calcul, ou un autre Office Web Component.
8. Cliquez sur Publier.

ASTUCE

Publier une page Web vers un site FTP sur Internet. *Dans la boîte de dialogue Enregistrer sous, cliquez sur la flèche de la liste déroulante Enregistrer dans, puis sur Ajouter/Modifier des sites FTP, remplissez les informations relatives à ce site, cliquez sur Ajouter, sur OK, puis sur l'adresse FTP.*

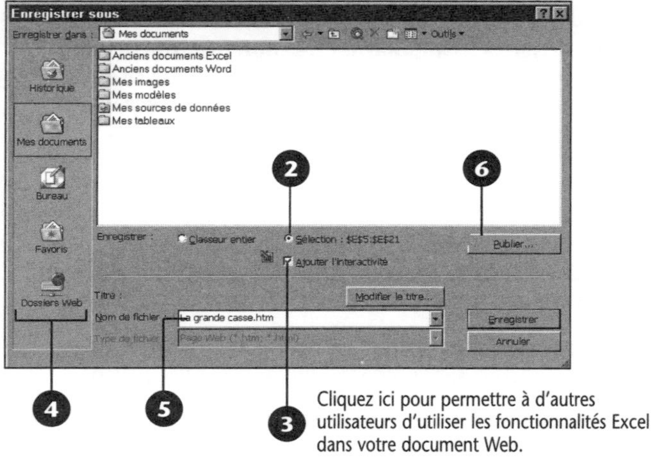

Cliquez ici pour permettre à d'autres utilisateurs d'utiliser les fonctionnalités Excel dans votre document Web.

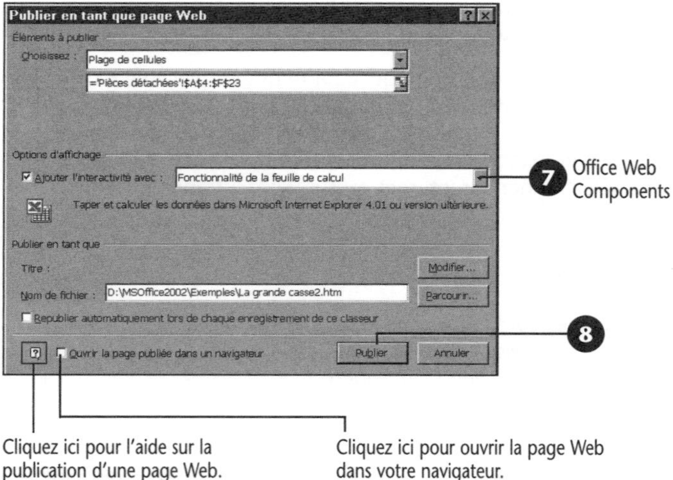

Office Web Components

Cliquez ici pour l'aide sur la publication d'une page Web.

Cliquez ici pour ouvrir la page Web dans votre navigateur.

ASTUCE

Qu'est-ce qu'un serveur Web ? *Un ordinateur installé sur Internet, ou sur un intranet, qui stocke des pages Web.*

Ouvrir un classeur comme une page Web

Vous pouvez rapidement et facilement basculer du format HTML au format standard Excel et vice versa, sans perdre la mise en forme ni les fonctionnalités.

Ouvrir

Ouvrir un classeur sous forme de page Web dans Excel

1. Cliquez sur le bouton Ouvrir de la barre d'outils Standard de la fenêtre Excel.
2. Cliquez sur la flèche de la liste déroulante Type de fichier et choisissez Pages Web.
3. Cliquez sur les icônes de la barre des emplacements pour accéder rapidement aux dossiers les plus utilisés.
4. Si votre fichier se situe dans un autre dossier, cliquez sur la flèche de la liste déroulante Regarder dans et sélectionnez le bon dossier.
5. Cliquez sur le nom du fichier classeur.
6. Cliquez sur Ouvrir.

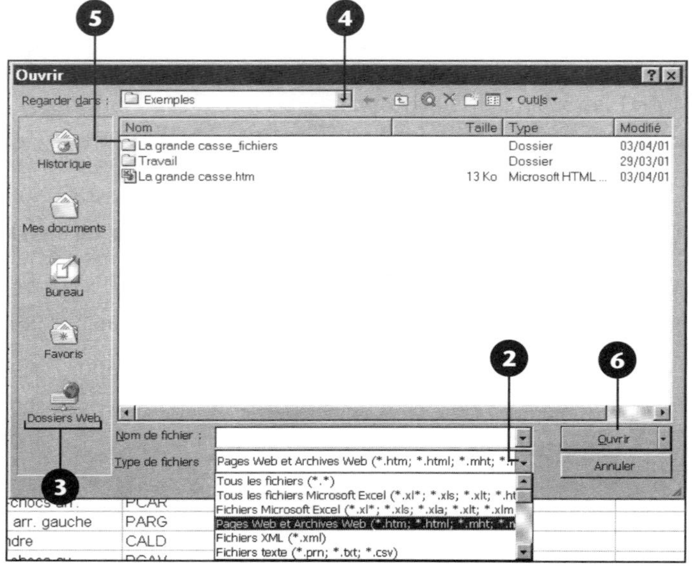

Afficher un Aperçu de page Web

Vous pouvez afficher toutes les feuilles de calcul Excel comme si elles se trouvaient sur le Web, en le faisant sous forme d'aperçu de page Web.

Afficher un Aperçu sous forme de page Web

1. Ouvrez le fichier classeur à afficher en page Web.
2. Dans le menu Fichier, cliquez sur Aperçu de la page Web.
3. Votre navigateur Web par défaut démarre et affiche la page.
4. Cliquez sur les onglets des feuilles de calcul à afficher.
5. Cliquez sur le bouton Fermer pour quitter votre navigateur et revenir dans Excel.

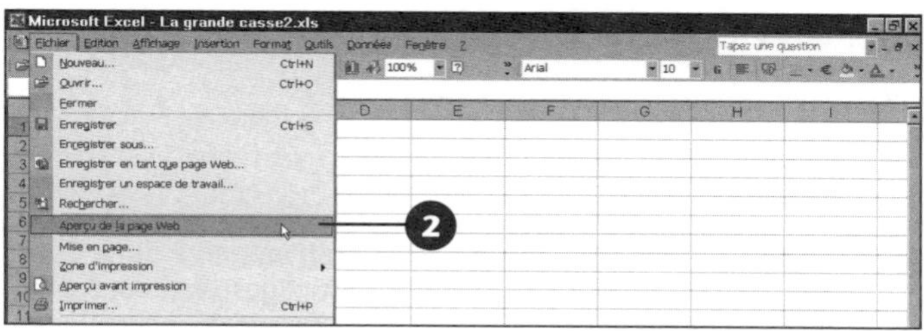

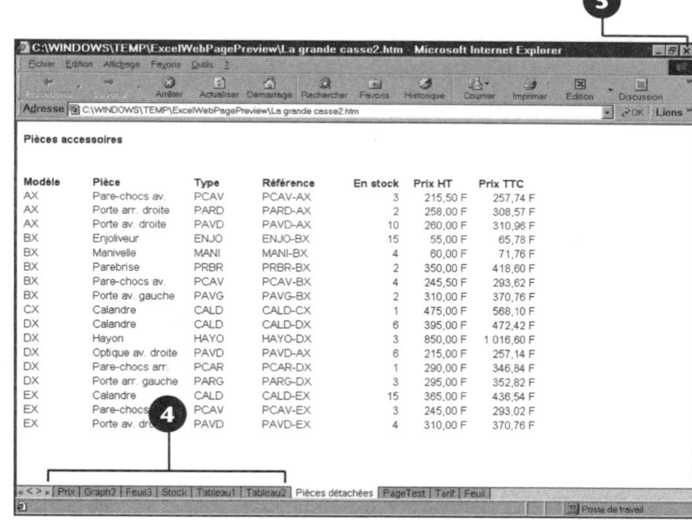

Pièces accessoires

Modèle	Pièce	Type	Référence	En stock	Prix HT	Prix TTC
AX	Pare-chocs av.	PCAV	PCAV-AX	3	215,50 F	257,74 F
AX	Porte arr. droite	PARD	PARD-AX	2	258,00 F	308,57 F
AX	Porte av. droite	PAVD	PAVD-AX	10	260,00 F	310,96 F
BX	Enjoliveur	ENJO	ENJO-BX	15	55,00 F	65,78 F
BX	Manivelle	MANI	MANI-BX	4	60,00 F	71,76 F
BX	Parebrise	PRBR	PRBR-BX	2	350,00 F	418,60 F
BX	Pare-chocs av.	PCAV	PCAV-BX	4	245,50 F	293,62 F
BX	Porte av. gauche	PAVG	PAVG-BX	2	310,00 F	370,76 F
CX	Calandre	CALD	CALD-CX	1	475,00 F	568,10 F
DX	Calandre	CALD	CALD-DX	6	395,00 F	472,42 F
DX	Hayon	HAYO	HAYO-DX	3	850,00 F	1 016,60 F
DX	Optique av. droite	PAVD	PAVD-AX	6	215,00 F	257,14 F
DX	Pare-chocs arr.	PCAR	PCAR-DX	1	290,00 F	346,84 F
DX	Porte arr. gauche	PARG	PARG-DX	3	295,00 F	352,82 F
EX	Calandre	CALD	CALD-EX	15	365,00 F	436,54 F
EX	Pare-chocs	PCAV	PCAV-EX	3	245,00 F	293,02 F
EX	Porte av. dr	PAVD	PAVD-EX	4	310,00 F	370,76 F

Insérer un lien vers Internet

Un lien vers Internet incorporé dans une page se nomme lien hypertexte, car vous cliquez dessus pour vous connecter instantanément à l'adresse Web associée.

Insérer un lien hypertexte

Créer un lien hypertexte

1. Sélectionnez la cellule où insérer le lien.
2. Cliquez sur le bouton Insérer un lien hypertexte de la barre d'outils Standard.
3. Cliquez sur une icône de la barre Lien hypertexte pour accéder rapidement à des fichiers, des pages Web ou des liens fréquemment utilisés.
   Ou bien, cliquez sur une icône de la barre Ou sélectionner dans la liste.
4. Si le fichier ou la page Web vers laquelle pointe le lien se situe dans un autre dossier, cliquez sur Fichier ou sur Page Web existant(e).
5. Si nécessaire, entrez le nom et l'emplacement du fichier ou de la page Web vers laquelle doit pointer le lien.
6. Cliquez sur OK.

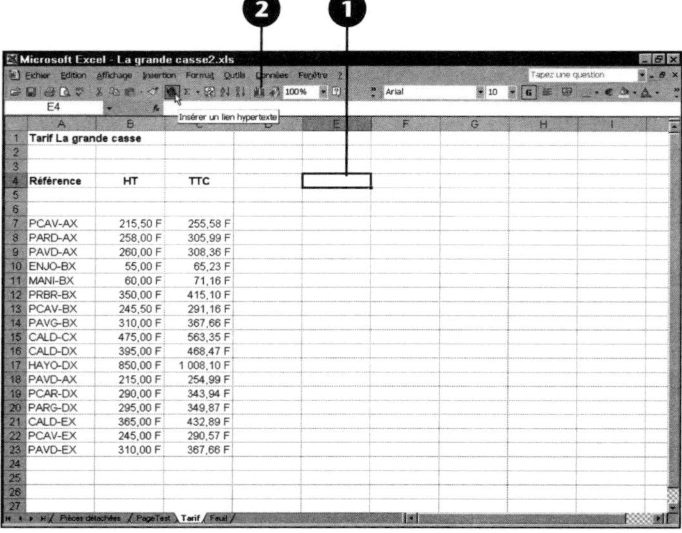

	A	B	C
1	Tarif La grande casse		
4	Référence	HT	TTC
7	PCAV-AX	215,50 F	255,58 F
8	PARD-AX	258,00 F	305,99 F
9	PAVD-AX	260,00 F	308,36 F
10	ENJO-BX	55,00 F	65,23 F
11	MANI-BX	60,00 F	71,16 F
12	PRBR-BX	350,00 F	415,10 F
13	PCAV-BX	245,50 F	291,16 F
14	PAVG-BX	310,00 F	367,66 F
15	CALD-CX	475,00 F	563,35 F
16	CALD-DX	395,00 F	468,47 F
17	HAYO-DX	850,00 F	1 008,10 F
18	PAVD-AX	215,00 F	254,99 F
19	PCAR-DX	290,00 F	343,94 F
20	PARG-DX	295,00 F	349,87 F
21	CALD-EX	365,00 F	432,89 F
22	PCAV-EX	245,00 F	290,57 F
23	PAVD-EX	310,00 F	367,66 F

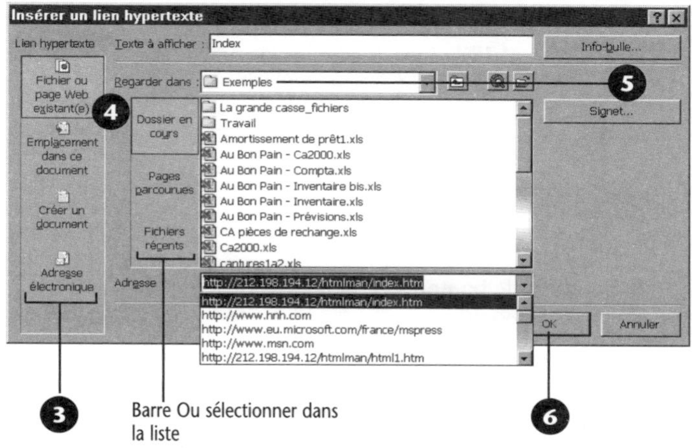

ASTUCE

Créer une info-bulle personnalisée pour un lien hypertexte. *Sélectionnez le lien concerné, cliquez sur le bouton Insérer un lien hypertexte de la barre d'outils Standard, cliquez sur Info-bulle, saisissez le texte de votre info-bulle, puis cliquez sur OK deux fois de suite.*

Sauter vers un lien hypertexte

1. Cliquez sur le lien hypertexte dans votre feuille. Excel ouvre votre navigateur Web.
2. Établissez une connexion à Internet. La page Web associée au lien hypertexte s'affiche.

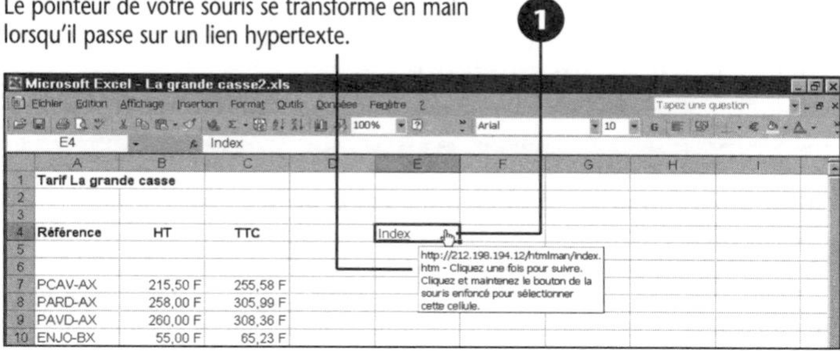

ASTUCE

Adresses Web et URL. *Chaque page Web possède une URL (Uniform Resource Locator), adresse Web que déchiffre votre navigateur. Tout comme une adresse postale ou électronique, une URL contient des informations spécifiques qui identifient l'emplacement d'une page Web.*

Supprimer un lien hypertexte

1. Sélectionnez la cellule contenant le lien à supprimer.
2. Cliquez sur le bouton Insérer un lien hypertexte de la barre d'outils Standard.
3. Cliquez sur Supprimer le lien.

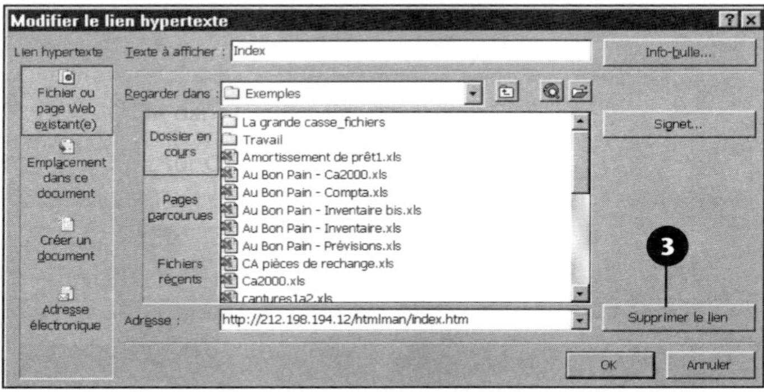

Récupérer des données sur le Web

Recherchez des données sur le Web, et insérez-les dans Excel à l'aide de la barre d'outils Web.

ASTUCE

Masquer et afficher d'autres barres d'outils. *Pour consulter davantage d'informations sur votre écran, vous pouvez n'afficher que la barre Web. Pour masquer les autres barres d'outils, cliquez dans la barre d'outils Web sur le bouton Afficher seulement la barre d'outils Web. Pour réafficher les barres masquées, cliquez de nouveau sur ce bouton.*

Récupérer des données sur le Web à l'aide de la barre d'outils Web

1. Dans le menu Affichage, pointez sur Barres d'outils puis cliquez sur Web.
2. Cliquez dans la barre d'outils Web sur le bouton Rechercher sur le Web. Excel ouvre alors votre navigateur Web.
3. Établissez une connexion Internet.
4. Suivez les instructions pour rechercher les sites Web contenant les données.
5. Pour récupérer des données texte depuis une page Web, sélectionnez ce texte, et dans le menu Edition, cliquez sur Copier. Basculez vers Excel puis collez le texte dans votre feuille de calcul.
6. Pour télécharger un fichier, cliquez sur le lien hypertexte de téléchargement, choisissez le bouton d'option Enregistrer ce programme sur le disque, cliquez sur OK, sélectionnez un emplacement puis cliquez sur Enregistrer.
7. Lorsque vous avez terminé, cliquez sur le bouton de fermeture.
8. Si nécessaire, fermez votre connexion Internet.

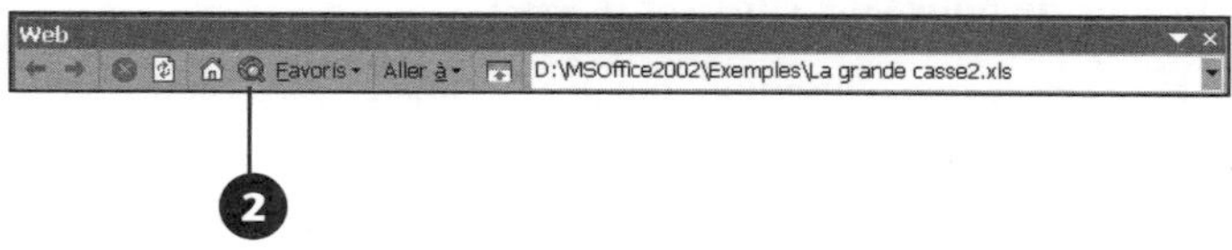

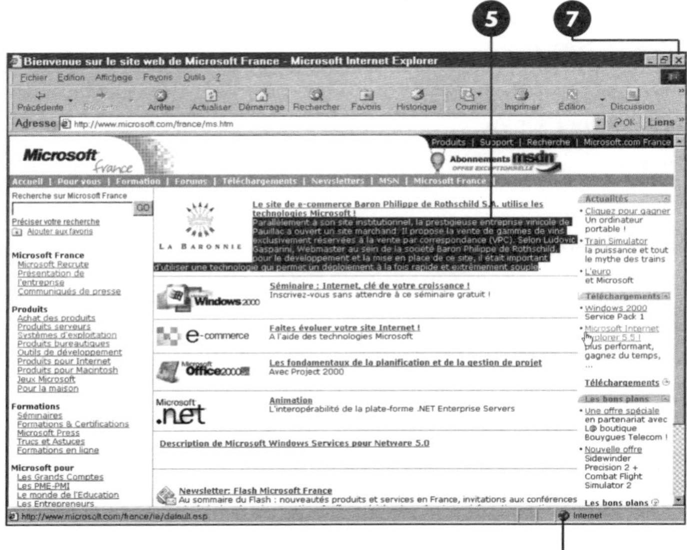

ASTUCE

Changer votre page de recherche. *Ouvrez le document qui fera office de page de recherche, cliquez sur le bouton Choisir une page de recherche, puis sur Oui.*

Obtenir de nouveaux clips sur le Web

1. Dans le menu Insertion, pointez sur Image, puis cliquez sur Images clipart, ce qui ouvre le volet Office.
2. Cliquez sur le bouton Bibliothèque multimédia en ligne. Excel ouvre votre navigateur Web.
3. Établissez une connexion Internet si nécessaire.
4. Cliquez sur les liens hypertextes appropriés que vous propose la page Design Gallery Live, pour accéder à des clips et les télécharger. Ou bien faites une recherche ciblée en définissant vos critères dans les champs texte proposés.

5 Lorsque vous avez terminé, cliquez sur Fermer dans le menu Fichier.

6 Si nécessaire, fermez votre connexion Internet.

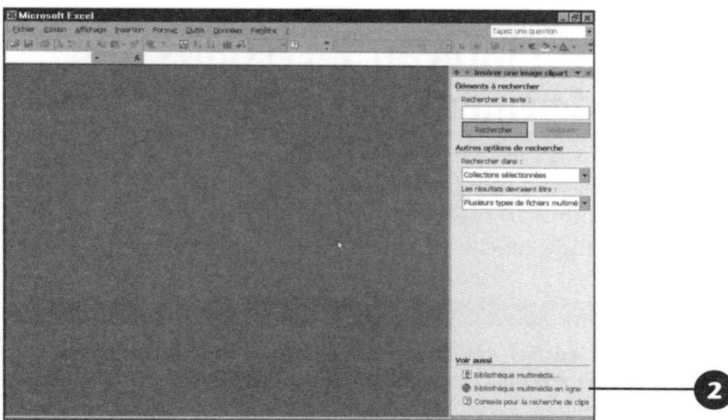

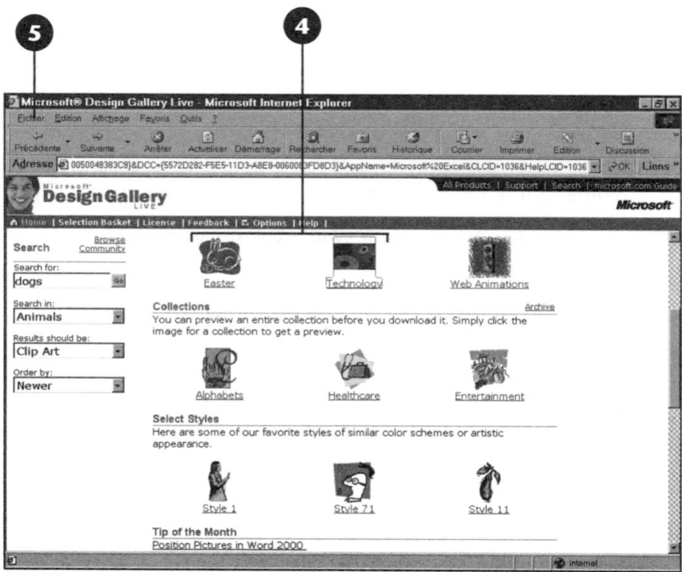

ASTUCE

Sauter vers un document ou une page Web favoris. *Cliquez sur le bouton Favoris de la barre d'outils Web, puis sur le document ou la page Web concernés.*

Copier un tableau Web dans une feuille de calcul

Il est possible de copier les informations d'un tableau situé dans une page Web et de les coller ou de les faire glisser dans une feuille de calcul Excel.

ASTUCE

Utiliser des copier-coller pour transférer des données de tableau vers Excel. *Dans votre navigateur, sélectionnez les données de tableau voulues, dans le menu Edition, cliquez sur Copier, basculez vers Excel, cliquez sur la cellule où placer ces données, puis sur le bouton Coller de la barre d'outils Standard.*

Copier un tableau Web vers une feuille de calcul

1. Ouvrez votre navigateur.
2. Dans la barre d'adresses, entrez l'emplacement de la page contenant le tableau à copier, puis appuyez sur entrée.
3. Sélectionnez dans la page Web les données de tableau à recopier.
4. Ouvrez la feuille de calcul Excel où copier ces données.
5. Cliquez avec le bouton droit dans la barre des tâches et choisissez Mosaïque verticale.
6. Faites glisser les données depuis la fenêtre du navigateur vers l'emplacement de la feuille de calcul où placer ces données, puis relâchez le bouton de la souris.

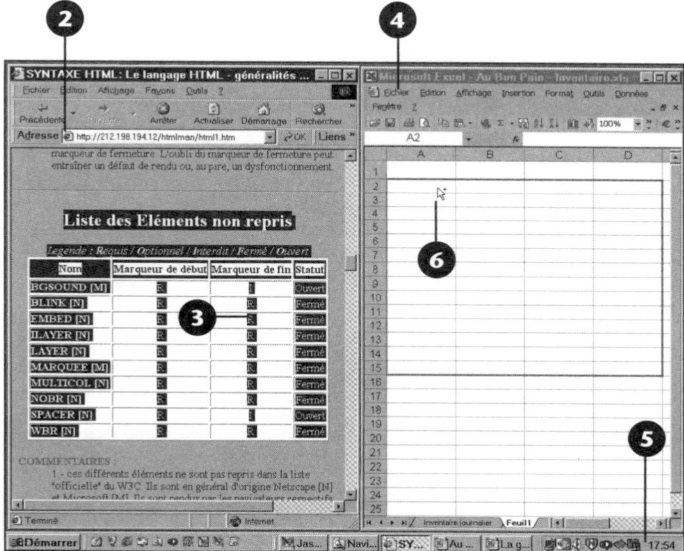

Discuter sur le Web

À la différence d'une conférence en ligne, une discussion Web permet à plusieurs utilisateurs de discuter de documents spécifiques.

Sélectionner un serveur de discussion Web

1. Ouvrez le classeur où ajouter une discussion Web.
2. Dans le menu Outils, pointez sur Collaboration en ligne, puis cliquez sur Discussions sur le Web.
   Si c'est la première fois que vous choisissez un serveur de discussion, allez directement à l'étape 5.
3. Cliquez sur le bouton Discussions dans la barre d'outils Discussions, puis sur Options de discussion.
4. Cliquez sur Ajouter.

5 Entrez le nom du serveur de discussion que votre administrateur vous a indiqué.
Pour pouvoir gérer une discussion Web, ce serveur doit disposer des Extensions serveur d'Office.

6 Si votre administrateur a sécurisé le serveur en installant le protocole de messages SSL (Secure Sockets Layer), cochez la case Connexion sécurisée requise.

7 Entrez le nom à attribuer à votre discussion.

8 Cliquez sur OK.

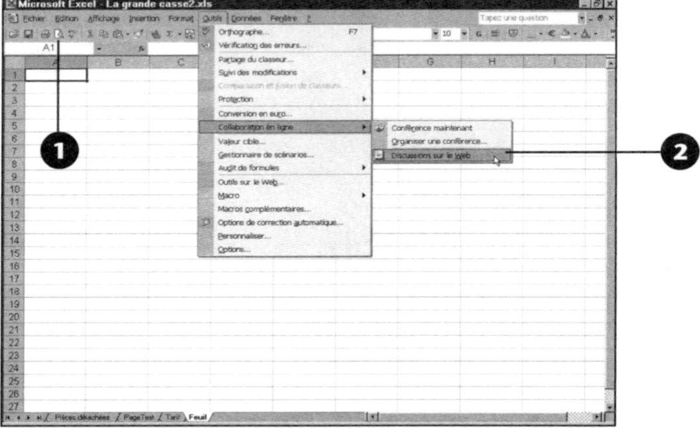

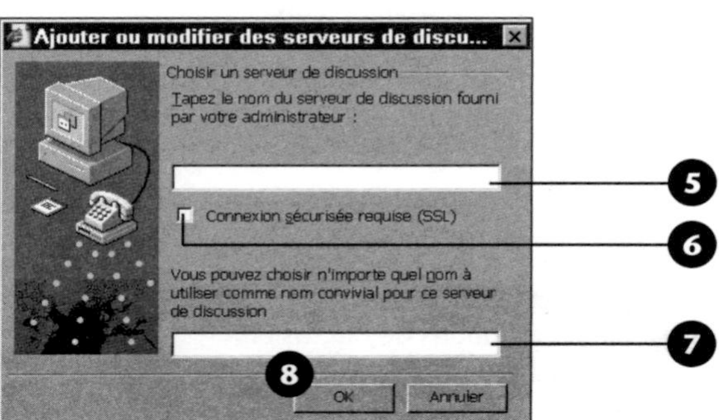

Démarrer et arrêter une discussion Web

1. Ouvrez le classeur sur lequel vous voulez entamer une discussion.
2. Dans le menu Outils, pointez sur Collaboration en ligne, puis cliquez sur Discussions sur le Web.
3. Cliquez sur le bouton Insérer autour du classeur dans le menu déroulant de l'option Discussions dans la barre d'outils Discussions sur le Web.
4. Entrez le sujet de la discussion.
5. Saisissez vos commentaires.
6. Cliquez sur OK.
7. Cliquez sur Fermer dans la barre d'outils Discussions.

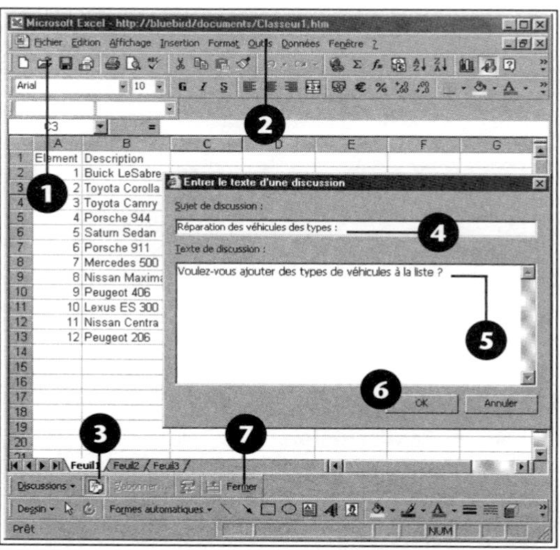

ASTUCE

Imprimer les remarques de la discussion. *Démarrez une discussion, cliquez sur le bouton Discussions dans la barre d'outils Discussions, cliquez sur Imprimer les discussions, puis choisissez vos options d'impression.*

ASTUCE

Masquer le volet Discussion. *Durant une discussion, cliquez sur le bouton Afficher/Masquer le panneau dans la barre d'outils Discussions pour masquer ou afficher le volet Discussion.*

Répondre à une remarque de discussion Web

1. Ouvrez le classeur contenant la discussion à laquelle participer.
2. Dans le menu Outils, pointez sur Collaboration en ligne, puis cliquez sur Discussions sur le Web.
3. Cliquez sur le bouton Afficher un menu d'actions, puis cliquez sur Répondre.
4. Entrez votre réponse, puis cliquez sur OK.

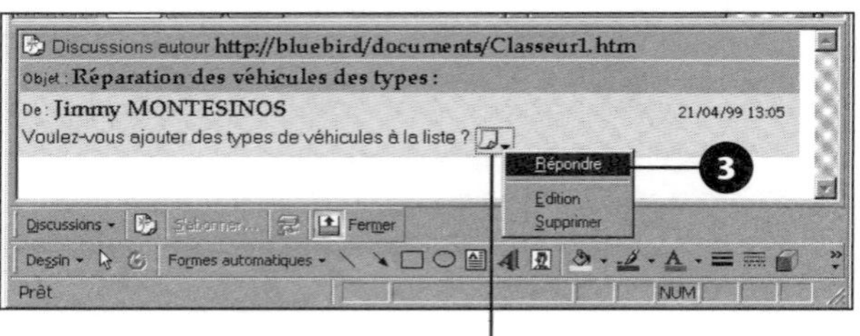

Bouton Afficher un menu d'actions

ASTUCE

Filtrer les remarques de la discussion. *Vous pouvez filtrer les remarques de façon à n'afficher que celles d'une personne donnée, ou d'une plage de temps déterminée. Démarrez une discussion, cliquez sur le bouton Discussions de la barre d'outils Discussions, sur Filtrer les discussions, puis choisissez le nom de la personne dont vous souhaitez afficher les remarques dans le volet Discussion, ainsi que la plage horaire voulue.*

Planifier une conférence en ligne

Une conférence en ligne permet à des personnes distantes de se réunir rapidement sans quitter leur bureau ou leur domicile.

ASTUCE

NetMeeting n'est peut-être pas installé. *La fonctionnalité Microsoft NetMeeting n'est pas disponible si vous n'êtes pas équipé d'Internet Explorer.*

Planifier une conférence en ligne

1. Dans le menu Outils, pointez sur Collaboration en ligne, puis cliquez sur Organiser une conférence.
2. Cliquez sur le bouton À, pour inviter d'autres participants.
3. Cliquez sur la flèche de liste déroulante Serveur, choisissez le serveur d'annuaire à utiliser puis entrez l'adresse e-mail de l'organisateur, si nécessaire.
4. Cliquez sur l'onglet Planification pour déterminer les participants et l'horaire qui convient le mieux à tous.
   Si vous utilisez Internet, vous devez placer votre agenda sur un serveur Web commun à tous pour que l'organisateur puisse afficher vos disponibilités.
5. Cliquez sur le bouton Enregistrer et fermer de la barre d'outils.

Les noms des participants s'affichent ici.

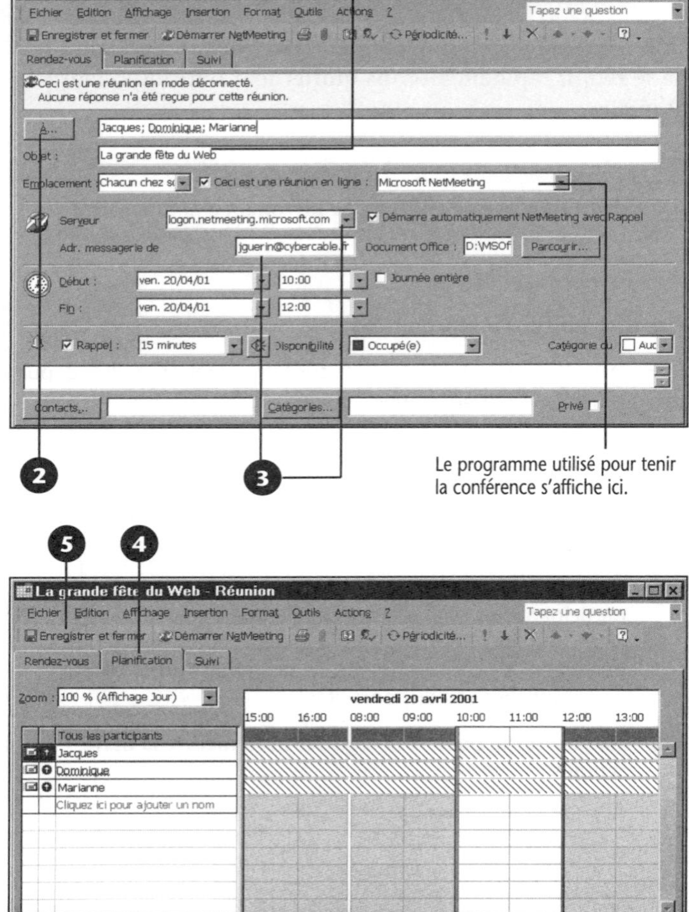

Cliquez ici pour inviter d'autres participants.

Envoyer des classeurs par courrier électronique

Il est possible d'envoyer une feuille de calcul dans un message e-mail ou un classeur complet en pièce jointe, à l'aide de votre programme de messagerie habituel.

Envoyer une feuille de calcul dans un message e-mail

1. Ouvrez le classeur à envoyer.
2. Dans le menu Fichier, pointez sur Envoyer vers, puis cliquez sur Destinataire.
3. Cliquez sur le bouton À ou Cc. Sélectionnez les contacts auxquels envoyer le message, puis cliquez sur OK.
4. Cliquez sur le bouton Envoyer cette feuille dans la barre d'outils.

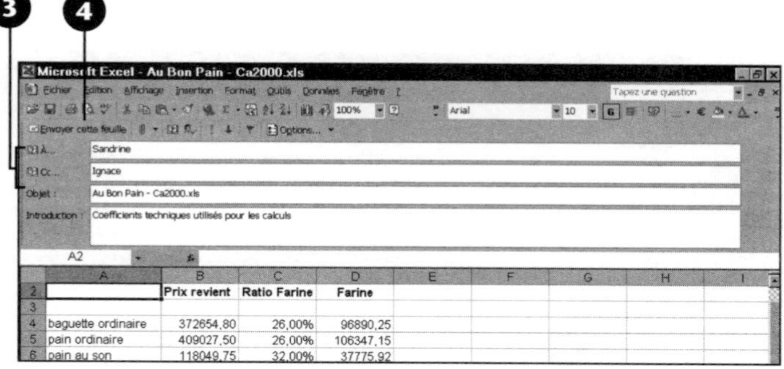

ASTUCE

Modifier l'ordre des destinataires. *Vous pouvez modifier l'ordre dans lequel les destinataires recevront le classeur routé, en changeant l'ordre des noms dans la liste. Sélectionnez le nom à avancer ou reculer dans la liste, puis cliquez sur la flèche appropriée.*

Envoyer un classeur en tant que pièce jointe

1. Ouvrez le classeur à envoyer.
2. Dans le menu Fichier, pointez sur Envoyer vers, puis cliquez sur Destinataire du message (en tant que pièce jointe). Votre programme de messagerie par défaut s'ouvre, affichant la fenêtre du nouveau message e-mail.
3. Cliquez sur le bouton À ou Cc. Sélectionnez les contacts auxquels envoyer le message, puis cliquez sur OK.
4. Saisissez un texte d'accompagnement.
5. Cliquez sur le bouton Envoyer dans la barre d'outils.

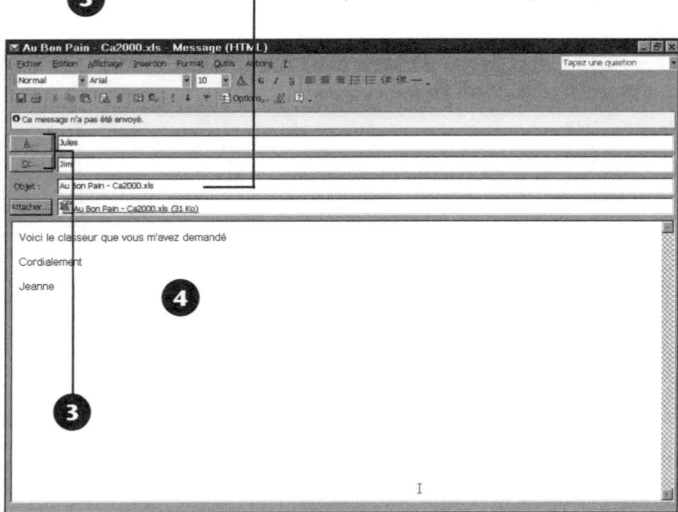

ASTUCE

Sélectionner comme destinataire un alias de groupe. *Le destinataire peut être un alias de groupe. Néanmoins, chaque membre du groupe est considéré comme destinataire et reçoit un message e-mail.*

Router un classeur dans un message e-mail

1. Ouvrez le classeur à envoyer.
2. Dans le menu Fichier, pointez sur Envoyer vers, puis cliquez sur Destinataire du routage.
3. Cliquez sur Adresse. Sélectionnez les contacts, cliquez sur le bouton À ou Cc, puis sur OK.
4. Entrez l'objet du message.
5. Éventuellement, ajoutez un texte de message.
6. Choisissez d'autres options de routage.
7. Cliquez sur Distribuer. Le classeur est envoyé comme pièce jointe dans un message e-mail.

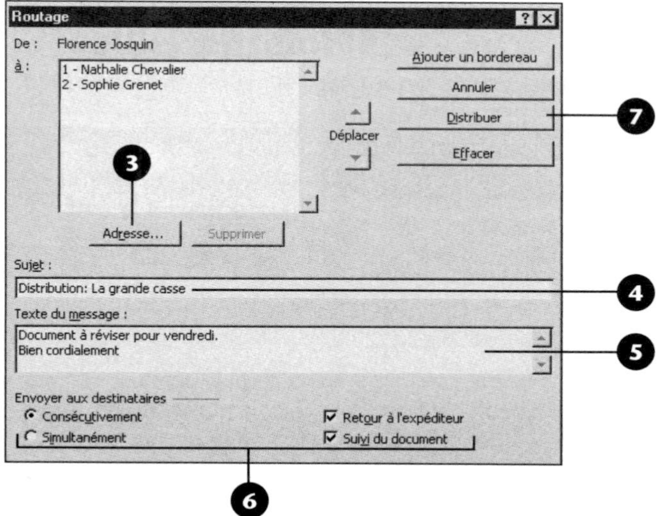

ASTUCE

Différer le routage d'un classeur. *Ouvrez le classeur à router. Dans le menu Fichier, pointez sur Envoyer vers, cliquez sur Adresse, sélectionnez des contacts, cliquez sur le bouton À ou Cc, sur OK, puis sur Ajouter un bordereau. Plus tard, dans le menu Fichier, pointez sur Envoyer vers, puis cliquez sur Destinataire suivant.*

Accéder aux informations Office sur le Web

Des nouvelles sur les programmes sont diffusées fréquemment. Microsoft donne accès à toutes sortes d'informations régulièrement actualisées.

Rechercher des informations Office en ligne

1. Dans le menu ?, cliquez sur Microsoft Office sur le Web.
2. Établissez une connexion Internet.
3. Cliquez sur un lien hypertexte qui vous intéresse.
4. Lorsque vous avez terminé, cliquez sur le bouton de fermeture pour quitter le navigateur et retourner dans Excel.

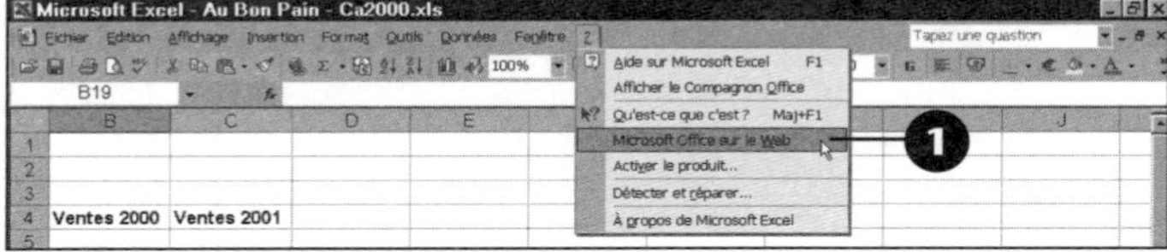

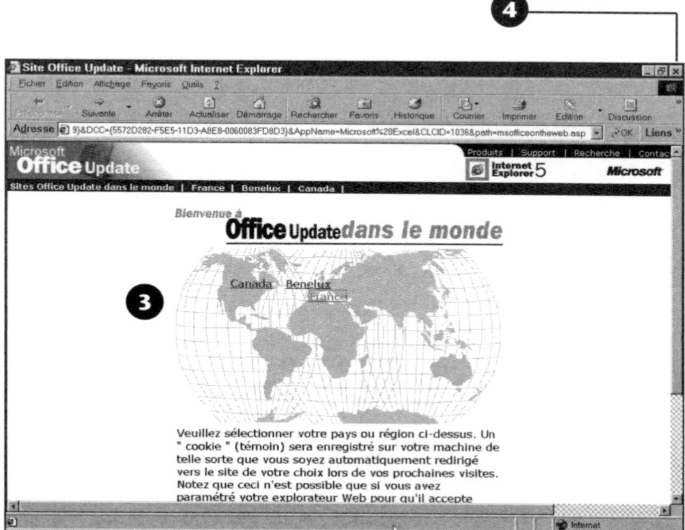
4
Site Office Update - Microsoft Internet Explorer
Fichier Edition Affichage Favoris Outils ?
Suivante Arrêter Actualiser Démarrage Rechercher Favoris Historique Courrier Imprimer Edition Discussion
Adresse
Liens
Microsoft Office Update
Produits | Support | Recherche | Contac
Internet Explorer 5
Microsoft
Sites Office Update dans le monde | France | Benelux | Canada |
Bienvenue à
Office Update dans le monde
Canada
Benelux
France
3
Veuillez sélectionner votre pays ou région ci-dessus. Un
" cookie " (témoin) sera enregistré sur votre machine de
telle sorte que vous soyez automatiquement redirigé
vers le site de votre choix lors de vos prochaines visites.
Notez que ceci n'est possible que si vous avez
paramétré votre explorateur Web pour qu'il accepte
Internet

Index

3D
- appliquer un style prédéfini, 215
- définir l'éclairage d'un objet, 216
- pivoter un objet, 215
- profondeur d'un l'objet, 217
- surface d'un objet, 217

Adressage relatif, 76

Adresse, 75
- affecter un nom de cellule ou de plage, 83

Affichage
- consulter un affichage personnalisé, 294
- créer un affichage personnalisé des feuilles de calcul, 293
- paramètres d'affichage des objets, 224

Afficher
- aperçu de page Web, 364
- barre d'outils, 18
- colonne ou ligne, 105
- compagnon Office, 25
- formule dans cellule, 71
- ombre, 214
- plusieurs classeurs, 291
- scénarios, 318

Aide
- avec le pointeur ?, 24
- demander de l'aide au Compagnon Office pour les utilisateurs
  - lotus 1-2-3, 25
- rechercher des informations Office en ligne, 382

Ajustement automatique
- ligne ou colonne, 106

Alignement
- boutons, 136
- modifier l'alignement des données, 133
- objet WordArt, 170

Aligner
- objets, 219
- sur une grille/forme, 220

Animation
- un son, 160

Annuler
- une action, 48

Aperçu avant impression
- bouton, 29

Aperçu de page Web
- afficher, 364

Assistant
- naviguer dans les boîtes de dialogue d'un, 21
- sélectionner une option, 20

Assistant Graphique
- changer d'avis en cours de travail, 230
- changer de type de graphique, 236
- créer un graphique, 229

Audit
- feuille de calcul, 285

B

Barre d'outils
- afficher/masquer, 18
- ajouter un bouton, 299
- changer les options, 296
- choisir une commande avec un bouton, 17
- créer, 295
- personnaliser, 297
- restaurer les boutons d'origine, 300
- supprimer un bouton, 298

Barre d'outils Dessin
- afficher, 186
- outils 3D, 215

Barre d'outils Graphique, 234

Barre d'outils Mise en forme
- appliquer une bordure, 144
- boutons, 125
- bouton Couleur de caractères, 139
- choisir une couleur de remplissage, 141
- changer de police et de taille de caractères, 132
- modifier l'alignement des données, 135

Barre d'outils Tableau croisé dynamique
- afficher/masquer des champs, 277

Barre d'outils Web, 369
- boutons, 163

Barre de formule, 36
- modifier le contenu d'une cellule, 46
- modifier une formule, 73

Base de données, 257
- créer un tableau croisé dynamique depuis une base de données Access, 357
- composants, 21
- sélectionner une option, 20

Bordure
- ajouter à une image, 160
- appliquer, 142

Bouton Coller une fonction, 90

Calcul automatique, 85
- ouvrir le menu contextuel, 85

Caractères
- changer la police, 130
- changer la taille, 130

Cellule
- adressage relatif, 76
- afficher les formules, 71
- ajouter un commentaire, 177
- appliquer un format automatique, 145
- appliquer une bordure, 143
- calculer automatiquement une plage, 85
- coller, 50
- contrôler l'enchaînement du texte, 136
- copier un format de cellule, 129
- couleur de remplissage, 140
- déplacer le contenu, 57
- éffacer le contenu, 47
- entrer une valeur, 41
- étiquette, 35
- figer, 109
- formule, 36
- Insérer, 60
- libérer une cellule figée, 110
- modification directe, 288
- modifier l'alignement des données, 133, 135
- modifier le contenu, 46
- motif, 140

nommage par Excel, 82
nommer, 80
plages nommées, 80
référence absolue, 77
référencer avec des étiquettes, 78
références de cellule, 75
règle de validation, 272
saisir le texte d'une étiquette, 39
saisir un nombre comme étiquette, 39
saisir une fonction manuellement, 87
saisir une fonction usuelle, 88
sélectionner, 81
sélectionner une plage contiguë, 37
sélectionner une plage non contiguë, 38
supprimer, 61
supprimer un commentaire, 181
types d'entrées, 35
utiliser la recopie incrémentée, 43
valeur, 35
valider une saisie, 38

Classeur, 1
afficher plusieurs classeurs, 291
autoriser le partage, 334
consolider les données, 349
créer depuis un classeur existant, 8
créer depuis un modèle, 8
créer un classeur à partir d'un modèle, 304
créer un nouveau classeur, 6
déplacer une feuille de calcul, 97
enregistrer en tant que page Web, 360
enregistrer et donner un nom, 26
enregistrer un classeur Excel 2002 pour un utilisateur Excel 97, 27
enregistrer un classeur existant sous un autre nom, 28
envoyer en tant que pièce jointe d'un e-mail, 380
fermer, 32
insérer une feuille de calcul, 95
lier, 348
organiser l'affichage des parties, 292
ouvrir, 9
ouvrir plusieurs fenêtres, 5
ouvrir sous forme de page Web dans Excel, 363
ouvrir un classeur par défaut, 308
ouvrir un classeur récemment utilisé, 11
protéger, 313
router un classeur dans un message e-mail, 381
supprimer une feuille de calcul, 96

Clips
sur le Web, 370

Clips en ligne, 163

Code
macro, 327

Collage spécial, 56
copier uniquement les formules, 74

Coller
coller une fonction, 90
des données avec effets spéciaux, 56
des données depuis le Presse-papiers Office, 52
ligne vers colonne ou vice et versa, 59

plusieurs vers plusieurs, 51
plusieurs vers une, 50
une vers plusieurs, 50
une vers une, 50
Colonne
afficher, 105
ajuster la largeur avec la souris, 106, 109
coller dans une ligne, 59
figer, 109
imprimer le titre de chacune, 117
insérer, 102
masquer, 104
modifier la largeur avec l'Ajustement auto, 106
sélectionner, 100
supprimer, 103
Commande
choisir une commande dans un menu, 16
choisir une commande dans une barre d'outils, 17
choisir une commande par raccourci clavier, 17
Commentaire
ajouter à une cellule, 177
lire, 178
mise en forme rapide, 179
modifier, 179
supprimer, 181
Compagnon Office
afficher/masquer, 25
demander de l'aide, 25
désactiver, 25
Conférence en ligne
planifier, 377
Consolider les données
classeur ou feuille de calcul, 349
Contraste
régler, 181
Convertir
Copier
copier une formule avec le Presse-papiers Windows, 74
des données dans le Presse-papiers Office, 52
des données depuis le Presse-papiers Windows, 53
des données par Glisser-déplacer, 55
feuille de calcul, 98
une formule avec la Recopie incrémentée, 74
Correction automatique
activer, 67
ajouter une entrée, 62
empêcher, 63
modifier les exceptions, 64
modifier une entrée, 63
supprimer une entrée, 64
Couleurs
changer la couleur d'une ombre, 214
changer la couleur d'un texte, 138
couleur de remplissage, 140
remplissage d'un objet dessiné, 209
texte WordArt, 167
type de couleur d'image, 183
Courbe
convertir une courbe ouverte en fermée et vice et versa, 198
tracer, 196

D

Date/heure
modifier un format, 43
saisir, 42
Démarrer
depuis la barre Office, 2
depuis le bouton Démarrer

de Windows, 2
depuis Office XP, 3
Déplacer
contenu de cellule, 57
graphique incorporé, 237
objet dessiné, 202
Dessin
3D, 215
à main levée, 197
afficher la barre d'outils, 186
aligner des objets, 219
carré ou cercle, 189
couleur de remplissage, 209
déplacer, 202
faire pivoter avec précision, 208
flèche, 188
forme libre, 185, 195
formes automatiques, 185
ligne, 185
rectangle ou ellipse, 189
sur un graphique, 251
tracer une ligne droite, 186
Discussion
sur le Web
Dissocier
groupe d'objets, 222

Effacer
contenu de cellule, 47
Ellipse
dessiner, 189
E-mail
envoyer un classeur en tant que pièce jointe, 380
envoyer une feuille de calcul, 379
router un classeur dans un message, 381
Enregistrement
afficher avec le Filtre automatique, 268
afficher une sélection, 262
modifier, 263
saisie dans la grille de données, 261
supprimer, 264
Enregistrer
classeur 2002 pour utilisateur Excel 97, 27
classeur en tant que page Web, 360
classeur existant sous un autre nom, 28
feuille de calcul en tant que page Web, 361
macro, 324
nouveau classeur, 27
sous un autre format, 339
En-tête et pied de page
modifier, 115
Espacement
caractères, 171
Étiquette, 35
définir une plage d'étiquettes, 78
noms relatifs, 80
référencer des cellules, 78
saisir le texte, 39
saisir un nombre comme étiquette, 39
supprimer une plage d'étiquettes, 79
utiliser la saisie semi-automatique, 40
Exporter
par copier-coller, 339
sous un autre format, 340
table de données Access, 356

Fenêtre de classeur
basculer entre les fenêtres, 5

déplacer/redimensionner, 5
ouvrir plusieurs fenêtres, 5
Fenêtre Excel, 4
ouvrir un classeur depuis la, 10
Fermer
classeur, 32
Feuille de calcul
affichage personnalisé, 293
aperçu de page Web, 364
arrière-plan, 97
boîte de dialogue Imprimer, 30
changer les couleurs, 138
consolider les données, 349
copier, 98
copier un tableau Web, 372
définir une zone d'impression, 120
déplacer dans un classeur, 97
enregistrer en tant que page Web, 361
en-tête et pied de page, 115
envoyer une feuille de calcul dans un message e-mail, 379
figer des lignes ou colonnes, 109
glisser-déplacer vers une autre feuille de calcul, 55
grouper plusieurs feuilles, 100
imprimer le quadrillage, 118
imprimer sur plusieurs pages, 119
imprimer une partie, 116
insérer, 95
insérer ligne ou colonne, 101
insérer un organigramme, 172
insérer un saut de page, 111
insérer un son ou une animation, 160
insérer une image, 156, 162
lier, 345
masquer, 95
mise en forme du texte, 124
mise en page, 113
naviguer, 14, 15
nommer, 95
prévisualiser, 29
protéger, 312
repérer les relations, 285
saisir des valeurs, 41
sélectionner, 94
sélectionner en entier, 101
sélectionner une colonne ou une ligne, 100
supprimer, 96
supprimer ligne ou colonne, 103
vérifier l'orthographe, 66
Fichier
Document
ouvrir un document Office, 12
Fichier
rechercher un fichier externe, 11
trouver un fichier dont on ignore le nom, 13
Fichier cible, 337
Fichier source, 337
Filtre automatique, 267
dix premiers ou derniers d'une liste, 269
créer une requête complexe, 269
Flèche
tracer/modifier, 188
tracer une flèche dans un graphique, 253
Fonction, 69
coller une fonction à l'aide du bouton Coller une fonction, 90
liste des plus courantes, 89
saisir manuellement, 87
saisir une fonction usuelle, 88
Format
date/heure, 43

Format automatique
appliquer, 145
modifier, 146
Format de cellule
ajouter une couleur de remplissage, 140
appliquer une bordure, 143
attribuer un format numérique, 126
changer la couleur d'un texte, 138
copier un format de cellule, 129
modifier l'alignement des données, 133
Forme libre, 185
contrôler, 200
déplacer un sommet, 198
dessiner, 195
insérer un sommet, 199
modifier, 199
modifier l'angle d'un sommet, 201
supprimer un sommet, 200
Formes automatiques, 185
ajuster, 191
couleurs, 210
de la bibliothèque d'images, 193
rechercher dans la bibliothèque d'images, 194
redimensionner, 192
remplacer, 190
tracer, 189
Formule, 36
afficher dans les cellules, 71
copier avec le Presse-papiers Windows, 74
copier avec la Recopie incrémentée, 74
fonctions prédéfinies, 87
modifier dans la barre de formule, 73
opérateurs arithmétiques, 70
saisir, 70
utiliser un nom de plage, 84
utiliser une plage, 83
Fusionner
styles, 151

Glisser-déplacer
copier des données, 55
déplacer des données, 58
vers une autre feuille de calcul, 55
Graphique, 225
ajouter une légende, 249
ajouter une série de données, 241, 242
annotation, 249
changer de type, 235, 236
changer l'ordre des séries de données, 244
créer un graphique avec l'assistant, 229
créer un graphique depuis un tableau croisé dynamique, 281
déplacer un graphique incorporé, 237
détacher un secteur, 239
éffacer une série de données, 243
graphique incorporé, 232
mettre en forme les axes, 255
mettre en forme le texte, 254
modifier la couleur ou le motif d'une série de données, 245
quadrillage, 250
rassembler les secteurs, 240
redimensionner un graphique incorporé, 238
sélectionner, 234

sélectionner des éléments, 243
sélectionner un secteur d'un camembert, 240
terminologie, 226
titre, 248
tracer une flèche, 253
types, 227, 228

Graphique croisé dynamique
créer, 281
créer un graphique avec un tableau croisé dynamique, 283
modifier, 282

Grille de données
créer, 260, 261
saisir des enregistrements, 261

Groupe
créer, 302
réduire/développer, 303

Grouper
objets, 222

Image
ajouter une bordure, 160
ajouter une bordure, 160
choix d'un type de couleur, 183
contraste et luminosité, 181
importer dans la bibliothèque, 193
insérer, 156
insérer depuis un appareil photo, 162
insérer depuis un scanneur, 162
rendre transparente une image couleurs, 182
rogner, 182
supprimer, 159

Importer
fichier texte, 340
une partie de feuille de calcul, 116

Imprimante
changer les propriétés, 31

Imprimer
définir les options d'impression, 31
définir l'option Copies assemblées, 32
définir une zone d'impression, 120
quadrillage de la feuille, 118
rapidement une feuille de calcul, 30
sur un nombre spécifié de pages, 119
titres de lignes et colonnes, 117

Incorporer
nouvel objet, 344
objet existant, 344

Insérer
cellule, 60
clipart de la bibliothèque d'images, 156
colonne ou ligne, 102
feuille de calcul, 95
saut de page, 111
sons, 160
une image provenant d'un fichier existant, 158
une image depuis un scanneur ou appareil photo, 162

Langue
changer de langue, 153

Légende
ajouter à un graphique, 249

Lien hypertexte
créer, 366
créer une info-bulle pour le lien, 367
sauter vers un lien, 367
supprimer, 368
Lier, 338
classeurs, 348
créer une liaison vers un autre fichier, 341
entre feuilles de calcul, 345
modifier une liaison, 342
rompre une liaison, 343
supprimer une liaison, 347
Ligne
afficher, 105
ajuster la hauteur avec la souris, 108
coller dans une colonne, 59
figer, 109
imprimer le titre de chacune, 117
insérer, 102
libérer une ligne figée, 110
masquer, 104
modifier la hauteur avec l'Ajustement auto, 106, 109
sélectionner, 100
supprimer, 103
Liste
appliquer le Filtre automatique, 268
créer, 259
données avec Liste de choix, 270
recopie de liste, 271
saisir des données avec Liste de choix, 270
terminologie, 258
trier les données, 265
trouver rapidement des données, 264
Luminosité
régler, 181

M

Macro, 315
affecter une macro à toutes les feuilles de calcul, 326
code macro, 327
déboguer en Pas à pas, 328
enregistrer, 324
exécuter, 323, 326, 327
modifier, 330
Macro complémentaire, 315
les plus courantes, 331
Maintenance
boutons de maintenance, 23
mode Maintenance, 22
Marges
définir, 114
Masquer
barre d'outils, 18
colonne ou ligne, 104
compagnon Office, 25
feuille de calcul, 95
ombre, 214
Menu
ajouter une commande, 300
changer les options, 296
choisir une commande, 16
créer un nouveau menu, 301
Microsoft IntelliMouse
Mise à jour
rapport de tableau croisé dynamique, 277
Mise en forme
attribuer un format numérique, 126
barre d'outils, 125
bordure, 144
conditionnelle, 127
copier un format de cellule, 129

format automatique, 145
nombre, 125
texte, 124
texte d'un graphique, 254
texte WordArt, 168

Mise en page
changer l'orientation, 113
en-tête et pied de page, 115
imprimer les titres de lignes et colonnes, 117
marges, 114

Modèle, 304
changer le modèle par défaut, 309
créer, 306
description, 305
modifier, 308
ouvrir, 307
personnaliser, 309

Modifier
affichage des objets, 224
bordure, 144
commentaire, 179
contenu de cellule, 46
enregistrement, 263
flèche, 188
forme libre, 199
formule dans la barre de formule, 73
graphique croisé dynamique, 282
liaison, 342
macro, 330
modèle, 308
options générales, 288
organigramme, 174
style, 150
tableau croisé dynamique, 279
trait, 187

Motif
ajouter un motif, 140
créer un motif de trait, 210

Naviguer
avec le clavier, 15
avec la souris, 14
dans les boîtes de dialogue des assistants, 21

NetMeeting
ouvrir, 379

Nombre
attribuer un format numérique, 126
changer la présentation, 125

Nommer
cellule et plage de cellules, 80
feuille de calcul, 95

Objet
aligner, 219
appliquer une ombre prédéfinie, 212
couleur de remplissage, 209
créer un dégradé, 211
décaler légèrement, 203
définir l'éclairage, 216
déplacer, 202
dissocier, 222
faire pivoter de 90°, 205
faire pivoter librement, 206
grouper, 222
mettre en 3D, 215
mettre en pile, 221
modifier les paramètres d'affichage, 224
pivoter autour d'un point fixe, 207
pivoter un objet 3D, 215
redimensionner avec la souris, 204
redimensionner avec précision, 205

regrouper, 223
répartir des objets, 220
OLE
Ombre
afficher, 214
annotation, 251
appliquer une ombre prédéfinie, 212
changer la couleur, 214
déplacer, 213
déplacer légèrement, 214
masquer, 214
Opérateurs arithmétiques, 70
respecter la priorité, 71
Options générales
modifier, 288
Organigramme
aide sur l'organigramme hiérarchique, 173
ajouter une boîte, 175
changer le style, 175
créer, 172
déplacer une boîte, 176
entrer du texte, 173
Orthographe
vérifier, 66
Ouvrir
classeur, 9
modèle, 307
plusieurs fenêtres de
classeur, 5

P

Page
changer l'orientation, 113
Partager
autoriser le partage d'un classeur, 334
modifier les options de partage, 335
Pas à pas
déboguer une macro, 328
Pivoter
de 90°, 205
faire pivoter autour d'un point fixe, 207
objet 3D, 215
pivoter librement un objet, 206
Plage nommée
dans une formule, 83
sélectionner, 81
Plan
créer, 302
dissocier les données, 303
réduire/développer, 303
supprimer le mode Plan, 302
Poignée de recopie, 44
Point
mesure typographique, 109
Police
changer, 130
changer la couleur, 139
par défaut, 130
police d'imprimante, 133
trueType, 132
Polygone
tracer 195
Presse-papiers Office
coller des données, 52
copier des données, 51
ouvrir automatiquement, 60
Presse-papiers Windows, 50
copier des données, 53
copier une formule, 74
déplacer des données, 57
Problème
détecter, 22
Programme cible, 337
Programme source, 337
Protéger
classeur, 313
feuille de calcul, 312

Q

Quadrillage
ajouter à un graphique, 250
imprimer, 118
principal ou secondaire, 249
Quitter
excel, 33

R

Raccourci clavier
exécuter une commande, 17
Rechercher
données sur le Web, 369
fichier, 13
informations Office sur le Web, 382
Recopie de liste, 271
Recopie incrémentée
créer une série complexe, 45
recopier une formule, 74
saisir des données répétitives, 44
Rectangle
dessiner, 189
Redimensionner
formes automatiques, 192
graphique incorporé, 238
objet dessiné, 204, 205
Référence absolue
cellule, 76
Règles de validation
créer, 272
Regrouper
objets, 223
Répartir
objets, 220
Requête
créée avec le Filtre automatique, 269
dans une nouvelle requête Web, 353
interrompre, 352
récupérer des données, 352
vérifier l'état, 356
Rétablir
une action, 49
Rogner
image, 182
Rotation
voir Pivoter

S

Saisie
utiliser la Recopie incrémentée, 44
valider , 38
Saisie semi-automatique
saisir une étiquette, 40
Saisir
formule, 70
Saut de page
afficher l'aperçu, 112
déplacer, 112
insérer, 111
supprimer, 111
Scénarios
afficher, 318
créer, 316
créer un scénario de simulation avec Valeur cible, 321
Sélectionner
cellule ou plage nommée, 81
feuille de calcul, 94, 101
graphique, 234
ligne ou colonne de feuille de calcul, 100
plage contiguë de cellules, 37
plage non contiguë de cellules, 38
secteur de graphique

camembert, 240
Série de données
ajouter une image, 246
changer l'ordre, 244
dans un graphique, 241
modifier la couleur ou le motif, 245
Serveur de discussion
sélectionner, 373
Serveur Web, 362
Somme automatique
calculer des totaux, 86
Son
insérer, 160
Style
appliquer, 149
créer, 148
fusionner, 151
modifier, 150
organigramme, 175
supprimer, 152
Suivi des modifications
accepter ou rejeter les modifications, 311
activer les modifications, 310
afficher les modifications, 311
Supprimer
cellule, 61
commentaire, 181
enregistrements, 264
feuille de calcul, 96
image, 159
liaison, 347
lien hypertexte, 368
ligne ou colonne, 103
plage d'étiquettes, 79
saut de page, 111
style, 152
table de données, 321

T

Table de données, 319
créer une table à une entrée, 320
exporter une table Access vers Excel, 356
supprimer, 321
Tableau croisé dynamique
actualiser, 277
ajouter/supprimer un champ, 278
créer, 274
créer un graphique depuis un, 281
créer un graphique croisé dynamique, 283
depuis une base de données Access, 357
mise en forme automatique, 279
modifier les paramètres des champs, 280
rapport, 276
Tableur, 1
Texte
changer la couleur, 138
enchaînement dans une cellule, 136
entrer du texte dans un organigramme, 173
mettre en forme, 124
objet WordArt, 163
vertical, 169
Titre
ombrer le titre d'un graphique, 252
titre de graphique, 248
Tracer
flèche, 188
forme automatique, 190
ligne droite, 186

tracer une flèche dans un graphique, 253
Trait, 185
créer un motif de trait, 210
modifier, 187
tracer un trait droit, 186
Travailler
avec le volet Office, 19
Trier
sur plusieurs critères, 266

URL, 368

Valeur, 35
date/heure, 42
entrée dans une cellule, 41
Valeur cible
créer un scénario de simulation, 321
Volet Office, 7

Web
adresse Web et URL, 368
aperçu de page Web, 364
barre d'outils Web, 369
changer les options, 355
copier un tableau vers une feuille de calcul, 372
démarrer/arrêter une discussion, 375
discussion sur le Web, 373
enregistrer un classeur en tant que page Web, 360
enregistrer une feuille de calcul en tant que page Web, 361
obtenir de nouveaux clips, 370
ouvrir un classeur sous forme de page Web dans Excel, 363
rechercher des informations Office, 382
récupérer des données sur le Web, 369
sélectionner un serveur de discussion, 373
serveur Web, 362
WordArt
aligner un objet, 170
appliquer une rotation, 166
barre d'outils, 163
créer un objet texte, 163
définir une hauteur commune de lettres, 169
espacement des caractères, 171
mettre en couleur, 167
mettre en forme, 168
modifier la forme d'un texte, 166
texte vertical, 169

Zone d'impression, 116
annuler, 122
définir, 121

Imprimerie Hérissey - 27000 Évreux
N° d'impression : 89754
Dépôt légal : mai 2001